필수개념으로 꽉 채운 **개념기본서**

낯선개념

확률과 통계

동아출판

날카롭게 선별한 개념기본서

고등 수학, 겁먹을 필요 없다!
특별한 사람만 수학을 잘하는 것은 아니다.

날카롭게 설명하고 엄선한 문제로
수학의 기본을 다지면,
누구나 수학을 잘할 수 있다.

고등 수학의 편안한 출발
날선개념으로 시작하자!

⊘ 날선 가이드

나는 어떤 스타일인가요? 문항을 읽고 체크해 보세요.

☐ 확률과 통계를 처음 공부해요.

☐ 수학 개념이 문제에 어떻게 적용되는지 알고 싶어요.

☐ 능률을 생각하지 않고 무조건 열심히 공부해요.

☐ 수학 문제를 봐도 무슨 말인지 모르겠어요.

☐ 선생님이 설명해 주시면 알겠는데, 다시 풀려면 막막해요.

위 문항 중 **한 개 이상** 체크했다면 **날선개념으로 꼭 공부해야 합니다!**
확률과 통계를 미리 공부하고 싶을 때
또는 수학 개념을 내 것으로 만들고 싶을 때 날선개념으로 공부하세요.
대표Q의 [날선 Guide]로 스스로 생각하는 힘을 키우면
공부 능률도 오르고 수학에 자신감이 생깁니다.

집필진	이창형 | 서울대학교 수학과 및 동 대학원
	김창훈 | 서울대학교 수학교육과
	이창무 | 서울대학교 수학과, 현 대성마이맥 강사
인쇄일	2019년 12월 1일
발행일	2019년 12월 10일
펴낸이	이욱상
펴낸데	동아출판(주)
신고번호	제300-1951-4호(1951. 9. 19)
편집팀장	이상민
책임편집	박지나, 김성일, 김형순, 장수경, 김경숙, 김성희
디자인팀장	목진성
책임디자인	강혜빈

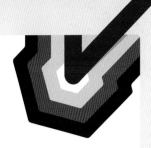

필수개념으로 꽉 채운 개념기본서

날선개념

확률과 통계

 선생님이 자신 있게 추천하는 날선개념 추천사를 확인해 보세요.

#날선개념 #고등수학 #개념서 #기본서 #동아출판

낯선개념
이런 점이 좋아요!

1. 학습 플랜 관리
낯선개념 학습 Note에 목표와 학습 계획을
세우고 기록하면서 규칙적인 학습 습관을
기를 수 있어요.

2. 주제별 개념 학습
수학 개념을 주제별로 모아
간단하고 명확하게 설명하고 있어
이해하기 쉬워요.

3. 대표Q & 낯선Q 문제로 생각하는 힘을 향상
유형별로 풀이를 외우는 학습은
진짜 수학 공부가 아니에요.
낯선 Guide를 통해 어떤 개념이 사용되는지
생각하는 힘을 길러 보세요.

4. 복습과 오답 Note로 완벽 이해
낯선개념 학습 Note를 이용하여
문제를 풀이하고 오답 Note를 만들어
개념을 완벽히 내 것으로 만들어 보세요.

수학은
공식을 외우는 것이 아니라
생각하는 힘을 키우는
즐거운 습관입니다.

1 개념 완결 학습

2 대표 문제와 유제

날선개념
학습 Note와
연계하여 학습할 수
있습니다.

필수개념	개념을 주제별로 나눠 필수개념을 한눈에 보고, 예시를 통해 원리를 쉽게 이해할 수 있습니다.
개념 Check	개념에 따른 확인 문제를 바로 풀어 봄으로써 개념과 원리를 확실히 익힐 수 있습니다.
공부한 날	공부한 날짜를 쓰면서 스스로 진도를 확인할 수 있습니다.

대표Q	개념 이해를 돕고 최신 출제 경향을 반영한 대표 문제를 제시하였습니다.
날선 Guide	문제를 푸는 원리와 접근 방법을 제시하여 스스로 생각하고 문제를 해결할 수 있습니다.
날선 Point	문제를 해결하는 데 핵심이 되는 내용을 정리하였습니다.
유제	대표Q와 유사한 문제 및 발전 문제로 구성하여 대표 문제를 충분히 연습할 수 있습니다.

+ 날선개념 학습 Note

• 대표Q 학습 Note

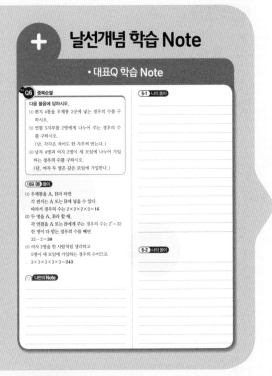

대표Q 풀이 대표Q 문제를 해결한 후 자세한 풀이를 확인할 수 있습니다.

나의 풀이 유제 풀이를 Note에 써 보면서 실력을 점검할 수 있습니다.

3 연습과 실전

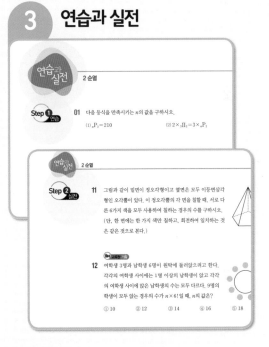

연습과 실전 단원 마무리 문제를 2단계로 나누어 단계적으로 학습할 수 있습니다.

Step 1 기본이 되는 문제를 Step1에서 연습할 수 있습니다.

Step 2 학교 시험, 교육청, 평가원, 수능 기출 문제를 엄선하여 Step2에서 실전에 대비할 수 있습니다.

확률과 통계

Contents

Where there is a will,
there is a way.

동일한 조건에서 반복할 수 있는 실험이나 관찰에 의하여 일어나는 결과를 사건이라 하고, 어떤 사건이 일어나는 가짓수를 경우의 수라 한다.

고등 수학에서 '또는', '이거나'로 연결된 사건은 합의 법칙을, '동시에', '잇달아' 일어나는 경우의 수는 곱의 법칙을 생각한다고 배웠다.

이 단원에서는 합의 법칙과 곱의 법칙에 대해 복습해 보자.

1-1 합의 법칙과 곱의 법칙

경우의 수

1

합의 법칙과 곱의 법칙

1 사건 A, B가 동시에 일어나지 않을 때, A, B가 일어나는 경우의 수가 각각 m, n
이면 A 또는 B가 일어나는 경우의 수는 $m+n$이다. 이것을 **합의 법칙**이라 한다.

2 사건 A가 일어나는 경우의 수가 m이고 각각에 대하여 사건 B가 일어나는 경우의
수가 n이면 A, B가 동시에 또는 잇달아 일어나는 경우의 수는 $m \times n$이다. 이것을
곱의 법칙이라 한다.

경우의 수는 고등 수학(하)에서 이미 공부하였다. 앞으로 공부할 내용의 기본이 되는 내용이
므로 다시 정리하자.

합의 법칙 • 한 개의 주사위를 두 번 던질 때, 나오는 눈의
수의 합이 3인 사건을 A, 눈의 수의 합이 5인
사건을 B라 하면 그림과 같다. 따라서 A 또는
B가 일어나는 경우의 수는 $2+4=6$이다.

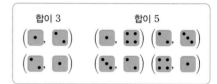

이와 같이 사건 A, B가 **동시에 일어나지 않을 때**,
A, B가 일어나는 경우의 수가 각각 m, n이면
A **또는** B가 일어나는 경우의 수는 $m+n$이다.
이를 합의 법칙이라 한다.

> '또는', '이거나'로 연결된 사건 ➡ 합의 법칙을 생각한다.

곱의 법칙 • 빨간색 주사위와 파란색 주사위를 동시에 던질
때, 빨간색 주사위에서는 홀수, 파란색 주사위
에서는 3의 배수의 눈이 나오는 경우는 그림과
같다.

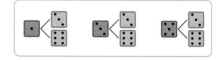

곧, 빨간색 주사위를 던질 때 홀수의 눈이 나오는 사건을 A,
파란색 주사위를 던질 때 3의 배수의 눈이 나오는 사건을 B라 하면
A와 B가 동시에 일어나는 경우의 수는 $3 \times 2=6$이다.
이와 같이 사건 A가 일어나는 경우의 수가 m이고, **각각에 대하여** 사건 B가 일어나는 경우
의 수가 n이면 A, B가 **동시에** 또는 **잇달아** 일어나는 경우의 수는 $m \times n$이다.
이를 곱의 법칙이라 한다.

> '동시에', '잇달아' 일어나는 사건 ➡ 곱의 법칙을 생각한다.

세 개 이상의 사건에 대해서도 합의 법칙과 곱의 법칙을 생각할 수 있다.

주사위 두 개를 동시에 던질 때, 다음 물음에 답하시오.

(1) 두 눈의 수의 합이 6의 배수인 경우의 수를 구하시오.

(2) 두 눈의 수의 차가 1 이하인 경우의 수를 구하시오.

경우의 수

날선 Guide 주사위 A, B를 동시에 던질 때, 나오는 눈의 수를 순서쌍으로 나타내면 표와 같다.

A＼B	1	2	3	4	5	6
1	(1, 1)	(1, 2)	(1, 3)	(1, 4)	(1, 5)	(1, 6)
2	(2, 1)	(2, 2)	(2, 3)	(2, 4)	(2, 5)	(2, 6)
3	(3, 1)	(3, 2)	(3, 3)	(3, 4)	(3, 5)	(3, 6)
4	(4, 1)	(4, 2)	(4, 3)	(4, 4)	(4, 5)	(4, 6)
5	(5, 1)	(5, 2)	(5, 3)	(5, 4)	(5, 5)	(5, 6)
6	(6, 1)	(6, 2)	(6, 3)	(6, 4)	(6, 5)	(6, 6)

(1) 합이 6의 배수이면 합이 6 또는 12이다.

각각은 동시에 일어나지 않으므로 합이 6인 경우, 12인 경우의 수를 더한다.

(2) 차가 1 이하이면 차가 1 또는 0이다.

역시 각각은 동시에 일어나지 않으므로 차가 1인 경우와 0인 경우의 수를 더한다.

참고 주사위 2개를 동시에 던지는 경우와 주사위 한 개를 연달아 두 번 던지는 경우는 같다.

답 (1) 6　(2) 16

날선 Point 사건 A, B가 동시에 일어나지 않고, A, B가 일어나는 경우의 수가 각각 m, n일 때

➡ A 또는 B가 일어나는 경우의 수는 $m+n$

1-1 주사위 한 개를 연달아 두 번 던질 때, 다음 물음에 답하시오.

(1) 두 눈의 수의 합이 3의 배수인 경우의 수를 구하시오.

(2) 두 눈의 수의 차가 3 이상인 경우의 수를 구하시오.

1-2 자연수 x, y, z에 대하여 다음 방정식을 만족시키는 순서쌍의 개수를 구하시오.

(1) $x+3y=10$　　　　　　　　(2) $2x+3y+z=15$

Q2 곱의 법칙

◆ 정답 및 풀이 1쪽

지점 A, B, C 사이에 그림과 같은 길이 있을 때, 다음 물음에 답하시오.
(단, 같은 지점을 두 번 이상 지나지 않는다.)

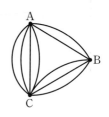

(1) A에서 B를 거쳐 C로 가는 경우의 수를 구하시오.

(2) A에서 B, C를 한 번씩 거쳐 다시 A로 돌아오는 경우의 수를 구하시오.

날선 Guide (1) A와 B 사이의 길을 a, b라 하고 B와 C 사이의 길을 x, y, z라 하면 A에서 B를 거쳐 C로 가는 경우는 다음과 같다.

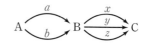

곧, a, b 중 하나를 선택한 경우의 각각에 대하여 x, y, z 중 하나를 선택할 수 있으므로 경우의 수는 곱의 법칙을 이용하여 구할 수 있다.

(2) B, C를 한 번씩만 거치므로 다음과 같이 나눌 수 있다.

$$A \to B \to C \to A \quad \cdots \ \circleddash \qquad A \to C \to B \to A \quad \cdots \ \circledcirc$$

두 경우는 동시에 일어나지 않으므로 각각의 경우의 수를 구한 다음 더하면 된다. 이때 ㉠ 또는 ㉡의 경우의 수는 (1)과 같이 곱의 법칙으로 구한다.

답 (1) 6 (2) 48

날선 Point • '동시에' 또는 '잇달아' 일어나는 사건의 경우의 수 ➡ 곱의 법칙을 생각한다.
• 동시에 일어나지 않는 경우를 나누어 구한다.

2-1 지점 A에서 B를 오가는 배편이 4개, 항공편이 2개 있다. 다음 경우의 수를 구하시오.

(1) 배편이나 항공편을 이용하여 A에서 B로 가는 경우의 수

(2) A에서 B로 배편을 이용하여 갔다가 다시 A로 항공편을 이용하여 돌아오는 경우의 수

(3) 배나 항공기 중 한 가지만 이용하여 A에서 B로 갔다가 다시 A로 돌아오는 경우의 수

2-2 다음 전개식에서 항의 개수를 구하시오.

(1) $(x+y)(a+b+c)$

(2) $(a+b+c)(d+e+f+g)(x+y)$

그림과 같이 분할된 영역을 5개의 색으로 칠하려고 한다. 칠하는 방법의 수를 구하시오.
(단, 같은 색은 여러 번 쓸 수 있지만, 이웃한 부분은 다른 색으로 칠한다.)

(1)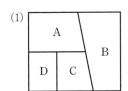

(2)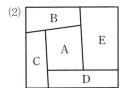

날선 Guide 5개의 색을 a, b, c, d, e라 하자.

(1) A에 a를 칠하는 경우

B에는 a가 아닌 네 가지 색,

C에는 a와 B에 칠한 색이 아닌 색,

⋮

이와 같이 하면 곱의 법칙을 이용하여 구할 수 있다.

(2) A에 a를 칠하는 경우

나머지 네 영역에는 b, c, d, e를 나누어 칠해야 한다.

B는 C, E와는 이웃하지만, D와는 이웃하지 않으므로

B와 D에 같은 색을 칠하는 경우와 다른 색을 칠하는 경우로 나누어 생각한다.

답 (1) 180 (2) 420

날선 Point 색칠하는 문제

❶ 이웃하는 부분이 가장 많은 영역부터 칠할 수 있는 색을 정한다.

❷ 곱의 법칙을 생각한다.

3-1 그림과 같이 분할된 다섯 영역을 5개의 색으로 칠하려고 한다. 칠하는 방법의 수를 구하시오. (단, 같은 색은 여러 번 쓸 수 있지만, 이웃한 부분은 다른 색으로 칠한다.)

3-2 그림과 같이 네 영역으로 분할된 직사각형을 5개의 색으로 칠하려고 한다. 같은 색은 여러 번 칠해도 좋으나 이웃한 부분은 다른 색으로 칠할 때, 칠하는 방법의 수를 구하시오.

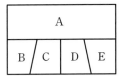

다음 물음에 답하시오.

(1) 그림과 같은 정육면체에서 꼭짓점 A를 출발하여 꼭짓점 E까지 모서리를 따라가는 경우의 수를 구하시오.

(단, 한 번 지나간 꼭짓점은 다시 지나지 않는다.)

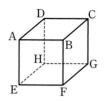

(2) 1, 2, 3, 4가 하나씩 적힌 카드 4장을 일렬로 나열하여 네 자리 자연수 $a_1a_2a_3a_4$를 만들 때, $a_1 \neq 1$, $a_2 \neq 2$, $a_3 \neq 3$, $a_4 \neq 4$를 만족시키는 자연수의 개수를 구하시오.

날선 Guide (1) A에서 모서리 하나로 연결 가능한 꼭짓점은 B, D, E이다. E이면 경로가 끝나고 B와 D는 모서리 AE에 대칭이므로 두 경우의 수는 같다. 즉 둘 중 한 경우만 구하면 된다. B에서 모서리 하나로 연결 가능한 꼭짓점은 C, F이다. 그리고 C에서도 모서리 하나로 연결 가능한 꼭짓점을 찾아 쓴다. 이런 식으로 그림과 같이 써나가면서 경우의 수를 구한다.

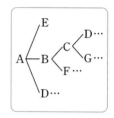

(2) $a_1 = 2$인 경우의 수형도를 그림과 같이 그려 나간다. a_1이 3, 4인 경우도 마찬가지로 그려 보며 경우의 수를 구한다.

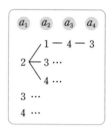

답 (1) 15 (2) 9

날선 Point 직접 세는 경우의 수 ➡ 수형도를 그린다.

4-1 그림과 같은 정육면체에서 꼭짓점 A를 출발하여 꼭짓점 G까지 모서리를 따라갈 때, 다음 물음에 답하시오.
(단, 한 번 지나간 꼭짓점은 다시 지나지 않는다.)

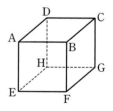

(1) 최단 거리로 가는 경우의 수를 구하시오.

(2) 꼭짓점 H를 반드시 지나는 경우의 수를 구하시오.

4-2 학생 A, B, C, D, E가 각각 작성한 답안지를 다섯 명이서 하나씩 채점하려고 한다. 자기가 작성한 답안지는 채점하지 않는다고 할 때, 채점하는 경우의 수를 구하시오.

1 경우의 수

01 서로 다른 두 개의 주사위를 동시에 던질 때, 나오는 두 눈의 수의 합이 5 또는 9
인 경우의 수는?

① 5   ② 6   ③ 7   ④ 8   ⑤ 9

02 자연수 x, y에 대하여 부등식 $3x+6y \leq 20$을 만족시키는 순서쌍 (x, y)의 개
수는?

① 4   ② 6   ③ 8   ④ 10   ⑤ 12

03 1부터 100까지의 자연수 중에서 3과 5로 나누어떨어지지 않는 자연수의 개수를
구하시오.

04 $2^3 \times 9^k$의 양의 약수의 개수가 44일 때, 자연수 k의 값은?

① 4   ② 5   ③ 6   ④ 7   ⑤ 8

05 다항식 $(a+b+c)(p+q+r)-(a+b)(s+t)$를 전개하였을 때, 항의 개수는?

① 5   ② 7   ③ 9   ④ 11   ⑤ 13

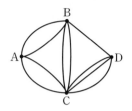

Step 2 실전

06 4개의 도시 A, B, C, D 사이에 그림과 같은 도로가 있을 때, A 도시에서 출발하여 D 도시로 가는 경우의 수를 구하시오.

(단, 같은 도시를 두 번 이상 지나지 않는다.)

07 1000원짜리 지폐 2장, 500원짜리 동전 3개, 100원짜리 동전 3개가 있다. 이 중 지폐와 동전을 일부 또는 전부를 사용하여 지불할 수 있는 방법의 수를 a, 지불할 수 있는 금액의 수를 b라 할 때, a, b의 값을 구하시오.

(단, 0원을 지불하는 것은 생각하지 않는다.)

08 1부터 999까지 자연수 중에서 자릿수에 0을 포함한 자연수의 개수는?

① 120 ② 156 ③ 180 ④ 210 ⑤ 240

교육청 기출

09 숫자 1, 2, 3을 전부 또는 일부를 사용하여 같은 숫자가 이웃하지 않도록 다섯 자리 자연수를 만든다. 이때 만의 자리 숫자와 일의 자리 숫자가 같은 경우의 수를 구하시오.

교육청 기출

10 그림은 어떤 학생이 작성한 수행평가 보고서의 표지이다. 머리말, 제목, 인적사항의 글꼴을 표에서 각각 한 개씩 선택하여 바꾸려고 할 때, 글꼴이 모두 다른 경우의 수를 구하시오.

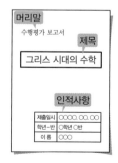

구분	글꼴
머리말	중고딕, 견고딕, 굴림체
제목	중고딕, 견고딕, 굴림체, 신명조, 견명조, 바탕체
인적사항	신명조, 견명조, 바탕체

일렬로 줄을 서는 경우, 순서를 정하는 경우처럼 순서가 있게 나열하는 방법을 순열이라 한다.

이 단원에서는 고등 수학에서 배운 순열과 순열의 계산 방법을 복습해 보자. 또 원 모양으로 나열하는 원순열, 중복을 허용하여 나열하는 중복순열, 같은 것이 있는 순열을 이해하고, 여러 가지 순열의 수를 구하는 방법을 알아보자.

순열

2

서로 다른 n개에서 $r\,(r \leq n)$개를 뽑아 일렬로 나열하는 것을

n개에서 r개를 뽑는 순열이라 하고, 이 순열의 수를 $_n\mathrm{P}_r$로 나타낸다.

$$_n\mathrm{P}_r = \underbrace{n(n-1)(n-2) \times \cdots \times (n-r+1)}_{r개}$$

순열 ●

1, 2, 3, 4가 하나씩 적힌 카드 4장에서 3장을 뽑아

세 자리 자연수를 만들면

백의 자리에는 1, 2, 3, 4의 4개

십의 자리에는 백의 자리 숫자를 뺀 3개

일의 자리에는 백의 자리, 십의 자리 숫자를 뺀 2개

가 가능하다. 따라서 세 자리 자연수의 개수는 곱의 법칙에서

$$4 \times 3 \times 2$$

이다. 이와 같이 서로 다른 4개에서 3개를 뽑아 일렬로 나열하는 것을 순열이라 한다.

그리고 4개에서 3개를 뽑아 일렬로 나열한 순열의 수를 $_4\mathrm{P}_3$으로 쓴다.

순열의 수 (1) ●

일반적으로 서로 다른 n개에서 $r\,(r \leq n)$개를 뽑아 일렬로 나열하는 것을

n개에서 r개를 뽑는 순열이라 하고, 순열의 수를 $_n\mathrm{P}_r$로 나타낸다.

위와 같이 생각하면

$$_n\mathrm{P}_r = \underbrace{n(n-1)(n-2) \times \cdots \times (n-r+1)}_{r개}$$

개념 Check

◆ 정답 및 풀이 **6**쪽

1 다음을 기호 $_n\mathrm{P}_r$로 나타내시오.

(1) 1부터 5까지의 자연수가 하나씩 적힌 공 5개에서 4개를 뽑아 만들 수 있는 네 자리 자연수의 개수

(2) 학생 8명 중 대표, 부대표를 한 명씩 뽑는 경우의 수

2 다음 값을 구하시오.

(1) $_4\mathrm{P}_3$ (2) $_9\mathrm{P}_2$

1 n이 자연수일 때, 서로 다른 n개에서 n개를 모두 뽑는 순열의 수는

$$_n\mathrm{P}_n = n(n-1)(n-2) \times \cdots \times 2 \times 1$$

이때 $n(n-1)(n-2) \times \cdots \times 2 \times 1$을 n의 계승이라 하고, $n!$로 나타낸다.

2 순열의 수

$$_n\mathrm{P}_r = \frac{n!}{(n-r)!},\ _n\mathrm{P}_n = n!,\ _n\mathrm{P}_0 = 1,\ 0! = 1$$

계승 ●

n이 자연수일 때, n 이하의 모든 자연수의 곱 $n(n-1)(n-2) \times \cdots \times 2 \times 1$을 n의 계승 또는 n 팩토리얼(factorial)이라 하고, $n!$로 나타낸다.

따라서 서로 다른 n개에서 n개를 모두 뽑는 순열의 수 $_n\mathrm{P}_n$은 $n!$과 같다.

$$_n\mathrm{P}_n = n! = n(n-1)(n-2) \times \cdots \times 2 \times 1$$

순열의 수(2) ●

예를 들어 $_6\mathrm{P}_2$를 계승을 이용하여 나타내면

$$_6\mathrm{P}_2 = 6 \times 5 = \frac{6 \times 5 \times 4 \times 3 \times 2 \times 1}{4 \times 3 \times 2 \times 1} = \frac{6!}{4!} = \frac{6!}{(6-2)!}$$

일반적으로 $0 < r < n$일 때

$$_n\mathrm{P}_r = n(n-1)(n-2) \times \cdots \times (n-r+1)$$

$$= \frac{n(n-1) \times \cdots \times (n-r+1)(n-r) \times \cdots \times 2 \times 1}{(n-r) \times \cdots \times 2 \times 1}$$

$$\therefore\ _n\mathrm{P}_r = \frac{n!}{(n-r)!} \qquad \cdots \text{㉠}$$

특히, $_n\mathrm{P}_0 = 1$, $0! = 1$로 약속하면 ㉠은 $r=0$ 또는 $r=n$일 때에도 성립한다.

따라서 $_6\mathrm{P}_4$는 다음 두 가지 방법으로 계산할 수 있다.

$$_6\mathrm{P}_4 = 6 \times 5 \times 4 \times 3 = 360,\ _6\mathrm{P}_4 = \frac{6!}{(6-4)!} = \frac{6!}{2!} = 360$$

개념 Check ◆ 정답 및 풀이 **6**쪽

3 다음 값을 구하시오.

(1) $_5\mathrm{P}_0$ (2) $_6\mathrm{P}_6$

4 1, 2, 3, 4가 하나씩 적힌 카드 4장이 있다. 다음 물음에 답하시오.

(1) 카드 2장을 뽑아 만들 수 있는 두 자리 자연수의 개수를 구하시오.

(2) 카드 4장을 뽑아 만들 수 있는 네 자리 자연수의 개수를 구하시오.

대표 Q1 조건이 있는 자연수

◆ 정답 및 풀이 **6**쪽

0, 1, 2, 3, 4가 하나씩 적힌 카드 5장에서 3장을 뽑아 세 자리 자연수를 만들 때, 다음 물음에 답하시오.

(1) 만들 수 있는 자연수의 개수를 구하시오.

(2) 만들 수 있는 짝수의 개수를 구하시오.

(3) 만들 수 있는 3의 배수의 개수를 구하시오.

날선 Guide (1) 세 자리 자연수이므로 백의 자리에는 0이 올 수 없다.

곧, 백의 자리에는 1, 2, 3, 4의 4개의 숫자가 올 수 있다.

그리고 나머지 두 자리를 정하는 방법은

백의 자리 숫자를 뺀 4개에서 2개를 뽑는 순열과 같다.

참고 오른쪽과 같이 생각하고 곱의 법칙을 이용할 수도 있다.

(2) 짝수는 일의 자리 숫자가 0, 2, 4이다.

일의 자리 숫자가 0이면 백의 자리에는 0을 뺀 나머지 4개의 숫자가 올 수 있다.

그러나 일의 자리 숫자가 0이 아니면 백의 자리에는 일의 자리 숫자와 0을 뺀 나머지 3개의 숫자가 올 수 있다.

(3) 3의 배수는 각 자리 숫자의 합이 3의 배수이다.

0, 1, 2, 3, 4에서 3개의 숫자를 뽑을 때, 각 자리 숫자의 합이 3의 배수인 경우는

$(0, 1, 2), (0, 2, 4), (1, 2, 3), (2, 3, 4)$

따라서 각 경우의 숫자들로 만들 수 있는 세 자리 자연수를 생각한다.

답 (1) 48 (2) 30 (3) 20

날선 Point 자연수의 나열 ➡ 조건에 맞게 경우를 나누고, 순열을 생각한다.

1-1 0, 1, 2, 3, 4, 5에서 서로 다른 4개를 뽑아 네 자리 자연수를 만들 때, 다음 물음에 답하시오.

(1) 만들 수 있는 자연수의 개수를 구하시오.

(2) 만들 수 있는 홀수의 개수를 구하시오.

(3) 만들 수 있는 5의 배수의 개수를 구하시오.

대표 Q2   이웃하거나 이웃하지 않는 순열

◆ 정답 및 풀이 **7**쪽

> A, B, C, D, E, F, G가 하나씩 적힌 카드 7장을 일렬로 나열할 때, 다음 물음에 답하시오.
>
> (1) A, B, C가 이웃하는 경우의 수를 구하시오.
>
> (2) A, B, C가 이웃하지 않는 경우의 수를 구하시오.

날선 Guide (1) A, B, C가 이웃하므로 A, B, C 카드 3장을 한 묶음의 1
장으로 보고 D, E, F, G 카드 4장과 합하여 5장을 나열
하는 경우를 생각한다.
이때 묶음 안에서 A, B, C 카드 3장을 나열하는 경우의 수도 생각해야 한다는 것에
주의한다.

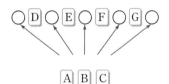

(2) D, E, F, G 카드 4장이 나열되어 있을 때, A
를 놓을 수 있는 자리는 ○로 표시한 5곳 중 한
곳이다.
이 중 한 곳에 A를 놓으면 B는 남은 4곳 중 한
곳에, C는 남은 3곳 중 한 곳에 놓으면 된다.

달 (1) 720   (2) 1440

> **날선 Point**
> • 이웃하는 경우의 수   ➡ 이웃하는 것을 한 묶음으로 생각한다.
> • 이웃하지 않는 경우의 수 ➡ 이웃해도 되는 것을 먼저 나열하고,
>   그 사이사이와 양 끝에 이웃하지 않는 것을 채운다.

2-1 1부터 6까지 자연수가 하나씩 적힌 카드 6장을 일렬로 나열할 때, 다음 물음에 답하시오.

(1) 3의 배수끼리 이웃하는 경우의 수를 구하시오.

(2) 2의 배수끼리는 이웃하지 않는 경우의 수를 구하시오.

 2-2 세 쌍의 부부가 일렬로 서서 사진을 찍으려고 한다. 다음 물음에 답하시오.

(1) 부부끼리 이웃하여 있는 경우의 수를 구하시오.

(2) 부부끼리 이웃하여 있고, 남녀가 번갈아 있는 경우의 수를 구하시오.

> **1** 서로 다른 것을 원 모양으로 나열하는 순열을 원순열이라 한다.
>
> 원순열에서는 회전하여 일치하는 경우를 모두 같은 것이라 생각한다.
>
> **2** 서로 다른 n개를 원 모양으로 나열하는 원순열의 수는 $(n-1)!$이다.

원순열 ● 서로 다른 것을 원 모양으로 나열하는 순열을 원순열이라 한다.

예를 들어 A, B, C, D의 네 명을 A, B, C, D 순으로 원 모양으로 나열하는 경우는 다음과 같다.

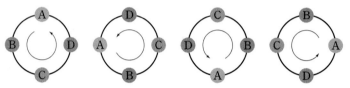

각 경우는 모두 적당히 회전하면 일치하므로 원순열에서는 이 네 경우를 모두 같은 경우라 생각한다. 따라서 4명을 원 모양으로 나열하는 경우는 4명을 일렬로 나열하는 경우에서 4개씩 같은 경우가 생긴다.

따라서 4명의 원순열의 수는 $\dfrac{4!}{4}=3!$이다.

원순열의 수 ● 일반적으로 서로 다른 n개를 원 모양으로 나열하는 원순열에서는

n개를 일렬로 나열하는 경우 중 회전하여 같은 것이 되는 경우가 n개씩 생긴다.

따라서 원순열의 수는

$$\frac{n!}{n}=(n-1)!$$

이다.

원순열은 특정한 한 개를 고정하고 나머지를 나열하는 경우라 생각해도 된다. 예를 들어 A, B, C, D를 원 모양으로 나열하는 경우 A의 자리를 고정시키고 나머지 세 명을 나열하는 경우라 생각해도 된다. 따라서 경우의 수는 $(4-1)!=3!$이다.

> **원순열, 회전하여 같은 것이 있는 순열의 수**
>
> ➡ 특정한 한 개를 고정시키고 생각한다.

개념 Check ◆ 정답 및 풀이 **8**쪽

5 원탁에 5명이 둘러앉는 경우의 수를 구하시오.

A를 포함하는 남자 3명과 B를 포함하는 여자 3명이 원탁에 둘러앉을 때, 다음 물음에 답하시오.

(1) 남자와 여자가 교대로 앉는 경우의 수를 구하시오.

(2) A, B가 이웃하는 경우의 수를 구하시오.

(3) A와 B가 마주 보는 경우의 수를 구하시오.

날선 Guide (1) 남자 3명이 원탁에 앉은 다음
남자 사이사이에 여자 3명이 앉는 경우를 생각한다.
이때 남자 3명이 원탁에 앉는 경우의 수는 원순열이므로
$(3-1)!$이라 해도 되고,
남자 한 명을 고정하고 나머지 두 명이 앉는 경우의 수를 생각
해도 된다.
여기서 남자 사이사이에 여자 3명이 앉는 경우의 수는 원순열이 아니라 순열임을 주의
한다.

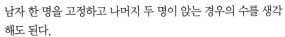

(2) 순열에서와 같이 A, B를 한 묶음으로 생각하여 5명이 원탁에 앉는 경우의 수와 묶음
안에서 A, B의 위치를 바꾸는 경우의 수를 생각한다.

(3) A의 위치가 정해지면 마주 보는 B의 위치가 정해진다.
따라서 A와 나머지 4명의 위치를 정하는 경우의 수라 생각해도
되고, A를 포함하는 5명의 원순열이라 생각해도 된다.

답 (1) 12 (2) 48 (3) 24

날선 Point ***n*명이 둘러앉는 원순열의 수**

• $(n-1)!$로 계산한다.

• 한 명을 고정하고 나머지 $(n-1)$명이 나란히 앉는 경우를 생각한다.

3-1 1학년 학생 4명과 2학년 학생 4명이 원탁에 교대로 앉는 경우의 수를 구하시오.

3-2 남학생 4명과 여학생 3명이 원탁에 둘러앉을 때, 다음 물음에 답하시오.

(1) 여학생 3명이 이웃하는 경우의 수를 구하시오.

(2) 여학생끼리 이웃하지 않는 경우의 수를 구하시오.

다각형 모양의 탁자에 둘러앉는 경우의 수

◆ 정답 및 풀이 **8**쪽

그림과 같은 정사각형과 직사각형 모양의 탁자에 8명이 둘러앉는 경우의 수를 구하시오.
(단, 회전하여 일치하는 것은 같은 것으로 본다.)

(1)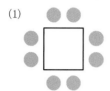

(2)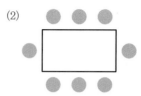

낱선 Guide (1)

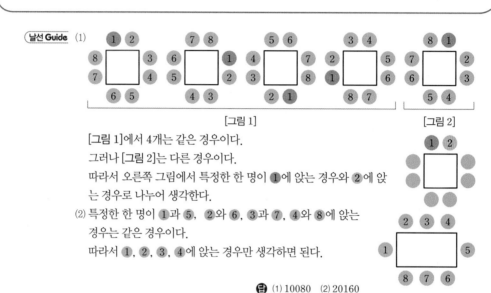

[그림 1]에서 4개는 같은 경우이다.
그러나 [그림 2]는 다른 경우이다.
따라서 오른쪽 그림에서 특정한 한 명이 **1**에 앉는 경우와 **2**에 앉는 경우로 나누어 생각한다.

(2) 특정한 한 명이 **1**과 **5**, **2**와 **6**, **3**과 **7**, **4**와 **8**에 앉는 경우는 같은 경우이다.
따라서 **1**, **2**, **3**, **4**에 앉는 경우만 생각하면 된다.

답 (1) 10080 (2) 20160

낱선 Point 다각형 모양의 탁자에 둘러앉는 경우의 수

➡ 특정한 한 명을 고정시킬 수 있는 자리를 찾는다.

4-1 그림과 같은 정삼각형 모양의 탁자에 6명이 둘러앉는 경우의 수를 구하시오.
(단, 회전하여 일치하는 것은 같은 것으로 본다.)

4-2 그림과 같은 정삼각형 4개로 이루어진 도형에 빨간색, 노란색, 파란색, 초록색을 모두 칠하여 구분하는 경우의 수를 구하시오.
(단, 회전하여 일치하는 것은 같은 것으로 본다.)

2-4 중복순열

서로 다른 n개에서 중복을 허용하여 r개를 뽑아 일렬로 나열하는 것을 n개에서 r개를 뽑는 **중복순열**이라 하고, 이 순열의 수를 $_n\Pi_r$로 쓴다.

$$_n\Pi_r = n^r$$

중복순열 •

네 개의 수 1, 2, 3, 4에서 중복을 허용하여 3개를 뽑아 세 자리 자연수를 만들면

　　백의 자리에는 1, 2, 3, 4

　　십의 자리에도 1, 2, 3, 4

　　일의 자리에도 1, 2, 3, 4

가 가능하다. 따라서 세 자리 자연수의 개수는 곱의 법칙에서

$$4 \times 4 \times 4$$

이다.

이와 같이 서로 다른 4개에서 중복을 허용하여 3개를 뽑아 일렬로 나열하는 것을 중복순열이라 하고, 중복순열의 수를 기호 Π를 써서 $_4\Pi_3$으로 나타낸다.

중복순열의 수 •

일반적으로 서로 다른 n개에서 중복을 허용하여 r개를 뽑아 일렬로 나열하는 것을 n개에서 r개를 뽑는 중복순열이라 하고 중복순열의 수를 $_n\Pi_r$로 나타낸다.

그리고 위와 같이 생각하면

$$_n\Pi_r = \underbrace{n \times n \times n \times \cdots \times n}_{r개} = n^r$$

이다.

순열에서와 같이 $_n\Pi_0 = 1$로 약속한다.

개념 Check

◆ 정답 및 풀이 **9**쪽

6 다음 값을 구하시오.

　(1) $_6\Pi_2$ 　　　　　　　　　　　　　(2) $_3\Pi_5$

7 다섯 개의 수 1, 2, 3, 4, 5에서 중복을 허용하여 세 개를 뽑아 만들 수 있는 세 자리 자연수의 개수를 구하시오.

n개 중 같은 것이 $\underbrace{a, a, \cdots, a}_{p개}, \underbrace{b, b, \cdots, b}_{q개}, \underbrace{c, c, \cdots, c}_{r개}, d, e, \cdots$일 때,

n개를 일렬로 나열하는 경우의 수는 $\dfrac{n!}{p!q!r!}$

같은 것이 있는 순열

a, a, a, b, c를 일렬로 나열하는 경우의 수를 구해 보자.

[그림 1]과 같이 $aaabc$와 같은 나열에서

a 세 개를 a_1, a_2, a_3으로 구분할 때, 생각할 수 있는 순열은 $3!$개이다.

또 [그림 2]와 같이 $baaac$와 같은 나열에서

a 세 개를 a_1, a_2, a_3으로 구분할 때, 생각할 수 있는 순열은 $3!$개이다.

이와 같이 a, a, a, b, c를 나열하는 각 순열은 a를 a_1, a_2, a_3으로 구분할 때, $3!$개씩 순열을 생각할 수 있다.

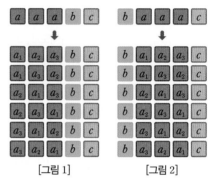

[그림 1]　　　　[그림 2]

이와 같은 이유로 a, a, a, b, c를 나열하는 순열의 수에 $3!$을 곱한 값이 a_1, a_2, a_3, b, c를 나열하는 순열의 수이다.

따라서 a, a, a, b, c를 일렬로 나열하는 순열의 수는 $\dfrac{5!}{3!}$이다.

같은 것이 있는 순열의 수

일반적으로 n개 중 같은 것이 $\underbrace{a, a, \cdots, a}_{p개}, \underbrace{b, b, \cdots, b}_{q개}, c, d, \cdots$일 때,

n개를 일렬로 나열하는 경우의 수는 $\dfrac{n!}{p!q!}$이다.

또 n개 중 같은 것이 $\underbrace{a, a, \cdots, a}_{p개}, \underbrace{b, b, \cdots, b}_{q개}, \underbrace{c, c, \cdots, c}_{r개}, d, e, \cdots$일 때,

n개를 일렬로 나열하는 경우의 수는 $\dfrac{n!}{p!q!r!}$이다.

예를 들어 a, a, a, a, b, b, c를 일렬로 나열하는 경우의 수는

a가 4개, b가 2개이므로 $\dfrac{7!}{4! \times 2!} = 105$이다.

개념 Check

◆ 정답 및 풀이 **9**쪽

8 다음을 일렬로 나열하는 경우의 수를 구하시오.

(1) a, a, a, b, b

(2) a, a, b, b, b, c, c, d

0, 1, 2, 3, 4, 5에서 중복을 허용하여 4개를 뽑아 네 자리 자연수를 만들 때, 다음 물음에 답하시오.

(1) 만들 수 있는 자연수의 개수를 구하시오.

(2) 만들 수 있는 짝수의 개수를 구하시오.

날선 Guide

(1) 천의 자리에는 0을 제외한 5개가 올 수 있고, 각각에 대하여 백의 자리, 십의 자리와 일의 자리에는 0을 포함한 6개가 모두 올 수 있다.

5가지 6가지 6가지 6가지

따라서 백의 자리, 십의 자리와 일의 자리에 오는 숫자의 개수는 6개 중 3개를 중복하여 뽑는 순열의 수이므로 $_6\Pi_3$이다.

(2) 중복을 허용하므로 일의 자리가 0이든 0이 아니든 천의 자리에 올 수 있는 숫자는 0을 제외한 5개이다.

5가지 6가지 6가지 0

백의 자리와 십의 자리에는 0을 포함한 6개가 모두 올 수 있다. 짝수이므로 일의 자리는 0, 2, 4인 경우의 수를 생각한다.

5가지 6가지 6가지 2

5가지 6가지 6가지 4

참고 중복순열에 대한 문제는 곱의 법칙을 생각하는 것이 편할 때도 있다.

예를 들어 (1)은 $5 \times 6 \times 6 \times 6$

(2)는 $5 \times 6 \times 6 \times 3$

으로 풀어도 된다.

답 (1) 1080 (2) 540

날선 Point

• 서로 다른 n개에서 중복을 허용하여 r개를 뽑아 나열하는 경우의 수

➡ $_n\Pi_r = \underbrace{n \times n \times \cdots \times n}_{r개} = n^r$

• 중복순열에 대한 문제 ➡ 곱의 법칙을 생각한다.

5-1 0, 1, 2, 3, 4, 5, 6을 이용하여 세 자리 자연수를 만들 때, 다음 물음에 답하시오.

(1) 중복을 허용하지 않을 때, 자연수의 개수를 구하시오.

(2) 중복을 허용할 때, 자연수의 개수를 구하시오.

(3) 중복을 허용하지 않을 때, 320보다 작은 자연수의 개수를 구하시오.

(4) 중복을 허용할 때, 320보다 작은 자연수의 개수를 구하시오.

대표 Q6 중복순열

◆ 정답 및 풀이 **9**쪽

다음 물음에 답하시오.

(1) 편지 4통을 우체통 2곳에 넣는 경우의 수를 구하시오.

(2) 연필 5자루를 2명에게 나누어 주는 경우의 수를 구하시오.

　　(단, 각각은 적어도 한 자루씩 받는다.)

(3) 남자 4명과 여자 2명이 세 모임에 나누어 가입하는 경우의 수를 구하시오.

　　(단, 여자 두 명은 같은 모임에 가입한다.)

낱선 Guide (1) 우체통을 A, B라 하면

　　　　　　　각 편지는 A 또는 B에 넣을 수 있다.

　　　　　　　따라서 곱의 법칙이나 중복순열을 생각한다.

　　　　　(2) 두 명을 A, B라 하면

　　　　　　　각 연필을 A 또는 B에게 줄 수 있다.

　　　　　　　따라서 곱의 법칙이나 중복순열을 생각한다.

　　　　　　　단, A가 다 받거나 B가 다 받는 경우를 뺀다.

　　　　　(3) 세 모임을 A, B, C라 하면

　　　　　　　여자 2명을 한 사람처럼 생각하고

　　　　　　　5명이 A, B, C에 나누어 가입하는 경우의 수를 생각한다.

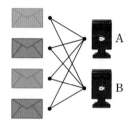

답 (1) 16　(2) 30　(3) 243

낱선 Point 서로 다른 n개를 중복하여 선택할 때, 순서를 생각하는 경우의 수

➡ 곱의 법칙이나 중복순열을 생각한다.

6-1 집합 $X = \{1, 2, 3, 4, 5, 6\}$, $Y = \{5, 6\}$일 때, 다음 물음에 답하시오.

(1) X에서 Y로 정의된 함수의 개수를 구하시오.

(2) X에서 Y로 정의된 함수 중 치역이 Y인 함수의 개수를 구하시오.

6-2 A, B를 포함한 5명의 관광객이 호텔의 방 201호, 202호, 203호 중에서 하나씩을 선택하여 투숙할 때, A, B가 서로 다른 방에 투숙하는 경우의 수를 구하시오.

_{대표}Q7 같은 숫자가 있는 자연수의 개수

다음 물음에 답하시오.

(1) 0, 1, 1, 1, 2, 2가 하나씩 적힌 카드 6장을 이용하여 만들 수 있는 여섯 자리 자연수의 개수를 구하시오.

(2) 1, 1, 1, 2, 2, 3이 하나씩 적힌 카드 6장에서 4장을 뽑아 만들 수 있는 네 자리 자연수의 개수를 구하시오.

날선 Guide (1) 맨 앞자리에 올 수 있는 숫자는 1 또는 2이다.
맨 앞자리가 1이면 나머지는 0, 1, 1, 2, 2를 나열하는 경우의 수이고, 맨 앞자리가 2이면 나머지는 0, 1, 1, 1, 2를 나열하는 경우의 수이다.
두 경우 모두 같은 것이 있는 순열의 수를 이용하여 계산한다.

(2) 중복이 있으므로 4장을 뽑는 경우부터 나누어 생각한다. 곧,
1, 1, 1과 2 또는 3을 뽑는 경우,
1, 1, 2, 2를 뽑는 경우,
1, 1, 2, 3을 뽑는 경우,
1, 2, 2, 3을 뽑는 경우
로 나누어 자연수의 개수를 구한다.

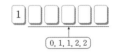

답 (1) 50 (2) 38

날선 Point
• 자연수의 개수를 구하는 문제 ➡ 맨 앞자리에 오는 수에 주의한다.
• 같은 숫자의 카드를 뽑을 때 ➡ 같은 숫자 카드의 개수를 고려하여 경우를 나눈다.

7-1 1, 3, 3, 5, 5, 5가 하나씩 적힌 카드 6장에서 5장을 뽑아 만들 수 있는 다섯 자리 자연수의 개수를 구하시오.

 7-2 0, 0, 1, 1, 4, 4, 4가 하나씩 적힌 카드 7장을 이용하여 만들 수 있는 일곱 자리 자연수 중 짝수의 개수를 구하시오.

대표 Q8 같은 것이 있고, 순서가 있는 순열

> football의 8개 문자를 일렬로 나열할 때, 다음 물음에 답하시오.
>
> (1) o, o가 이웃하는 경우의 수를 구하시오.
>
> (2) 양 끝에 모음이 오는 경우의 수를 구하시오.
>
> (3) f가 b보다 앞에 오는 경우의 수를 구하시오.

날선 Guide

(1) o, o를 하나의 문자 O로 생각하고
   O, f, t, b, a, l, l을 일렬로 나열하는 경우의 수를 구한다.

(2) 오른쪽과 같이 양 끝이
   (o, o)인 경우, (o, a)인 경우, (a, o)인 경우로 나누어 경우의 수
   를 구한다.

$$o_____o$$
$$o_____a$$
$$a_____o$$

(3) f와 b는 순서가 정해졌으므로 f와 b를 모두 f_1로 생각하여 나열한
   다음 앞의 f_1에 f, 뒤의 f_1에 b를 쓴다고 생각하면 된다.
   따라서 $f_1, f_1, o, o, t, a, l, l$을 나열한다고 생각한다.

$$\underset{f}{f_1} o o t \underset{b}{f_1} a l l$$

참고 그림과 같이 8개 중 f와 b가 들어갈 자리를 2개 정
   하고 나머지 6개 문자를 나열한다고 생각해도 된다.

답 (1) 2520 (2) 1080 (3) 5040

날선 Point **순서가 정해진 순열**

➡ 같은 것이 있는 순열이나 조합을 생각한다.

8-1 cabbage의 7개 문자를 일렬로 나열할 때, 모음 3개가 이웃하는 경우의 수를 구하시오.

8-2 notebook의 8개 문자를 일렬로 나열할 때, 양 끝이 모음인 경우의 수를 구하시오.

8-3 bicycle의 7개 문자를 일렬로 나열할 때, i, e, y는 이 순서대로 나열하는 경우의 수를 구하시오.

대표 Q9

그림과 같은 도로망이 있다. 다음 경우의 수를 구하시오.

(1) A 지점에서 B 지점까지 최단 거리로 가는 경우의 수

(2) A 지점에서 P 지점을 거쳐 B 지점까지 최단 거리로 가는 경우의 수

(3) A 지점에서 도로 PQ를 거치지 않고 B 지점까지 최단 거리로 가는 경우의 수

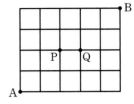

날선 Guide (1) A 지점에서 B 지점까지 최단 거리로 가려면 그림과 같은 경우가 있다.
오른쪽으로 한 칸 움직이는 것을 a,
위로 한 칸 움직이는 것을 b라 하면
그림의 경로는 $babaaabba$로 나타낼 수 있다.
따라서 최단 거리로 가는 경우의 수는

$$a, a, a, a, a, b, b, b, b$$

를 일렬로 나열하는 경우의 수라 생각할 수 있다.

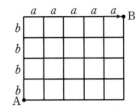

(2) A 지점에서 P 지점까지 최단 거리로 가는 경우의 수와 P 지점에서 B 지점까지 최단 거리로 가는 경우의 수를 구한 다음 곱의 법칙을 이용한다.

(3) 도로 PQ를 거치는 경우의 수는 A 지점에서 P 지점까지 최단 거리로 가는 경우의 수와 Q 지점에서 B 지점까지 최단 거리로 가는 경우의 수의 곱이다.
전체 경우의 수에서 이 경우의 수를 빼면 된다.

답 (1) 126 (2) 60 (3) 90

날선 Point 최단 거리로 가는 경우의 수

➡ 가로 한 칸을 a, 세로 한 칸을 b라 하고 a, b를 나열하는 같은 것이 있는 순열을 생각한다.

9-1 그림과 같은 도로망의 A 지점에서 B 지점까지 최단 거리로 가는 경우의 수를 구하시오.

(1)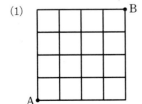

(2)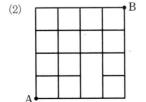

(3)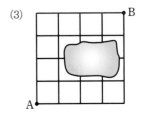

연습_과실전 2 순열

Step 1 연습

01 다음 등식을 만족시키는 n의 값을 구하시오.

(1) $_n\mathrm{P}_3 = 210$ (2) $2 \times {}_3\Pi_2 = 3 \times {}_n\mathrm{P}_2$

02 1, 2, 3, 4, 5를 한 번씩 사용하여 다섯 자리 자연수를 만들 때, 32154보다 작은 자연수의 개수는?

① 52   ② 53   ③ 54   ④ 55   ⑤ 56

03 남자 2명, 여자 4명을 일렬로 세울 때, 6명을 세우는 경우의 수를 a, 양 끝에 여자를 세우는 경우의 수를 b라 하자. $a - b$의 값은?

① 400   ② 412   ③ 424   ④ 430   ⑤ 432

04 부모와 3명의 아들, 1명의 딸이 있는 가족이 영화관에서 영화를 관람하려고 한다. 한 줄로 앉아서 관람할 때, 부모 사이에 딸이 앉는 경우의 수를 구하시오.

05 4쌍의 부부가 원탁에 둘러앉을 때, 부부끼리 이웃하여 앉는 경우의 수는?

① 36   ② 48   ③ 72   ④ 96   ⑤ 120

06 그림과 같은 직사각형과 정오각형 모양의 탁자에 10명이 둘러앉는 경우의 수는 각각 □×9!이다. □ 안에 알맞은 수를 구하시오.
(단, 회전하여 일치하는 것은 같은 것으로 본다.)

(1) 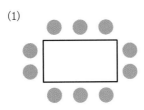 (2)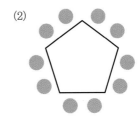

07 서로 다른 종류의 과일 a, b, c, d, e를 서로 다른 세 그릇 A, B, C에 나누어 담는 경우의 수는? (단, 과일을 모두 한 그릇에 담지 않는다.)

① 90 ② 120 ③ 150 ④ 210 ⑤ 240

08 1, 2, 3, 4, 5에서 중복을 허용하여 4개를 뽑아 네 자리 자연수를 만들 때, 4의 배수의 개수는?

① 25 ② 75 ③ 100 ④ 125 ⑤ 625

09 1, 1, 2, 2, 3, 3, 3, 3을 일렬로 나열할 때, 맨 앞자리에는 1이 오고 맨 뒷자리에는 3이 오지 않는 경우의 수는?

① 30 ② 35 ③ 45 ④ 50 ⑤ 55

10 그림과 같은 도로망이 있다. A 지점에서 B 지점까지 최단 거리로 갈 때, P와 Q 두 지점을 모두 지나는 경우의 수를 구하시오.

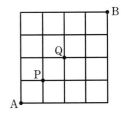

11 그림과 같이 밑면이 정오각형이고 옆면은 모두 이등변삼각형인 오각뿔이 있다. 이 정오각뿔의 각 면을 칠할 때, 서로 다른 6가지 색을 모두 사용하여 칠하는 경우의 수를 구하시오. (단, 한 면에는 한 가지 색만 칠하고, 회전하여 일치하는 것은 같은 것으로 본다.)

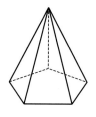

교육청 기출

12 여학생 3명과 남학생 6명이 원탁에 둘러앉으려고 한다. 각각의 여학생 사이에는 1명 이상의 남학생이 앉고 각각의 여학생 사이에 앉은 남학생의 수는 모두 다르다. 9명의 학생이 모두 앉는 경우의 수가 $n \times 6!$일 때, n의 값은?

① 10 ② 12 ③ 14 ④ 16 ⑤ 18

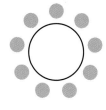

13 정사각형에 내접하는 원을 4등분하여 그림과 같은 도형을 만들었다. 도형의 한 영역에 한 가지 색만 사용하여, 8개의 영역에 서로 다른 8가지 색을 모두 칠하는 경우의 수는? (단, 회전하여 일치하는 것은 같은 것으로 본다.)

① $\dfrac{8!}{5}$ ② $\dfrac{8!}{4}$ ③ $\dfrac{8!}{3}$ ④ $\dfrac{8!}{2}$ ⑤ $8!$

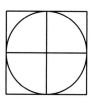

평가원 기출

14 세 문자 a, b, c 중에서 중복을 허락하여 4개를 택해 일렬로 나열할 때, a가 두 번 이상 나오는 경우의 수를 구하시오.

교육청 기출

15 세 수 0, 1, 2 중에서 중복을 허락하여 다섯 개의 수를 택해 1끼리는 서로 이웃하지 않도록 배열하여 다섯 자리의 자연수를 만든다. 만들 수 있는 자연수의 개수를 구하시오.

16 두 집합 $X=\{1, 2, 3\}$, $Y=\{0, 1, 2, 3\}$에 대하여 다음 물음에 답하시오.

(1) X에서 Y로 정의된 일대일함수의 개수를 구하시오.

(2) X에서 Y로 정의된 함수 f 중 $f(1) \times f(2) \times f(3) = 0$을 만족시키는 함수의 개수를 구하시오.

17 internet의 모든 알파벳 8개를 일렬로 나열할 때, 다음 물음에 답하시오.

(1) 같은 알파벳은 이웃하게 나열하는 경우의 수를 구하시오.

(2) 모든 e는 모든 t의 앞에 위치하는 경우의 수를 구하시오.

18 은서는 계단 10단을 오르는데 한 걸음에 한 단 또는 두 단을 오른다고 한다. 은서가 계단 10단을 오르는 경우의 수를 구하시오.

19 서로 다른 세 종류의 음료수가 각각 2개씩 모두 6개가 들어 있는 냉장고에서 4개를 선택하여 학생 4명에게 각각 한 개씩 나누어 주는 경우의 수를 구하시오. (단, 같은 종류의 음료수는 서로 구별하지 않는다.)

20 파란 공 3개, 빨간 공 2개, 노란 공 2개를 일렬로 나열할 때, 파란 공이 2개만 이웃하도록 하는 경우의 수는? (단, 같은 색의 공은 서로 구별하지 않는다.)

① 60   ② 90   ③ 120   ④ 150   ⑤ 180

21 노란꽃 화분 3개, 파란꽃 화분 1개, 빨간꽃 화분 2개, 보라꽃 화분 3개를 길가에 일렬로 나열할 때, 보라꽃 화분은 서로 이웃하지 않고, 보라꽃 화분 사이에 놓인 다른 꽃 화분의 개수가 같도록 나열하는 경우의 수는?
(단, 같은 색의 꽃 화분은 서로 구별하지 않는다.)

① 360 　　② 400 　　③ 420 　　④ 480 　　⑤ 540

22 그림과 같은 도로망이 있다. Q 지점에서는 좌회전을 할 수 없다고 할 때, A 지점에서 출발하여 P 지점을 거쳐 B 지점까지 최단 거리로 가는 경우의 수를 구하시오.

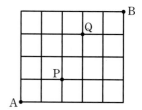

🔁 **수능 기출**

23 그림과 같이 마름모 모양으로 연결된 도로망이 있다. 이 도로망을 따라 A 지점에서 출발하여 C 지점을 지나지 않고, D 지점도 지나지 않으면서 B 지점까지 최단 거리로 가는 경우의 수를 구하시오.

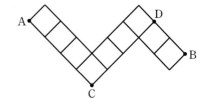

⭐ **교육청 기출**

24 그림과 같이 주머니에 숫자 1이 적힌 흰 공과 검은 공이 각각 2개, 숫자 2가 적힌 흰 공과 검은 공이 각각 2개가 들어 있고, 비어 있는 8개의 칸에 1부터 8까지의 자연수가 하나씩 적혀 있는 진열장이 있다. 숫자가 적힌 8개의 칸에 주머니 안의 공을 한 칸에 한 개씩 모

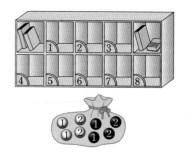

두 넣을 때, 숫자 4, 5, 6이 적힌 칸에 넣는 세 개의 공이 적힌 수의 합이 5이고 모두 같은 색인 경우의 수를 구하시오. (단, 모든 공은 크기와 모양이 같다.)

정답 개수: 　/24　 오답 번호 **Check**:

나열하지 않고 서로 다른 것 중에서 몇 개를 택하는 것을 조합이라 한다.

이 단원에서는 고등 수학에서 배운 조합과 조합의 계산 방법을 복습해 보자. 또 중복을 허용하여 택하는 중복조합을 이해하고, 중복조합의 수를 구하는 방법을 알아보자.

조합

서로 다른 n개에서 순서를 생각하지 않고 r $(r \leq n)$개를 뽑는 것을

n개에서 r개를 뽑는 **조합**이라 하고, 이 조합의 수를 $_n\mathrm{C}_r$로 쓴다.

$$_n\mathrm{C}_r = \frac{_n\mathrm{P}_r}{r!}$$

조합 ● 1, 2, 3, 4가 하나씩 적힌 카드 4장에서 순서를 생각하지 않고 3장을 뽑으면

$$\{1,\ 2,\ 3\},\ \{1,\ 2,\ 4\},\ \{1,\ 3,\ 4\},\ \{2,\ 3,\ 4\} \quad \cdots \ \unicode{x27E0}$$

이다. 이것을 서로 다른 4개에서 3개를 뽑는 조합이라 한다.

그리고 4개에서 3개를 뽑는 조합의 수를 $_4\mathrm{C}_3$으로 쓴다.

㉠의 각 경우에서 순서를 생각하여 세 자리 자연수를 만들면

$$\{1,\ 2,\ 3\} \Rightarrow 123,\ 132,\ 213,\ 231,\ 312,\ 321$$

$$\{1,\ 2,\ 4\} \Rightarrow 124,\ 142,\ 214,\ 241,\ 412,\ 421$$

$$\{1,\ 3,\ 4\} \Rightarrow 134,\ 143,\ 314,\ 341,\ 413,\ 431$$

$$\{2,\ 3,\ 4\} \Rightarrow 234,\ 243,\ 324,\ 342,\ 423,\ 432$$

여기에서 세 자리 자연수의 개수는 4장에서 3장을 뽑는 순열의 수이므로

$$_4\mathrm{C}_3 \times 3! = {_4\mathrm{P}_3},\ \ 곧\ {_4\mathrm{C}_3} = \frac{_4\mathrm{P}_3}{3!}$$

이 성립한다.

조합의 수 ● 서로 다른 n개에서 순서를 생각하지 않고 r개를 뽑는 것을 n개에서 r개를 뽑는 조합이라 하고, 조합의 수를 $_n\mathrm{C}_r$로 나타낸다.

각 조합에 대하여 r개를 나열하는 순열이 있고, 이 순열의 수가 $r!$이므로

$$_n\mathrm{C}_r \times r! = {_n\mathrm{P}_r},\ \ 곧\ {_n\mathrm{C}_r} = \frac{_n\mathrm{P}_r}{r!}$$

개념 Check

◆ 정답 및 풀이 **17**쪽

1 다음을 기호 $_n\mathrm{C}_r$로 나타내시오.

(1) 7명 중 농구를 할 5명을 뽑는 경우의 수

(2) 책 10권 중 3권을 택하는 경우의 수

3-2 조합의 계산

> **1** $_n\mathrm{C}_r = \dfrac{_n\mathrm{P}_r}{r!} = \dfrac{n!}{r!(n-r)!}$
>
> **2** $_n\mathrm{C}_r = {_n\mathrm{C}_{n-r}}$
>
> **3** $_n\mathrm{C}_n = 1,\ {_n\mathrm{C}_0} = 1$

조합의 계산 ●

$_n\mathrm{P}_r = \dfrac{n!}{(n-r)!}$ 이므로 $_n\mathrm{C}_r = \dfrac{_n\mathrm{P}_r}{r!} = \dfrac{n!}{r!(n-r)!}$ $\quad\cdots\ \ominus$

따라서 $_6\mathrm{C}_4$는 다음 두 가지 방법으로 계산할 수 있다.

$$_6\mathrm{C}_4 = \frac{_6\mathrm{P}_4}{4!} = \frac{6\times5\times4\times3}{4\times3\times2\times1} = 15$$

$$_6\mathrm{C}_4 = \frac{6!}{4!\times2!} = \frac{6\times5\times4\times3\times2\times1}{4\times3\times2\times1\times2\times1} = 15$$

$_n\mathrm{C}_r = {_n\mathrm{C}_{n-r}}$ ●

$_n\mathrm{P}_{n-r} = \dfrac{n!}{\{n-(n-r)\}!} = \dfrac{n!}{r!}$ 이므로 $_n\mathrm{C}_{n-r} = \dfrac{_n\mathrm{P}_{n-r}}{(n-r)!} = \dfrac{n!}{r!(n-r)!}$

$\ominus$과 비교하면 $_n\mathrm{C}_r = {_n\mathrm{C}_{n-r}}$

따라서 $_6\mathrm{C}_4 = {_6\mathrm{C}_2} = \dfrac{_6\mathrm{P}_2}{2!} = \dfrac{6\times5}{2\times1} = 15$이다.

참고 6명 중 임원 4명을 뽑는 것과 임원을 하지 않는 2명을 뽑는 것은 같다.
따라서 $_6\mathrm{C}_4 = {_6\mathrm{C}_2}$이다.
이와 같이 n명 중 r명을 뽑는 경우의 수와 남아 있는 $(n-r)$명을 뽑는
경우의 수가 같으므로 $_n\mathrm{C}_r = {_n\mathrm{C}_{n-r}}$라 해도 된다.

임원을 하지 않는 2명

$_n\mathrm{C}_n = 1,$ ●
$_n\mathrm{C}_0 = 1$

$_n\mathrm{C}_r = \dfrac{_n\mathrm{P}_r}{r!}$ 에서 $_n\mathrm{P}_n = n!,\ {_n\mathrm{P}_0} = 1,\ 0! = 1$이므로 $_n\mathrm{C}_n = 1,\ {_n\mathrm{C}_0} = 1$이다.

▶ **개념 Check**

◆ 정답 및 풀이 **17**쪽

2 다음 값을 구하시오.

(1) $_3\mathrm{C}_0$ 　　　　(2) $_8\mathrm{C}_2$ 　　　　(3) $_4\mathrm{C}_3$ 　　　　(4) $_5\mathrm{C}_5$

3 배드민턴 동아리 회원 9명 중 경기에 출전할 2명을 뽑는 경우의 수를 구하시오.

4 학생 7명 중 임원 4명을 뽑는 경우의 수를 구하시오.

대표 Q1 뽑고 나열하는 문제

◆ 정답 및 풀이 17쪽

A를 포함한 남학생 3명과 B를 포함한 여학생 6명으로 구성된 모둠에서 4명을 뽑을 때, 다음 물음에 답하시오.

(1) 4명을 일렬로 세우는 경우의 수를 구하시오.

(2) A와 B는 반드시 뽑아 4명을 일렬로 세우는 경우의 수를 구하시오.

(3) 남학생 2명과 여학생 2명을 뽑아 일렬로 세우는 경우의 수를 구하시오.

(4) 남학생 1명과 여학생 3명을 뽑고 여학생이 양 끝에 오도록 일렬로 세우는 경우의 수를 구하시오.

날선 Guide (1) 9명에서 4명을 뽑는 경우의 수는 $_9C_4$이고
4명을 나열하는 경우의 수는 $4!$이므로 $_9C_4 \times 4!$을 계산한다.

참고 뽑은 순서대로 세운다고 생각하면 되므로 $_9P_4$를 생각해도 된다.

(2) A와 B를 반드시 뽑아야 하므로 A와 B를 제외한 7명에서 2명을 뽑는 경우를 생각한다.
A와 B의 위치를 모르므로 4명을 다 뽑고 일렬로 세우는 경우의 수를 구한다.

(3) 남학생 3명 중 2명을 뽑고, 여학생 6명 중 2명을 뽑은 다음,
4명을 일렬로 세우는 경우를 생각한다.

(4) 남학생 1명과 여학생 3명을 뽑는 경우의 수,
뽑은 여학생 3명 중 2명을 양 끝에 세우는 경우의 수,
나머지 2명을 세우는 경우의 수로 나누어 생각한다.

여학생   여학생

답 (1) 3024 (2) 504 (3) 1080 (4) 720

 날선 Point 뽑는 조건이 있고, 뽑은 것을 나열하는 문제
➡ 뽑는 경우의 수와 나열하는 경우의 수를 따로 생각한다.

1-1 A를 포함한 의사 4명과 B를 포함한 간호사 4명에서 5명을 뽑을 때, 다음 물음에 답하시오.

(1) 5명을 일렬로 세우는 경우의 수를 구하시오.

(2) A와 B는 반드시 뽑아 5명을 일렬로 세우는 경우의 수를 구하시오.

(3) 의사 3명과 간호사 2명을 뽑아 일렬로 세우는 경우의 수를 구하시오.

(4) 의사 3명과 간호사 2명을 뽑고 의사 2명이 양 끝에 오도록 일렬로 세우는 경우의 수를 구하시오.

서로 다른 꽃 7송이를 세 묶음으로 나눌 때, 다음 물음에 답하시오.

(1) 2송이, 2송이, 3송이 세 묶음으로 나누는 경우의 수를 구하시오.

(2) 2송이, 2송이, 3송이 세 묶음으로 나눈 다음, 세 명에게 나누어 주는 경우의 수를 구하시오.

날선 Guide A, B, C, D를 (1개, 3개)의 두 묶음과 (2개, 2개)의 두 묶음으로 나누는 경우를 조사하면

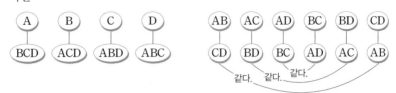

(i) (1개, 3개)의 두 묶음으로 나누는 경우

4개에서 1개를 뽑고, 나머지 3개에서 3개를 뽑는 경우이므로

$$_4C_1 \times {}_3C_3 = 4 \times 1 = 4$$

(ii) (2개, 2개)의 두 묶음으로 나누는 경우

4개에서 2개를 뽑고, 나머지 2개에서 2개를 뽑는 경우이므로

$$_4C_2 \times {}_2C_2 = 6 \times 1 = 6$$

그런데 이와 같이 나누면 위 그림과 같이 개수가 같아 위, 아래 묶음이 서로 구분되지 않기 때문에 2! = 2개씩 중복된다. 따라서 경우의 수는

$$_4C_2 \times {}_2C_2 \times \frac{1}{2!} = 6 \times \frac{1}{2} = 3$$

일반적으로 묶음을 생각할 때, 개수가 같은 묶음이 2개이면 2!, 개수가 같은 묶음이 3개이면 3!, …로 나누면 된다.

답 (1) 105 (2) 630

날선 Point
• 개수가 같은 묶음이 r개이면 ➡ $r!$로 나눈다.
• n묶음으로 나누어 n명에게 나누어 주는 경우의 수 ➡ $n!$을 곱한다.

2-1 학생 9명을 몇 개의 조로 나눌 때, 다음 물음에 답하시오.

(1) 6명, 3명 두 개의 조로 나누는 경우의 수와 두 개의 조가 A, B 실험을 하나씩 나누어 하는 경우의 수를 구하시오.

(2) 3명, 3명, 3명 세 개의 조로 나누는 경우의 수와 세 개의 조가 A, B, C 실험을 하나씩 나누어 하는 경우의 수를 구하시오.

집합 $X=\{1, 2, 3, 4\}$에서 집합 $Y=\{5, 6, 7\}$로 정의된 함수 f 중에서 치역이 Y인 함수의 개수를 구하시오.

날선 Guide 조를 나누는 방법과 중복순열을 이용하는 방법으로 구할 수 있다.

방법 1 조를 나누는 방법

예를 들어 그림과 같은 함수는

    5에 대응하는 X의 값이 1과 2

    6에 대응하는 X의 값이 4

    7에 대응하는 X의 값이 3

이다. 이와 같이 Y의 5, 6, 7에 대응하는 X의 값을 정하는 경우의 수를 구한다.

따라서 X의 원소 4개를 세 묶음으로 나눈 다음, 각 묶음에 5 또는 6 또는 7을 대응시키는 경우를 생각한다.

방법 2 중복순열을 이용하는 방법

치역의 원소는 3개이어야 한다.

전체 함수 f의 개수에서 치역의 원소가 1개, 2개인 함수의 개수를 빼면 된다.

(ⅰ) 치역의 원소가 1개인 경우

    치역이 $\{5\}$, $\{6\}$, $\{7\}$인 함수의 개수를 구한다.

(ⅱ) 치역의 원소가 2개인 경우

    치역이 $\{5, 6\}$, $\{5, 7\}$, $\{6, 7\}$인 함수의 개수를 구한다.

    이때 치역이 $\{5, 6\}$인 함수는 함숫값이 5 또는 6인 함수 중에서 함숫값이 5뿐인 경우와 6뿐인 경우를 빼면 된다.

답 36

날선 Point 치역과 공역이 같은 함수의 개수

➡ 1. 정의역의 원소를 공역의 원소의 수만큼 조를 나누고 대응을 생각한다.

   2. 전체 함수의 개수에서 치역이 공역보다 작은 경우를 일일이 세어 뺀다.

3-1 집합 $X=\{1, 2, 3, 4, 5\}$에서 집합 $Y=\{5, 6, 7\}$로 정의된 함수 f가 있다. 다음 물음에 답하시오.

(1) 치역이 Y인 함수의 개수를 구하시오.

(2) 치역의 원소의 개수가 2인 함수의 개수를 구하시오.

3-3 중복조합

서로 다른 n개에서 중복을 허용하여 r개를 뽑는 조합을 **중복조합**이라 하고,
이 중복조합의 수를 $_n\mathrm{H}_r$로 쓴다.

$$_n\mathrm{H}_r = {}_{n+r-1}\mathrm{C}_r$$

중복조합 •

그림과 같이 긴 상자에 칸막이를 2개 놓으면 칸이 3개 생
긴다. 이 칸에 모양이 같은 공 4개를 비어 있는 칸을 허용
하여 나누어 넣어 보자.

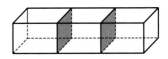

이때 가능한 경우는 [그림 1]과 같다.

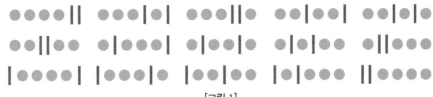

[그림 1]

그리고 첫 번째 칸의 공에는 a, 두 번째 칸의 공에는 b, 세 번째 칸의 공에는 c를 쓰고 칸막이
를 빼면 [그림 2]와 같다.

a a a a	a a a b	a a a c	a a b b	a a b c
a a c c	a b b b	a b b c	a b c c	a c c c
b b b b	b b b c	b b c c	b c c c	c c c c

[그림 2]

[그림 1]은 공 4개와 칸막이 2개를 일렬로 나열하는 순열이므로 경우의 수는
$\dfrac{6!}{4! \times 2!} = {}_6\mathrm{C}_4$이다.

[그림 2]는 a, b, c에서 중복을 허용하여 4개를 뽑는 조합이므로 경우의 수는
3개에서 4개를 뽑는 중복조합의 수 $_3\mathrm{H}_4$이다.

$$\therefore {}_3\mathrm{H}_4 = {}_6\mathrm{C}_4$$

중복조합의 수 •

일반적으로 서로 다른 n개에서 중복을 허용하여 r개를 뽑는 조합은 모양이 같은 공 r개와
칸막이 $(n-1)$개를 일렬로 나열하는 순열과 같으므로

$$_n\mathrm{H}_r = \frac{(n+r-1)!}{r!\,(n-1)!} = {}_{n+r-1}\mathrm{C}_r$$

이다.

▶ **개념 Check**

◆ 정답 및 풀이 **18**쪽

5 a, b, c에서 중복을 허용하여 5개를 뽑는 경우의 수를 구하시오.

대표 Q4 다른 것, 같은 것을 나누는 문제

◆ 정답 및 풀이 **18**쪽

다음 물음에 답하시오.

(1) 같은 모양의 공 6개를 세 명에게 나누어 주는 방법의 수를 구하시오.

   (단, 공을 받지 못하는 사람이 있을 수도 있다.)

(2) 같은 모양의 공 3개를 그림과 같은 모양의 상자

   6칸에 나누어 넣는 방법의 수를 구하시오.

   (단, 한 칸에 공을 여러 개 넣어도 된다.)

날선 Guide (1) 세 명을 A, B, C라 하자.

A, B, C에서 중복을 허용하여 6번을 뽑은 다음 공을 주면 된다.

예를 들어 A, B, B, A, C, A를 뽑은 경우 A는 3개, B는 2개, C는 1개를 받는다.

곧, 3개에서 중복을 허용하여 6개를 뽑고, 순서를 생각하지 않으므로 중복조합을 생각한다.

(2) 공이 다르면 한 공이 첫 번째 상자, 나머지 한 공이 두 번째 상자에 들어가는 경우를 구분해야 한다. 그러나 공이 같으면 두 경우를 구분할 수 없다. 이런 경우 조합을 생각한다.

먼저 상자 6칸에서 3개의 칸을 선택하고 선택된 칸에 공을 넣으면 된다. 이때 상자의 칸은 중복 선택해도 되고, 공이 같으므로 선택하는 순서는 관계없다.

답 (1) 28 (2) 56

> **날선 Point**
> • 같은 것을 나누면 ➡ 조합부터 생각한다.
> • 서로 다른 n개에서 중복을 허용하여 r개를 뽑는 조합의 수 ➡ $_n\mathrm{H}_r = {}_{n+r-1}\mathrm{C}_r$

4-1 다음 물음에 답하시오.

(1) 같은 종류의 사탕 8개를 네 명에게 나누어 주는 방법의 수를 구하시오.

   (단, 사탕을 받지 못하는 사람이 있을 수도 있다.)

(2) 같은 종류의 공책 4권을 가방 5개에 나누어 넣는 방법의 수를 구하시오.

   (단, 한 가방에 공책을 여러 권 넣어도 된다.)

 4-2 연필 5자루를 3명에게 나누어 줄 때, 다음 물음에 답하시오.

(단, 연필을 받지 못하는 사람이 있을 수도 있다.)

(1) 연필이 다를 때 경우의 수를 구하시오.

(2) 연필이 같을 때 경우의 수를 구하시오.

> 방정식 $x+y+z=10$에 대하여 다음 물음에 답하시오.
>
> (1) 음이 아닌 정수해 (x, y, z)의 개수를 구하시오.
>
> (2) 양의 정수해 (x, y, z)의 개수를 구하시오.

날선 Guide (1) 예를 들어 방정식의 해

$$x=5, y=3, z=2는 x가 5번, y가 3번, z가 2번$$
$$x=6, y=4, z=0은 x가 6번, y가 4번, z가 0번$$

이라 생각할 수 있다.

따라서 x, y, z를 중복을 허용하여 순서를 생각하지 않고 10번 뽑는 경우의 수라 생각할 수 있다.

(2) x, y, z가 모두 양의 정수이므로 x, y, z는 적어도 한 번씩 뽑아야 한다.

따라서 x, y, z를 중복을 허용하여 순서를 생각하지 않고 7번 뽑은 다음 x, y, z를 한 번씩 더 뽑는다고 생각한다.

곧, x, y, z를 중복을 허용하여 순서를 생각하지 않고 7번 뽑는 경우의 수이다.

참고 $x=x'+1, y=y'+1, z=z'+1$이라 하면 x, y, z가 양의 정수이므로

$$x'\geq 0, y'\geq 0, z'\geq 0$$

따라서 $x+y+z=10$의 양의 정수해의 개수는

$$x'+y'+z'=7$$

의 음이 아닌 정수해의 개수와 같으므로 x', y', z'을 중복을 허용하여 순서를 생각하지 않고 7번 뽑는 경우의 수와 같다.

답 (1) 66 (2) 36

날선 **Point** 방정식 $x+y+z=r$에서

• 음이 아닌 정수해의 개수 ➡ 중복조합 $_3H_r$

• 양의 정수해 ➡ $x+y+z=r-3$의 음이 아닌 정수해를 생각한다.

5-1 방정식 $x+y+z=6$에 대하여 다음 물음에 답하시오.

(1) 음이 아닌 정수해 (x, y, z)의 개수를 구하시오.

(2) 양의 정수해 (x, y, z)의 개수를 구하시오.

5-2 다음 전개식에서 서로 다른 항의 개수를 구하시오.

(1) $(x+y)^8$ (2) $(x+y+z)^{10}$

집합 $X=\{1, 2, 3, 4\}$에서 집합 $Y=\{1, 2, 3, 4, 5, 6\}$으로 정의된 함수 f가 있다. 다음 물음에 답하시오.

(1) $x_1 \neq x_2$이면 $f(x_1) \neq f(x_2)$를 만족시키는 함수 f의 개수를 구하시오.

(2) $x_1 < x_2$이면 $f(x_1) < f(x_2)$를 만족시키는 함수 f의 개수를 구하시오.

(3) $x_1 < x_2$이면 $f(x_1) \leq f(x_2)$를 만족시키는 함수 f의 개수를 구하시오.

날선 Guide (1) 1이 가능한 함숫값은 6개,

　　　　　　2가 가능한 함숫값은 $f(1)$을 뺀 5개,

　　　　　　⋮

　　　　따라서 곱의 법칙을 생각해도 되고, Y의 원소 6개에서 4개를
　　　　뽑는 순열의 수를 생각해도 된다.

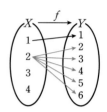

(2) 조건에서 $f(1) < f(2) < f(3) < f(4)$이므로
　　예를 들어 Y에서 원소 4개 1, 2, 4, 5를 뽑으
　　면 $f(1)$, $f(2)$, $f(3)$, $f(4)$는 정해진다.
　　따라서 Y에서 순서를 생각하지 않고 4개를 뽑는 경우의 수와 같다.

1	2	4	5
$f(1)$	$f(2)$	$f(3)$	$f(4)$

(3) 조건에서 $f(1) \leq f(2) \leq f(3) \leq f(4)$이므로
　　예를 들어 Y에서 원소 4개 2, 2, 4, 5를 뽑으면
　　$f(1)$, $f(2)$, $f(3)$, $f(4)$는 정해진다.
　　따라서 Y에서 중복을 허용하여 4개를 뽑고, 순서를 생각하지 않는 경우의 수와 같다.

2	2	4	5
$f(1)$	$f(2)$	$f(3)$	$f(4)$

답 (1) 360　(2) 15　(3) 126

날선 Point • 순서나 크기가 정해져 있으면 ➡ 조합을 생각한다.

　　　　　• 같을 수 있으면 ➡ 중복을 생각한다.

6-1 집합 $X=\{1, 2, 3\}$에서 집합 $Y=\{1, 2, 3, 4, 5\}$로 정의된 함수 f 중에서 $x_1 < x_2$이면 $f(x_1) < f(x_2)$를 만족시키는 함수 f의 개수를 구하시오.

6-2 집합 $X=\{1, 2, 3, 4\}$에서 집합 $Y=\{5, 6, 7, 8\}$로 정의된 함수 f 중에서 $f(1) \leq f(2)$를 만족시키는 함수 f의 개수를 구하시오.

3 조합

01 자원 봉사자 모집을 하였더니 1학년 5명, 2학년 6명이 지원하였다. 이들 지원자 중에서 4명을 선발하려고 할 때, 다음 물음에 답하시오.

(1) 2학년을 적어도 1명 선발하는 경우의 수를 구하시오.

(2) 특정한 2명을 반드시 선발하는 경우의 수를 구하시오.

02 남학생 4명과 여학생 5명으로 구성된 동호회가 있다. 다음 물음에 답하시오.

(1) 이 동호회의 대표 3명을 뽑을 때 남학생과 여학생이 각각 적어도 한 명씩 포함되도록 뽑는 경우의 수를 구하시오.

(2) 남학생과 여학생을 각각 3명씩 뽑아 원탁에 앉히는 경우의 수를 구하시오.

03 다섯 명의 달리기 선수 A, B, C, D, E가 100 m 달리기 시합을 한다. A는 B보다 먼저 결승선을 통과하고, B는 C보다 먼저 결승선을 통과하는 경우의 수는? (단, 어떤 두 사람도 동시에 결승선을 통과하지 않는다.)

① 12   ② 20   ③ 24   ④ 27   ⑤ 32

04 7명의 학생을 세 조로 나누어 합창부, 체육부, 미화부에 배정하려고 할 때, 모든 부에 적어도 2명 이상의 학생을 배정하는 경우의 수는?

① 480   ② 540   ③ 600   ④ 630   ⑤ 720

05 다음 등식을 만족시키는 n 또는 r의 값을 구하시오.

(1) $_3H_r = 21$ (2) $_nC_3 + _{n-1}H_2 = 35$

06 다음 전개식에서 서로 다른 항의 개수를 구하시오.

(1) $(x+y+z)^5$　　　　　　　　　　(2) $(a+b+c)^4(x+y)^3$

07 방정식 $x+y+z=n$을 만족시키는 음이 아닌 정수해의 개수가 78일 때, 자연수 n을 구하시오.

08 2명의 후보가 출마한 회장 선거에서 8명의 유권자가 한 명의 후보에게 각각 투표하는데 기권이나 무효표가 없다고 한다. 다음 물음에 답하시오.

(1) 기명으로 투표했을 때 득표 결과로 가능한 경우의 수를 구하시오.
(2) 무기명으로 투표했을 때 득표 결과로 가능한 경우의 수를 구하시오.

09 숫자 1, 2, 3, 4, 5에서 중복을 허용하여 7개를 택할 때, 짝수가 두 개인 경우의 수를 구하시오.

10 사과 주스, 포도 주스, 감귤 주스 중에서 8병을 선택하려고 한다. 사과 주스, 포도 주스, 감귤 주스를 각각 적어도 1병 이상씩 택하는 경우의 수는?
(단, 같은 종류의 주스는 서로 구별하지 않는다.)

① 17　　　　② 19　　　　③ 21　　　　④ 23　　　　⑤ 25

11 1, 2, 3, 4, 5에서 중복을 허용하여 5개를 뽑을 때, 5가 한 개 이하인 경우의 수는?

① 35   ② 56   ③ 70   ④ 91   ⑤ 112

교육청 기출

12 4명의 학생에게 8자루의 연필 모두를 나누어 주는 방법 중에서 연필을 한 자루도 받지 못하는 학생이 생기는 경우의 수를 구하시오.
(단, 연필은 서로 구별하지 않는다.)

평가원 기출

13 방정식 $x+y+z+5w=14$를 만족시키는 양의 정수 x, y, z, w의 순서쌍 (x, y, z, w)의 개수는?

① 27   ② 29   ③ 31   ④ 33   ⑤ 35

14 방정식 $(a+b)(c+d+e)=15$를 만족시키는 자연수 a, b, c, d, e의 순서쌍 (a, b, c, d, e)의 개수를 구하시오.

15 방정식 $x+y+z=12$에 대하여 $x\geq1$, $y\geq2$, $z\geq3$인 정수 x, y, z의 순서쌍 (x, y, z)의 개수는?

① 12   ② 16   ③ 20   ④ 24   ⑤ 28

16 주황 탁구공 5개와 흰 탁구공 8개를 학생 세 명에게 나누어 주려고 한다. 세 학생이 주황 탁구공과 흰 탁구공을 한 개 이상씩 받는 경우의 수는?
(단, 같은 색의 탁구공은 서로 구별하지 않는다.)

① 36 　　　② 126 　　　③ 252 　　　④ 441 　　　⑤ 945

17 3000보다 작은 네 자리 자연수 중 각 자리 수의 합이 8인 자연수의 개수를 구하시오.

수능 기출

18 $1 \leq |a| \leq |b| \leq |c| \leq 5$를 만족시키는 정수 a, b, c의 순서쌍 (a, b, c)의 개수는?

① 360 　　　② 320 　　　③ 280 　　　④ 240 　　　⑤ 200

평가원 기출

19 자연수 n에 대하여 $abc = 2^n$을 만족시키는 1보다 큰 자연수 a, b, c의 순서쌍 (a, b, c)의 개수가 28일 때, n의 값을 구하시오.

20 $abc = 180$을 만족시키는 자연수 a, b, c의 순서쌍 (a, b, c)의 개수를 구하시오.

21 집합 $X = \{1, 2, 3, 4, 5, 6\}$에 대하여 X에서 X로의 함수 f가
$$f(1) + f(2) = 5, \quad f(3) \leq f(4) \leq f(5)$$
를 만족시킨다. 이 함수 f의 개수를 구하시오.

정답 개수: 　／21　 오답 번호 **Check**:

이항정리는 두 개의 항으로 이루어진 식의 거듭제곱을 전개할 때, 각 항의 계수를 구하는 방법이다.

이 단원에서는 이항정리의 원리와 공식, 이항계수의 성질을 이해하고, 이를 활용하여 전개식, 이항계수의 합, 파스칼의 삼각형에 대한 문제를 해결해 보자.

4-1 이항정리

이항정리

1 자연수 n에 대하여 $(a+b)^n$의 전개식을

$$_nC_0 a^n + {}_nC_1 a^{n-1}b + \cdots + {}_nC_r a^{n-r}b^r + \cdots + {}_nC_{n-1}ab^{n-1} + {}_nC_n b^n$$

과 같이 나타낸 것을 **이항정리**라 한다.

그리고 각 항의 계수 $_nC_0$, $_nC_1$, $_nC_2$, $\cdots$, $_nC_{n-1}$, $_nC_n$을 **이항계수**라 한다.

2 이항계수의 합

(1) $_nC_0 + {}_nC_1 + {}_nC_2 + {}_nC_3 + \cdots + {}_nC_n = 2^n$

(2) $_nC_0 - {}_nC_1 + {}_nC_2 - {}_nC_3 + \cdots + (-1)^n {}_nC_n = 0$

3 파스칼의 삼각형

$_{n-1}C_{r-1} + {}_{n-1}C_r = {}_nC_r$임을 이용하면

$$(a+b)^2, \ (a+b)^3, \ (a+b)^4, \ \cdots$$

의 계수를 차례로 구할 수 있다.

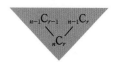

이항정리 •

항이 두 개인 다항식 $a+b$의 세제곱을 전개하면

$$(a+b)^3 = a^3 + 3a^2 b + 3ab^2 + b^3$$

이때 $a^2 b$의 계수 3은 그림과 같이

세 항 $(a+b)$, $(a+b)$, $(a+b)$ 중 한 개에서 b를 뽑고,

두 개에서 a를 뽑는 경우의 수 $_3C_1$이라 생각할 수 있다.

a^3, ab^2, b^3의 계수도 그림과 같이 $_3C_0$, $_3C_2$, $_3C_3$이라

생각할 수 있다.

일반적으로

$$(a+b)^n = \underbrace{(a+b)(a+b)\times \cdots \times(a+b)}_{n개}$$

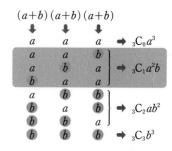

에서 $a^{n-r}b^r$의 계수는 n개의 $(a+b)$ 중 r개에서 b를 뽑고, $(n-r)$개에서 a를 뽑는 경우의

수 $_nC_r$라 생각할 수 있다. 이때 식

$$_nC_0 a^n + {}_nC_1 a^{n-1}b + \cdots + {}_nC_r a^{n-r}b^r + \cdots + {}_nC_{n-1}ab^{n-1} + {}_nC_n b^n$$

을 이항정리라 하고, 각 항의 계수 $_nC_0$, $_nC_1$, $_nC_2$, $\cdots$, $_nC_{n-1}$, $_nC_n$을 이항계수라 한다.

또 $_nC_0 = {}_nC_n$, $_nC_1 = {}_nC_{n-1}$, $_nC_2 = {}_nC_{n-2}$, $\cdots$이므로 이항계수는 좌우대칭이다.

따라서 a, b의 위치를 바꾸어 다음과 같이 전개해도 된다.

$$_nC_0 b^n + {}_nC_1 b^{n-1}a + \cdots + {}_nC_r b^{n-r}a^r + \cdots + {}_nC_{n-1}ba^{n-1} + {}_nC_n a^n$$

$(a+b)^n$의 전개식에서 항 $a^{n-r}b^r$의 계수는 $_nC_r$이다.

그리고 $_nC_r a^{n-r}b^r$을 전개식의 **일반항**이라고도 한다.

참고 $a \neq 0$일 때, $a^0 = 1$, $a^{-n} = \dfrac{1}{a^n}$로 약속한다. 수학 I 과정에서 자세히 공부한다.

이항계수의 합 •

$(1+x)^n$을 전개하면

$$(1+x)^n = {}_n\mathrm{C}_0 + {}_n\mathrm{C}_1 x + {}_n\mathrm{C}_2 x^2 + {}_n\mathrm{C}_3 x^3 + \cdots + {}_n\mathrm{C}_n x^n$$

이 식에 $x=1$을 대입하면

$$2^n = {}_n\mathrm{C}_0 + {}_n\mathrm{C}_1 + {}_n\mathrm{C}_2 + {}_n\mathrm{C}_3 + \cdots + {}_n\mathrm{C}_n$$

또 $x=-1$을 대입하면

$$0 = {}_n\mathrm{C}_0 - {}_n\mathrm{C}_1 + {}_n\mathrm{C}_2 - {}_n\mathrm{C}_3 + \cdots + (-1)^n {}_n\mathrm{C}_n$$

이 결과는 공식처럼 기억해도 된다.

파스칼의 • 삼각형

조합에서 다음이 성립함을 공부하였다.

$${}_{n-1}\mathrm{C}_{r-1} + {}_{n-1}\mathrm{C}_r = {}_n\mathrm{C}_r$$

따라서 $(a+b)^2$, $(a+b)^3$, $(a+b)^4$, $\cdots$의 계수만 쓰면 그림과 같다.

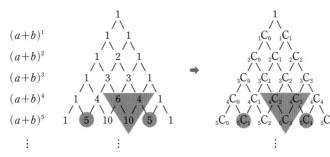

이를 파스칼의 삼각형이라 한다.

◆ 정답 및 풀이 24쪽

개념 Check

1 $(a+b)^8$의 전개식에서 다음 항의 계수를 구하시오.

(1) a^8 (2) $a^6 b^2$ (3) $a^4 b^4$

2 파스칼의 삼각형을 이용하여 $(1+x)^6$의 전개식을 구하시오.

다음 물음에 답하시오.

(1) $(2x-3y)^6$의 전개식에서 x^4y^2의 계수를 구하시오.

(2) $\left(3x^2+\dfrac{1}{x}\right)^7$의 전개식에서 $\dfrac{1}{x}$의 계수를 구하시오.

(3) $\left(ax+\dfrac{1}{2x}\right)^8$의 전개식에서 x^2의 계수가 -7일 때, 실수 a의 값을 구하시오.

날선 Guide (1) $(a+b)^n$의 전개식

$$_n\mathrm{C}_0a^n+{}_n\mathrm{C}_1a^{n-1}b+\cdots+{}_n\mathrm{C}_ra^{n-r}b^r+\cdots+{}_n\mathrm{C}_{n-1}ab^{n-1}+{}_n\mathrm{C}_nb^n$$

에서 $n=6$이고, $a=2x$, $b=-3y$인 경우이다.

따라서 $(2x-3y)^6$의 전개식의 일반항은

$$_6\mathrm{C}_r(2x)^r(-3y)^{6-r}={}_6\mathrm{C}_r\times2^r\times(-3)^{6-r}x^ry^{6-r}$$

이므로 x^4y^2항은 $r=4$인 경우이다.

(2) $\left(3x^2+\dfrac{1}{x}\right)^7$의 전개식의 일반항은

$$_7\mathrm{C}_r(3x^2)^r\left(\dfrac{1}{x}\right)^{7-r}={}_7\mathrm{C}_r\times3^r\times x^{2r}\times\dfrac{1}{x^{7-r}}={}_7\mathrm{C}_r\times3^r\times x^{3r-7}$$

그런데 $\dfrac{1}{x}=x^{-1}$이므로 $\dfrac{1}{x}$항은 $3r-7=-1$인 경우이다.

(3) $\left(ax+\dfrac{1}{2x}\right)^8$의 전개식의 일반항은

$$_8\mathrm{C}_r(ax)^r\left(\dfrac{1}{2x}\right)^{8-r}={}_8\mathrm{C}_r\times\dfrac{a^r}{2^{8-r}}\times x^r\times\dfrac{1}{x^{8-r}}={}_8\mathrm{C}_r\times\dfrac{a^r}{2^{8-r}}\times x^{2r-8}$$

따라서 $2r-8=2$일 때 계수가 -7임을 이용하여 a의 값을 구한다.

참고 이항정리에서는 $\dfrac{1}{x^n}=x^{-n}$으로 고쳐 계산하면 간단하다.

답 (1) 2160 (2) 189 (3) -1

날선 Point $(a+b)^n$의 전개식의 일반항 ➡ $_n\mathrm{C}_ra^rb^{n-r}$

1-1 다음 물음에 답하시오.

(1) $(5x+2y)^5$의 전개식에서 x^2y^3의 계수를 구하시오.

(2) $\left(x^2-\dfrac{1}{3x}\right)^6$의 전개식에서 $\dfrac{1}{x^3}$의 계수를 구하시오.

1-2 $\left(x^2-\dfrac{a}{x}\right)^9$의 전개식에서 상수항이 84일 때, 양수 a의 값을 구하시오.

다음 물음에 답하시오.

(1) $\left(x^2-4\right)\left(2x+\dfrac{1}{x}\right)^4$의 전개식에서 상수항을 구하시오.

(2) $\left(2x+1\right)^4\left(x^2-2\right)^3$의 전개식에서 x^2의 계수를 구하시오.

날선 Guide (1) x^2-4에 $\left(2x+\dfrac{1}{x}\right)^4$의 $\dfrac{1}{x^2}$항 또는 상수항을 곱하면 상수항이 나온다.

그런데 $\left(2x+\dfrac{1}{x}\right)^4$의 전개식의 일반항은

$$_4\mathrm{C}_r(2x)^r\left(\frac{1}{x}\right)^{4-r}={_4\mathrm{C}_r}\,2^r x^r\times\frac{1}{x^{4-r}}$$
$$={_4\mathrm{C}_r}\,2^r x^{2r-4}$$

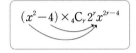

$$\left(x^2-4\right)\times{_4\mathrm{C}_r}\,2^r x^{2r-4}$$

이므로 $r=2$인 경우는 상수항, $r=1$인 경우는 $\dfrac{1}{x^2}$항이다.

(2) $\left(2x+1\right)^4$의 전개식은 $a_0+a_1x+a_2x^2+\cdots$ 꼴의 사차식이고,

$\left(x^2-2\right)^3$의 전개식은 $b_0+b_1x^2+b_2x^4+\cdots$ 꼴의 육차식이다.

이때 x^2항이 나오는 경우는

$$(a_0+a_1x+a_2x^2+\cdots)(b_0+b_1x^2+b_2x^4+\cdots)$$

따라서 $\left(2x+1\right)^4$의 전개식에서는 상수항과 x^2항, $\left(x^2-2\right)^3$의 전개식에서는 상수항과 x^2항을 구하면 충분하다.

답 (1) -88 (2) -180

날선 Point 이항정리의 곱의 계수

➡ 필요한 항부터 먼저 찾는다.

2-1 다음 물음에 답하시오.

(1) $\left(2x-\dfrac{3}{x^2}\right)^5\left(x^2-2\right)$의 전개식에서 x의 계수를 구하시오.

(2) $\left(1-x\right)^4\left(2x+\dfrac{1}{x}\right)^5$의 전개식에서 x^3의 계수를 구하시오.

2-2 $\left(ax^2+3\right)\left(x+\dfrac{1}{x}\right)^8$의 전개식에서 x^4의 계수가 28일 때, 상수 a의 값을 구하시오.

다음 물음에 답하시오.

(1) $1000 < {}_nC_1 + {}_nC_2 + {}_nC_3 + \cdots + {}_nC_n < 2000$일 때, 자연수 n의 값을 구하시오.

(2) ${}_{20}C_1 + {}_{20}C_3 + {}_{20}C_5 + {}_{20}C_7 + \cdots + {}_{20}C_{19}$의 값을 구하시오.

(3) ${}_{10}C_0 - {}_{10}C_1 \times 2 + {}_{10}C_2 \times 2^2 - {}_{10}C_3 \times 2^3 + \cdots + {}_{10}C_{10} \times 2^{10}$의 값을 구하시오.

날선 Guide   (1) 이항계수의 합이다.

$(1+x)^n$을 전개하면
$$(1+x)^n = {}_nC_0 + {}_nC_1 x + {}_nC_2 x^2 + {}_nC_3 x^3 + \cdots + {}_nC_n x^n \qquad \cdots \ \textcircled{\small ㄱ}$$
이 식에 $x=1$을 대입하면
$$2^n = {}_nC_0 + {}_nC_1 + {}_nC_2 + {}_nC_3 + \cdots + {}_nC_n \qquad \cdots \ \textcircled{\small ㄴ}$$
${}_nC_0 = 1$이므로 ${}_nC_1 + {}_nC_2 + {}_nC_3 + \cdots + {}_nC_n = 2^n - 1$이다.

(2) $\textcircled{\small ㄱ}$에 $x=-1$을 대입하면
$$0 = {}_nC_0 - {}_nC_1 + {}_nC_2 - {}_nC_3 + \cdots + (-1)^n {}_nC_n \qquad \cdots \ \textcircled{\small ㄷ}$$
$\textcircled{\small ㄴ} + \textcircled{\small ㄷ}$을 하면 $2^n = 2({}_nC_0 + {}_nC_2 + {}_nC_4 + \cdots + {}_nC_n)$,
$\textcircled{\small ㄴ} - \textcircled{\small ㄷ}$을 하면 $2^n = 2({}_nC_1 + {}_nC_3 + {}_nC_5 + \cdots + {}_nC_{n-1})$
임을 이용한다.

(3) $\textcircled{\small ㄱ}$에 $x=-2$를 대입하면
$$(1-2)^n = {}_nC_0 + {}_nC_1(-2) + {}_nC_2(-2)^2 + {}_nC_3(-2)^3 + \cdots + {}_nC_n(-2)^n$$
임을 이용한다.

답 (1) 10   (2) 2^{19} (3) 1

날선 Point   **이항계수의 합**

➡ $(1+x)^n = {}_nC_0 + {}_nC_1 x + {}_nC_2 x^2 + {}_nC_3 x^3 + \cdots + {}_nC_n x^n$의 x에 적당한 수를 대입한다.

3-1   다음 물음에 답하시오.

(1) $500 < {}_nC_0 + {}_nC_1 + {}_nC_2 + \cdots + {}_nC_{n-1} < 1000$일 때, 자연수 n의 값을 구하시오.

(2) ${}_{20}C_0 + {}_{20}C_2 + {}_{20}C_4 + {}_{20}C_6 + \cdots + {}_{20}C_{20}$의 값을 구하시오.

3-2 ${}_{20}C_0 + {}_{20}C_1 \times 3 + {}_{20}C_2 \times 3^2 + {}_{20}C_3 \times 3^3 + \cdots + {}_{20}C_{20} \times 3^{20}$의 값을 구하시오.

대표 Q4 파스칼의 삼각형

◆ 정답 및 풀이 **26**쪽

파스칼의 삼각형을 이용하여

$$_2C_0 + {}_3C_1 + {}_4C_2 + {}_5C_3 + \cdots + {}_{10}C_8$$

의 값을 구하시오.

날선 Guide

$$_3C_0 + {}_3C_1 = {}_4C_1 \qquad {}_4C_1 + {}_4C_2 = {}_5C_2$$

$_2C_0 = {}_3C_0$이고 위 그림과 같이 생각하면

$$\underbrace{{}_3C_0 + {}_3C_1}_{{}_4C_1} + {}_4C_2 + {}_5C_3 + \cdots + {}_{10}C_8$$

$$= \underbrace{{}_4C_1 + {}_4C_2}_{{}_5C_2} + {}_5C_3 + \cdots + {}_{10}C_8$$

$$= \cdots$$

참고 수학 I에서 공부하는 $\sum$의 성질을 이용하여

$$_2C_0 + {}_3C_1 + {}_4C_2 + {}_5C_3 + \cdots + {}_{10}C_8$$

$$= {}_2C_2 + {}_3C_2 + {}_4C_2 + {}_5C_2 + {}_6C_2 + \cdots + {}_{10}C_2$$

$$= \frac{2 \times 1}{2} + \frac{3 \times 2}{2} + \frac{4 \times 3}{2} + \frac{5 \times 4}{2} + \cdots + \frac{10 \times 9}{2} = \sum_{k=1}^{9} \frac{k(k+1)}{2}$$

과 같이 풀 수도 있다.

답 165

날선 Point

파스칼의 삼각형 ➡

4-1 파스칼의 삼각형을 이용하여

$$_2C_2 + {}_3C_2 + {}_4C_2 + {}_5C_2 + \cdots + {}_{10}C_2$$

의 값을 구하시오.

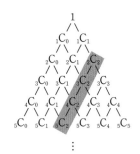

01 다음 식의 전개식에서 [ ] 안에 주어진 항의 계수 또는 상수항을 구하시오.

(1) $(x^2-2y)^5$ $[x^8y]$ (2) $\left(3x+\dfrac{1}{x}\right)^4$ [상수항]

02 다항식 $(x+a)^7$의 전개식에서 x^4의 계수가 280일 때, x^5의 계수는?

(단, a는 상수이다.)

① 84 ② 91 ③ 98 ④ 105 ⑤ 112

03 다항식 $(x+2)^{19}$의 전개식에서 x^k의 계수가 x^{k+1}의 계수보다 크게 되는 자연수 k의 최솟값은?

① 4 ② 5 ③ 6 ④ 7 ⑤ 8

04 다항식 $(1+2x)(1+x)^5$의 전개식에서 x^4의 계수를 구하시오.

05 다음 중 $_{19}C_0+_{19}C_1+_{19}C_2+\cdots+_{19}C_8+_{19}C_9$의 값과 같은 것은?

① $2^{18}-1$ ② 2^{18} ③ $2^{19}-1$ ④ 2^{19} ⑤ $2^{20}-1$

06 다음 식의 값을 구하시오.

$$_5P_1+\dfrac{_5P_2}{2!}+\dfrac{_5P_3}{3!}+\dfrac{_5P_4}{4!}+\dfrac{_5P_5}{5!}$$

07 다음 식의 값을 구하시오.

(1) $_{10}C_8 + _9C_7 + _8C_6 + _7C_5 + _7C_4$

(2) $_4H_0 + _4H_1 + _4H_2 + _4H_3 + _4H_4$

08 $(1+x) + (1+x)^2 + (1+x)^3 + (1+x)^4 + (1+x)^5$의 전개식에서 x^2의 계수는?

① 20 　　　② 30 　　　③ 35 　　　④ 42 　　　⑤ 56

09 $\left(x^2 - \dfrac{3}{x^5}\right)^n$의 전개식에서 $\dfrac{1}{x^2}$항이 존재하도록 하는 자연수 n의 최솟값 a와

n이 최소일 때 $\dfrac{1}{x^2}$항의 계수 b를 구하시오.

10 자연수 a와 $n(n \geq 4)$에 대하여 x에 대한 다항식 $(x + a^2)^n$과

$(x^2 - 2a)(x + a)^n$의 전개식에서 x^{n-1}의 계수가 같을 때, n, a의 값을 구하시오.

11 $_{2n}C_1 + _{2n}C_3 + _{2n}C_5 + \cdots + _{2n}C_{2n-1} = 512$일 때, 자연수 n의 값을 구하시오.

12 $x=0, 1, 2, \cdots, 15$에 대하여 $f(x)={}_{15}C_x\left(\dfrac{1}{3}\right)^{15-x}\left(\dfrac{2}{3}\right)^x$이라 할 때,

$f(0)+f(2)+f(4)+\cdots+f(14)$의 값은?

① $2-\dfrac{1}{3^{15}}$ ② $\dfrac{1}{2}\left(1-\dfrac{1}{3^{16}}\right)$ ③ $1-\dfrac{1}{3^{16}}$

④ $\dfrac{1}{2}\left(1-\dfrac{1}{3^{15}}\right)$ ⑤ $1-\dfrac{1}{3^{15}}$

13 31^{20}을 30^2으로 나누었을 때의 나머지는?

① 101 ② 201 ③ 401 ④ 601 ⑤ 801

14 $({}_{20}C_0)^2+({}_{20}C_1)^2+({}_{20}C_2)^2+\cdots+({}_{20}C_{20})^2={}_nC_r$일 때, n, r의 값을 구하시오.

15 부등식 $x+y+z\leq 8$을 만족시키는 자연수 x, y, z의 순서쌍 (x, y, z)의 개수는?

① 28 ② 55 ③ 56 ④ 70 ⑤ 165

 교육청 기출

16 그림과 같은 파스칼의 삼각형에서 색칠한 부분의 모든 수들의 합은?

① 224 ② 226

③ 228 ④ 230

⑤ 232

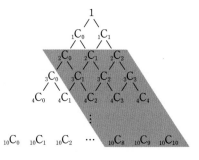

정답 개수: /16 오답 번호 **Check**:

중학교에서 확률의 정의와 경우의 수를 이용한 확률의 계산 방법을 배웠다.

이 단원에서는 확률을 수학적으로 정의해 보고, 확률의 성질에 대해 알아보자. 또 확률의 덧셈정리와 여사건의 확률을 이해하고, 이를 활용하여 여러 가지 확률을 구하는 방법을 알아보자.

확률

1 시행과 사건

(1) 주사위나 동전을 던지는 것과 같이 같은 조건에서 여러 번 반복할 수 있고, 결과가 우연에 의해 결정되는 실험이나 관찰을 **시행**이라 한다.

(2) 어떤 시행에서 일어날 수 있는 모든 결과의 집합을 **표본공간**이라 하고, 표본공간의 부분집합을 **사건**이라 한다. 또 한 개의 원소로 이루어진 사건을 **근원사건**이라 한다.

2 수학적 확률

(1) 어떤 시행에서 사건 A가 일어날 가능성을 수로 나타낸 것을 A의 **확률**이라 하고, $P(A)$로 나타낸다.

(2) 어떤 시행에서 표본공간 S의 근원사건이 n개이고 각 근원사건이 일어날 가능성이 같은 정도로 기대될 때, 사건 A의 근원사건이 r개이면 A가 일어날 확률은

$$P(A) = \frac{n(A)}{n(S)} = \frac{r}{n}$$

이다. 이때 $P(A)$를 **수학적 확률**이라 한다.

3 통계적 확률

같은 시행을 n번 반복할 때 사건 A가 일어난 횟수를 r_n이라 하면, n이 충분히 커짐에 따라 $\frac{r_n}{n}$은 일정한 값 p에 가까워진다. 이때 p를 A의 **통계적 확률**이라 한다.

시행과 사건 • 주사위나 동전을 던지는 것과 같이 같은 조건에서 여러 번 반복할 수 있고, 결과가 우연에 의해 결정되는 실험이나 관찰을 시행이라 한다.

주사위를 한 번 던지는 시행에서 나올 수 있는 모든 경우는 1, 2, 3, 4, 5, 6이고

나오는 눈의 수의 집합 {1, 2, 3, 4, 5, 6}을 표본공간이라 한다.

표본공간의 부분집합 {2, 4, 6}은 짝수의 눈이 나오는 사건이고, {3, 6}은 3의 배수의 눈이 나오는 사건이다. 이와 같이 표본공간의 부분집합을 사건이라 한다.

또 표본공간의 부분집합 중 원소가 한 개인 부분집합 {1}, {2}, {3}, {4}, {5}, {6}을 근원사건이라 한다.

예를 들어 동전 2개를 동시에 던지는 시행에서 동전의 앞면을 H, 뒷면을 T라 할 때, 다음과 같이 순서쌍으로 나타낼 수 있다.

① 표본공간은 $S = \{(H, H), (H, T), (T, H), (T, T)\}$

② 근원사건은 $\{(H, H)\}, \{(H, T)\}, \{(T, H)\}, \{(T, T)\}$

③ 같은 면이 나오는 사건을 A라 하면 $A = \{(H, H), (T, T)\}$

수학적 확률 ● 주사위를 한 번 던질 때, 짝수의 눈이 나오는 사건을 A라 하자.

사건 A가 일어날 가능성은 $\frac{1}{2}$이라 할 수 있다. 이때 사건 A가 일어날 확률이 $\frac{1}{2}$이고

이것을 $P(A) = \frac{1}{2}$로 나타낸다.

주사위를 한 번 던질 때 표본공간을 S라 하고, 짝수의 눈이 나오는 사건을 A라 하면
$n(S) = 6$, $n(A) = 3$이다.

따라서 A가 일어날 확률 $P(A)$는 $n(S)$와 $n(A)$를 이용하여

$$P(A) = \frac{n(A)}{n(S)} = \frac{3}{6} = \frac{1}{2}$$

과 같이 생각할 수 있다. 이때 주사위의 각 눈이 나올 가능성, 곧 근원사건이 일어날 가능성은
같다라고 생각하고, 이렇게 구한 확률을 수학적 확률이라 한다.

같은 이유로 주사위를 한 번 던질 때 3의 배수가 나오는 사건을 B라 하면 $B = \{3, 6\}$이므로

$$P(B) = \frac{n(B)}{n(S)} = \frac{2}{6} = \frac{1}{3}$$

통계적 확률 ● 주사위를 n번 던져 짝수의 눈이 나오는 횟수 r_n을 직접 측정할 수 있다.

이때 상대도수 $\frac{r_n}{n}$은 n이 한없이 커지면 일정한 값 p에 가까워진다는 것이 알려져 있다.

이 값 p를 짝수의 눈이 나올 사건의 통계적 확률이라 한다.

보통은 n을 한없이 키울 수 없으므로 n이 충분히 클 때, 상대도수 $\frac{r_n}{n}$을 통계적 확률로 대신

한다.

예를 들어 주사위를 1000번 던졌을 때, 짝수의 눈이 490번 나왔으면 통계적 확률은 $\frac{490}{1000}$이다.

수학적 확률과 ● 사건 A가 일어날 수학적 확률이 p이면
통계적 확률
n이 충분히 커질 때, 상대도수 $\frac{r_n}{n}$은 p에 가까워진다는 것이 알려져 있다.

따라서 수학적 확률을 구하기 어려운 경우 통계적 확률을 구해 이용할 수 있다.

▸▸ **개념 Check**

◆ 정답 및 풀이 **30**쪽

1 주사위를 한 번 던질 때, 소수의 눈이 나올 확률을 구하시오.

2 동전 2개를 동시에 던질 때, 같은 면이 나올 확률을 구하시오.

5-2 확률의 성질

> 어떤 사건 A에 대하여
> (1) $0 \le \mathrm{P}(A) \le 1$
> (2) A가 반드시 일어난다. $\Longleftrightarrow \mathrm{P}(A)=1$
> (3) A가 절대로 일어나지 않는다. $\Longleftrightarrow \mathrm{P}(A)=0$

확률의 성질 (1)
사건 A의 표본공간을 S라 하자.
A는 S의 부분집합이므로 $n(A) \le n(S)$
$$\therefore \mathrm{P}(A) = \frac{n(A)}{n(S)} \le 1$$
또 $n(A) \ge 0$, $n(S) > 0$이므로 $0 \le \mathrm{P}(A)$
$$\therefore 0 \le \mathrm{P}(A) \le 1$$

확률의 성질 (2)
사건 A가 반드시 일어나는 사건이면 $A=S$이므로 $\mathrm{P}(A)=1$이다. ⟶ 항상 $\mathrm{P}(S)=1$이다.
역으로 $\mathrm{P}(A)=1$이면 $n(A)=n(S)$이므로 $A=S$이다. 따라서 A는 표본공간과 같다.
특히 $A=S$인 사건을 전사건이라 한다. ⟶ 전사건은 반드시 일어나는 사건이다.

확률의 성질 (3)
사건 A가 절대로 일어나지 않는 사건이면 $A=\varnothing$이므로 $\mathrm{P}(A)=0$이다. ⟶ 항상 $\mathrm{P}(\varnothing)=0$이다.
역으로 $\mathrm{P}(A)=0$이면 $n(A)=0$이므로 $A=\varnothing$이다.
특히 $A=\varnothing$인 사건을 공사건이라 한다. ⟶ 공사건은 절대로 일어나지 않는 사건이다.

예를 들어 주사위를 한 번 던질 때,
6 이하의 자연수가 나오는 사건을 A, 6보다 큰 자연수가 나오는 사건을 B라 하자.
A는 반드시 일어나는 사건이므로 $\mathrm{P}(A)=1$이다.
또 B는 절대로 일어나지 않는 사건이므로 $\mathrm{P}(B)=0$이다.

▶ 개념 Check

◆ 정답 및 풀이 **30**쪽

3 흰 공 3개, 검은 공 4개가 들어 있는 주머니에서 공 한 개를 꺼낼 때, 다음을 구하시오.

(1) 흰 공이 나올 확률
(2) 흰 공 또는 검은 공이 나올 확률
(3) 파란 공이 나올 확률

Q1 동전이나 주사위를 던지는 확률 ◆정답 및 풀이 **30**쪽

다음 사건이 일어날 확률을 구하시오.

(1) 동전 3개를 동시에 던질 때, 앞면이 2개 나온다.

(2) 주사위 2개를 동시에 던질 때, 나오는 두 눈의 수의 차가 4 이상이다.

날선 Guide (1) 동전 3개를 던질 때, 전체 경우는 다음의 8가지이고, 각 사건이 일어날 가능성은 같다.

따라서 이 중 앞면이 2개인 경우를 센다.

참고 동전의 앞면이 나오는 경우를 정하는 조합의 수 $_3C_2$를 생각해도 된다.

(2) 주사위 2개를 던질 때, 전체 경우는 표와 같이 $6 \times 6 = 36$가지이고, 각 사건 이 일어날 가능성은 같다. 따라서 이 중 두 눈의 수의 차가 4, 5인 경우를 모두 센다.

	1	2	3	4	5	6
1	(1, 1)	(1, 2)	(1, 3)	(1, 4)	(1, 5)	(1, 6)
2	(2, 1)	(2, 2)	(2, 3)	(2, 4)	(2, 5)	(2, 6)
3	(3, 1)	(3, 2)	(3, 3)	(3, 4)	(3, 5)	(3, 6)
4	(4, 1)	(4, 2)	(4, 3)	(4, 4)	(4, 5)	(4, 6)
5	(5, 1)	(5, 2)	(5, 3)	(5, 4)	(5, 5)	(5, 6)
6	(6, 1)	(6, 2)	(6, 3)	(6, 4)	(6, 5)	(6, 6)

답 (1) $\dfrac{3}{8}$ (2) $\dfrac{1}{6}$

날선 Point 사건 A의 확률 : 전체 경우의 수와 A가 일어나는 경우의 수를 센다.

$$\Rightarrow P(A) = \frac{(A가\ 일어나는\ 경우의\ 수)}{(전체\ 경우의\ 수)}$$

1-1 동전 3개를 동시에 던질 때, 모두 앞면이 나오거나 모두 뒷면이 나올 확률을 구하시오.

1-2 주사위 2개를 동시에 던질 때, 다음 사건이 일어날 확률을 구하시오.

(1) 두 눈의 수의 합이 7이다.

(2) 두 눈의 수의 곱이 홀수이다.

대표 Q2 나열하는 경우의 확률

◆ 정답 및 풀이 **30쪽**

A, B를 포함한 학생 6명이 있다. 다음 사건이 일어날 확률을 구하시오.

(1) 6명을 일렬로 세울 때, A와 B는 이웃한다.

(2) 6명을 일렬로 세울 때, A와 B 사이에 2명이 있다.

(3) 6명이 원탁에 둘러앉을 때, A와 B가 마주 본다.

날선 Guide (1) 전체 경우의 수는 6명을 일렬로 세우는 경우의 수이므로 6!이다.

또 A와 B가 이웃하는 경우의 수는

A와 B를 묶어 한 사람으로 보고 5명을 일렬로 세우는 경우의 수와

A와 B가 자리를 바꾸는 경우의 수의 곱이다.

(2) 전체 경우의 수는 6!이다.

또 A와 B 사이에 2명이 있는 경우의 수는

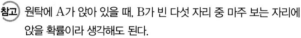

A와 B 사이에 세우는 2명을 고르는 경우의 수와

A○○B를 묶어 한 사람으로 보고 3명을 일렬로 세우는 경우의 수의 곱에

A와 B가 자리를 바꾸는 경우의 수를 곱한 것이다.

(3) 전체 경우의 수는 $(6-1)!$이다.

또 A와 B가 마주 보는 경우의 수는

A의 자리를 결정하면 B의 자리는 정해지므로 나머지 4명을 나열

하는 경우의 수이다.

참고 원탁에 A가 앉아 있을 때, B가 빈 다섯 자리 중 마주 보는 자리에

앉을 확률이라 생각해도 된다.

답 (1) $\dfrac{1}{3}$ (2) $\dfrac{1}{5}$ (3) $\dfrac{1}{5}$

날선 Point 전체 사건이 순서를 생각하면 사건 A도 순서를 생각한다.

2-1 A, B를 포함한 학생 5명이 있다. 다음 사건이 일어날 확률을 구하시오.

(1) 5명을 일렬로 세울 때, A와 B는 양 끝에 있다.

(2) 5명이 원탁에 둘러앉을 때, A와 B가 이웃하지 않는다.

2-2 다음 물음에 답하시오.

(1) 1, 2, 3, 4, 5로 중복을 허용하여 세 자리 자연수를 만들 때, 짝수일 확률을 구하시오.

(2) t, e, a, c, h, e, r를 일렬로 나열할 때, 문자 e가 이웃할 확률을 구하시오.

주머니에 크기가 같은 흰 구슬 5개, 검은 구슬 3개, 파란 구슬 2개가 들어 있다. 이 주머니에서 임의로 구슬 3개를 꺼낼 때, 다음 사건이 일어날 확률을 구하시오.

(1) 흰 구슬 2개, 검은 구슬 1개가 나온다.

(2) 색이 모두 다른 구슬이 나온다.

(3) 색이 모두 같은 구슬이 나온다.

날선 Guide 구슬의 크기가 같고 임의로 뽑으므로

전체 경우의 수는 구슬 10개에서 3개를 뽑는 조합의 수 $_{10}C_3$이다.

(1) 흰 구슬 5개 중에서 2개, 검은 구슬 3개 중에서 1개를 뽑는 경우의 수를 구한다.

이때 흰 구슬 5개 중에서 2개를 뽑는 경우의 수는 5개에서 2개를 뽑는 조합의 수이다.

(2) 흰 구슬 5개 중에서 1개, 검은 구슬 3개 중에서 1개, 파란 구슬 2개 중에서 1개를 뽑는 경우의 수를 구한다.

(3) 파란 구슬을 3개 뽑을 수는 없다.

흰 구슬 5개 중에서 3개를 뽑는 경우의 수와

검은 구슬 3개 중에서 3개 모두 뽑는 경우의 수의 합을 생각한다.

답 (1) $\dfrac{1}{4}$ (2) $\dfrac{1}{4}$ (3) $\dfrac{11}{120}$

날선 Point 전체 사건이 순서를 생각하지 않으면 사건 A도 순서를 생각하지 않는다.

3-1 주머니에 크기가 같은 흰 구슬 4개, 검은 구슬 5개가 들어 있다. 이 주머니에서 임의로 구슬 2개를 꺼낼 때, 다음 사건이 일어날 확률을 구하시오.

(1) 색이 다른 구슬이 나온다.

(2) 색이 같은 구슬이 나온다.

3-2 흰 구슬과 검은 구슬을 합하여 7개가 들어 있는 주머니에서 임의로 구슬 2개를 꺼낼 때, 2개 모두 흰 구슬일 확률은 $\dfrac{2}{7}$이다. 이때 주머니에 들어 있는 흰 구슬의 개수를 구하시오.

Q4 통계적 확률

정답 및 풀이 32쪽

당첨 제비를 포함한 제비 6개가 들어 있는 상자가 있다. 재성이네 반 학생 30명이 한 명씩 제비를 2개 뽑을 때, 20명이 당첨 제비를 하나도 뽑지 못하였다. 이 상자에 들어 있는 당첨 제비의 개수를 구하시오.
(단, 뽑은 제비는 다시 상자에 넣는다.)

날선 Guide 30명 중 20명이 당첨 제비를 하나도 뽑지 못했으므로 임의로 제비 2개를 뽑을 때, 2개 모두 당첨 제비가 아닐 확률이 $\dfrac{20}{30} = \dfrac{2}{3}$라 할 수 있다.

당첨 제비의 개수를 n이라 할 때, 당첨이 아닌 제비를 2개 뽑는 경우의 수가

$$_{6-n}C_2$$

임을 이용하여 확률을 구한다.

이 문제에서 $\dfrac{20}{30}$은 통계적 확률이다.

답 1

날선 Point 통계적 확률에 대한 문제

➡ 구하려는 것을 미지수로 놓고 수학적 확률을 계산한다.

4-1 빨간 구슬과 파란 구슬을 합하여 10개가 들어 있는 주머니가 있다. 이 주머니에서 임의로 2개의 구슬을 꺼내어 색을 확인하고 다시 넣는 시행을 여러 번 반복하였더니 3번에 1번 꼴로 2개가 모두 빨간 구슬이었다. 이 주머니에 들어 있는 빨간 구슬의 개수를 구하시오.

4-2 우리나라에서 2017년에 출생한 남녀 각 10만 명 중에서 각 연령까지 생존할 것으로 예측되는 사람 수를 나타낸 표이다. 다음 확률을 소수 셋째 자리에서 반올림하여 나타내시오.

(1) 2017년에 출생한 남자가 60세까지 생존할 확률

(2) 2017년에 출생한 40세 여자가 40년 더 생존할 확률

연령(세)	생존자(명)	
	남자	여자
0	100000	100000
20	99404	99559
40	98116	98835
60	91546	96261
80	59567	79578

(교육과정 외)

기하적 확률

◆ 정답 및 풀이 **32**쪽

그림과 같이 반지름의 길이가 1인 원 모양의 과녁을 힘껏 돌린 다음 화살을 한 발 쏘아 맞출 때, 다음 물음에 답하시오. (단, 1부터 12까지의 수는 원주를 12등분하는 점이고, 화살은 과녁을 벗어나지 않는다.)

(1) 화살이 원의 중심 O와 2, 6을 연결하는 부채꼴 안에 있을 확률을 구하시오.

(2) 화살이 원의 중심 O와 6, a ($a > 6$)를 연결하는 부채꼴 안에 있을 확률이 과녁의 색칠한 부분에 있을 확률의 3배일 때, a의 값을 구하시오.

날선 Guide (1) 화살이 과녁의 어느 부분에나 맞을 확률이 같다고 생각하면 화살이 그림에서 색칠한 부분에 있을 확률은

$$\frac{(색칠한\ 부분의\ 넓이)}{(과녁\ 전체의\ 넓이)}$$

이다.

(2) 그림에서 빨간색을 칠한 부분의 넓이가 초록색을 칠한 부분의 넓이의 3배이다.

참고 이 문제에서 전체 사건은 과녁 위의 모든 점이므로 개수를 세어 확률을 생각할 수는 없다. 이와 같은 경우에는 도형의 넓이나 길이 등을 이용하여 확률을 구한다.
이런 확률을 기하적 확률이라 한다.

답 (1) $\frac{1}{3}$ (2) 9

날선 Point 기하적 확률

➡ $\mathrm{P}(A) = \dfrac{(A의\ 넓이)}{(전체\ 넓이)}$, $\mathrm{P}(A) = \dfrac{(A의\ 길이)}{(전체\ 길이)}$

5-1 그림과 같이 중심이 같고 작은 원부터 반지름의 길이가 각각 1, 2, 3, 4인 네 원으로 이루어진 과녁에 화살을 쏠 때, 화살이 색칠한 부분에 맞을 확률을 구하시오. (단, 화살은 경계선에 꽂히지 않고, 과녁을 벗어나지 않는다.)

5-2 그림과 같이 한 변의 길이가 2인 정사각형 ABCD의 내부에 점 P를 잡을 때, 삼각형 PBC가 둔각삼각형일 확률을 구하시오.

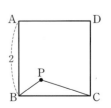

5-3 사건 $A \cup B$, $A \cap B$, A^C

A, B가 표본공간 S의 사건일 때,

1 A 또는 B가 일어나는 사건을 $A \cup B$로 나타내고 A와 B의 **합사건**이라 한다.

2 A와 B가 동시에 일어나는 사건을 $A \cap B$로 나타내고 A와 B의 **곱사건**이라 한다.

특히 $A \cap B = \varnothing$이면 A와 B는 **배반사건**이라 한다.

3 A가 일어나지 않는 사건을 A^C로 나타내고 A의 **여사건**이라 한다.

주사위를 한 번 던질 때, 표본공간은 $S = \{1, 2, 3, 4, 5, 6\}$이다.

3의 배수가 나오는 사건을 A, 짝수가 나오는 사건을 B, 5의 배수가 나오는 사건을 C라 하면
$$A = \{3, 6\}, \ B = \{2, 4, 6\}, \ C = \{5\}$$
이다.

합사건 ● A 또는 B가 일어나는 사건은 $A \cup B$이고,

$A \cup B = \{2, 3, 4, 6\}$이므로 확률은 $P(A \cup B) = \dfrac{4}{6} = \dfrac{2}{3}$이다.

$A \cup B$를 A와 B의 합사건이라 한다.

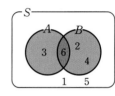

곱사건 ● A와 B가 동시에 일어나는 사건은 $A \cap B$이고,

$A \cap B = \{6\}$이므로 확률은 $P(A \cap B) = \dfrac{1}{6}$이다.

$A \cap B$를 A와 B의 곱사건이라 한다.

배반사건 ● $A \cap C = \varnothing$이므로 A와 C가 동시에 일어나지 않는다.

이와 같이 동시에 일어나지 않는 두 사건을 배반사건이라 한다.

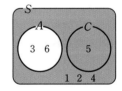

여사건 ● A가 일어나지 않는 사건은 A^C이고,

$A^C = \{1, 2, 4, 5\}$이므로 확률은 $P(A^C) = \dfrac{4}{6} = \dfrac{2}{3}$

A^C를 A의 여사건이라 한다.

참고 $A \cup B$, $A \cap B$, A^C는 집합이므로 다음이 성립함도 알 수 있다.
$$n(A \cup B) = n(A) + n(B) - n(A \cap B)$$
$$n(A) + n(A^C) = n(S)$$

개념 Check

◆ 정답 및 풀이 **33**쪽

4 1부터 20까지의 자연수가 하나씩 적힌 공 20개가 들어 있는 주머니에서 임의로 공을 한 개 꺼낼 때, 3의 배수가 적힌 공이 나오는 사건을 A라 하자. 다음 확률을 구하시오.

(1) $P(A)$ (2) $P(A^C)$

> **1** A, B가 표본공간 S의 사건일 때, A 또는 B가 일어날 확률은
>
> $$P(A \cup B) = P(A) + P(B) - P(A \cap B)$$
>
> 특히 A와 B가 배반사건이면 $P(A \cup B) = P(A) + P(B)$
>
> **2** 사건 A의 여사건 A^c의 확률은 $P(A^c) = 1 - P(A)$

확률의 덧셈정리

일반적으로 표본공간 S의 각 근원사건이 일어날 확률이 같고,

A, B가 표본공간 S의 사건일 때,

$$n(A \cup B) = n(A) + n(B) - n(A \cap B)$$

양변을 $n(S)$로 나누면

$$\frac{n(A \cup B)}{n(S)} = \frac{n(A)}{n(S)} + \frac{n(B)}{n(S)} - \frac{n(A \cap B)}{n(S)}$$

따라서 다음이 성립한다.

$$\mathbf{P(A \cup B) = P(A) + P(B) - P(A \cap B)}$$

특히 A와 B가 배반사건이면 $P(A \cap B) = 0$이므로 다음이 성립한다.

$$P(A \cup B) = P(A) + P(B)$$

여사건의 확률

$A \cup A^c = S$이고 A와 A^c는 배반사건이므로

$$P(A) + P(A^c) = P(S)$$

$P(S) = 1$이므로 $\mathbf{P(A^c) = 1 - P(A)}$

예를 들어 주사위를 한 번 던질 때,

3의 배수가 나오는 사건을 A, 짝수가 나오는 사건을 B라 하면

$P(A) = \dfrac{1}{3}$, $P(B) = \dfrac{1}{2}$, $P(A \cap B) = \dfrac{1}{6}$이므로

$$P(A \cup B) = \frac{1}{3} + \frac{1}{2} - \frac{1}{6} = \frac{2}{3},$$

$$P(A^c) = 1 - \frac{1}{3} = \frac{2}{3}$$

개념 Check

◆ 정답 및 풀이 **33**쪽

5 1부터 10까지의 자연수가 하나씩 적힌 공 10개가 들어 있는 주머니에서 임의로 공을 한 개 꺼낼 때, 짝수가 적힌 공이 나오는 사건을 A, 3의 배수가 적힌 공이 나오는 사건을 B라 하자. 다음 확률을 구하시오.

(1) $P(A)$ (2) $P(B)$

(3) $P(A \cap B)$ (4) $P(A \cup B)$

> 1부터 40까지의 자연수가 하나씩 적힌 카드 40장이 들어 있는 상자가 있다. 다음 사건이 일어날 확률을 구하시오.
>
> (1) 임의로 카드 한 장을 뽑을 때, 카드에 적힌 수가 3의 배수 또는 4의 배수이다.
>
> (2) 임의로 카드 2장을 뽑을 때, 카드에 적힌 수의 합이 짝수이다.

낱선 Guide (1) 카드 한 장을 뽑을 때, 3의 배수가 나오는 사건을 A라 하고 4의 배수가 나오는 사건을 B라 하면 $\mathrm{P}(A \cup B)$를 구하는 문제이다.

$\mathrm{P}(A)$, $\mathrm{P}(B)$, $\mathrm{P}(A \cap B)$를 구한 다음
$$\mathrm{P}(A \cup B) = \mathrm{P}(A) + \mathrm{P}(B) - \mathrm{P}(A \cap B)$$
를 이용한다.

참고 $n(A \cup B)$를 구한 다음 전체 경우의 수 40으로 나누어도 된다.

(2) 합이 짝수이면 두 수 모두 홀수이거나 모두 짝수이다.

따라서 임의로 카드 2장을 뽑을 때, 2장에 적힌 수가 모두 홀수인 사건을 C, 모두 짝수인 사건을 D라 하고 $\mathrm{P}(C \cup D)$를 구한다.

이때 C와 D는 동시에 일어나지 않으므로 배반사건이고 $\mathrm{P}(C \cap D) = 0$이다.

참고 $n(C \cup D)$를 구한 다음 전체 경우의 수 $_{40}\mathrm{C}_2$로 나누어도 된다.

답 (1) $\dfrac{1}{2}$ (2) $\dfrac{19}{39}$

낱선 Point 확률의 덧셈정리 ➡ $\mathrm{P}(A \cup B) = \mathrm{P}(A) + \mathrm{P}(B) - \mathrm{P}(A \cap B)$
특히 A, B가 배반사건이면 $\mathrm{P}(A \cup B) = \mathrm{P}(A) + \mathrm{P}(B)$

6-1 사건 A, B가 일어날 확률이 각각 $\dfrac{1}{2}$, $\dfrac{2}{3}$이고 A 또는 B가 일어날 확률이 $\dfrac{3}{4}$일 때, A와 B가 동시에 일어날 확률을 구하시오.

6-2 흰 구슬 6개, 검은 구슬 4개가 들어 있는 주머니에서 임의로 구슬 3개를 꺼낼 때, 모두 같은 색의 구슬이 나올 확률을 구하시오.

6-3 남자 4명, 여자 5명 중에서 임의로 4명을 뽑을 때, 다음 사건이 일어날 확률을 구하시오.

(1) 남자만 뽑거나 여자만 뽑는다. (2) 남자가 여자보다 더 많다.

대표 Q7 여사건의 확률

◆ 정답 및 풀이 34쪽

주사위를 세 번 던질 때, 다음 사건이 일어날 확률을 구하시오.

(1) 적어도 두 눈의 수가 같다.

(2) 나온 눈의 수의 곱이 짝수이다.

날선 Guide (1) 적어도 두 눈의 수가 같은 사건을 A라 하자.
A는 세 눈의 수가 모두 같거나 어느 두 눈의 수가 같은 사건이다.
따라서 직접 모두 구하는 것보다는 A의 여사건

A^C : 세 눈의 수가 모두 다르다.

의 확률을 구하는 것이 간단하다.
세 눈의 수가 다른 사건은 두 번째 눈은 첫 번째 눈이 아니고, 세 번째 눈은 첫 번째, 두 번째 눈이 아닌 사건이다.

(2) 세 수의 곱이 짝수이면 적어도 한 개가 짝수이다.
따라서 여사건

세 수의 곱이 홀수이다. (또는 세 수가 모두 홀수이다.)

의 확률을 생각하는 것이 편하다.

답 (1) $\frac{4}{9}$ (2) $\frac{7}{8}$

날선 Point
'적어도'를 포함하는 사건 / 구하는 경우가 많은 사건 ➡ 여사건의 확률을 생각한다.

7-1 주사위 2개를 동시에 던질 때, 나온 두 눈의 수의 합이 6 이상일 확률을 구하시오.

7-2 1부터 20까지의 자연수가 하나씩 적힌 카드 20장이 들어 있는 주머니가 있다. 다음 사건이 일어날 확률을 구하시오.

(1) 임의로 2장을 뽑을 때, 카드에 적힌 수의 곱이 짝수이다.

(2) 임의로 한 장을 뽑을 때, 카드에 적힌 수가 3의 배수도 아니고 5의 배수도 아니다.

01 세 사람이 가위바위보를 한 번 할 때, 한 명이 이길 확률은?

① $\dfrac{1}{27}$ ② $\dfrac{1}{9}$ ③ $\dfrac{1}{6}$ ④ $\dfrac{2}{9}$ ⑤ $\dfrac{1}{3}$

02 일렬로 나열된 6개의 좌석에 세 쌍의 부부가 임의로 앉을 때, 부부끼리 서로 이웃하여 앉을 확률은?

① $\dfrac{1}{15}$ ② $\dfrac{2}{15}$ ③ $\dfrac{1}{5}$ ④ $\dfrac{4}{15}$ ⑤ $\dfrac{1}{3}$

03 7개의 문자 J, U, S, T, I, C, E를 일렬로 나열할 때, C가 U보다 앞에 올 확률을 구하시오.

04 문자 A, A, A, B, B, C가 하나씩 적혀 있는 카드 6장을 일렬로 나열할 때, A가 적힌 카드가 양 끝에 올 확률은?

① $\dfrac{3}{20}$ ② $\dfrac{1}{5}$ ③ $\dfrac{1}{4}$ ④ $\dfrac{3}{10}$ ⑤ $\dfrac{7}{20}$

05 그림과 같이 중심이 O이고 반지름의 길이가 10인 원이 있다. 이 원 안에 임의의 점 P를 표시할 때, 선분 OP의 길이가 3 이상 7 이하일 확률을 구하시오.

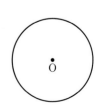

06 A, B가 표본공간 S의 사건일 때, 다음 물음에 답하시오.

(1) $\mathrm{P}(A)=\dfrac{2}{3}$, $\mathrm{P}(A\cap B)=\dfrac{1}{4}$일 때, $\mathrm{P}(A^{C}\cup B)$를 구하시오.

(2) A와 B는 배반사건이고 $A\cup B=S$, $\mathrm{P}(A)=3\mathrm{P}(B)$일 때, $\mathrm{P}(A)$를 구하시오.

07 주머니 속에 2부터 8까지의 자연수가 각각 하나씩 적힌 구슬 7개가 들어 있다. 이 주머니에서 임의로 2개의 구슬을 동시에 꺼낼 때, 꺼낸 구슬에 적힌 두 자연수가 서로소일 확률을 구하시오.

🔍 **평가원 기출**

08 한 개의 주사위를 세 번 던질 때 나오는 눈의 수를 차례로 a, b, c라 하자. 세 수 a, b, c가 $a<b-2\leq c$를 만족시킬 확률은?

① $\dfrac{2}{27}$　　② $\dfrac{1}{12}$　　③ $\dfrac{5}{54}$　　④ $\dfrac{11}{108}$　　⑤ $\dfrac{1}{9}$

09 20명으로 구성된 어느 합창반에서 대표 2명을 뽑을 때, 남학생 한 명과 여학생 한 명이 뽑힐 확률은 $\dfrac{15}{38}$이다. 이 합창반의 남학생과 여학생 수의 차는?

① 2　　② 4　　③ 6　　④ 8　　⑤ 10

↔ **수능 기출**

10 두 주머니 A와 B에는 숫자 1, 2, 3, 4가 하나씩 적혀 있는 4장의 카드가 각각 들어 있다. 갑은 주머니 A에서, 을은 주머니 B에서 각자 임의로 두 장의 카드를 꺼내어 가진다. 갑이 가진

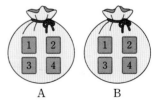

두 장의 카드에 적힌 수의 합과 을이 가진 두 장의 카드에 적힌 수의 합이 같을 확률을 구하시오.

11 한 개의 동전을 6번 던질 때, 앞면이 나오는 횟수가 뒷면이 나오는 횟수보다 적을 확률은?

① $\dfrac{9}{64}$　　　② $\dfrac{11}{32}$　　　③ $\dfrac{13}{32}$　　　④ $\dfrac{17}{32}$　　　⑤ $\dfrac{29}{64}$

12 노란 구슬 3개, 빨간 구슬 4개, 파란 구슬 5개가 들어 있는 주머니에서 구슬 2개를 꺼낼 때, 구슬 2개가 모두 같은 색일 확률을 구하시오.

13 3개의 상자 A, B, C에 똑같은 탁구공 10개를 나누어 담으려고 할 때, 각 상자마다 적어도 2개의 탁구공이 들어갈 확률은?

① $\dfrac{1}{11}$　　　② $\dfrac{3}{22}$　　　③ $\dfrac{5}{22}$　　　④ $\dfrac{7}{22}$　　　⑤ $\dfrac{9}{22}$

14 어느 전원주택 마을에 조경수로 비자나무를 심은 집은 전체의 $\dfrac{3}{4}$, 배롱나무를 심은 집은 전체의 $\dfrac{1}{5}$이고, 비자나무와 배롱나무를 모두 심은 집은 전체의 $\dfrac{3}{10}$이라고 한다. 이 마을에서 한 집을 임의로 골랐을 때, 다음 물음에 답하시오.

(1) 비자나무 또는 배롱나무를 심은 집일 확률을 구하시오.
(2) 배롱나무는 심지 않고 비자나무만 심은 집일 확률을 구하시오.

◆▶ 수능 기출

15 숫자 1, 2, 3, 4가 하나씩 적혀 있는 흰 공 4개와 숫자 4, 5, 6이 하나씩 적혀 있는 검은 공 3개가 있다. 이 7개의 공을 임의로 일렬로 나열할 때, 같은 숫자가 적혀 있는 공이 서로 이웃하지 않을 확률을 구하시오.

정답 개수: ／15　오답 번호 Check:

두 사건은 서로가 발생할 확률에 영향을 줄 수도 있고, 서로 아무런 영향을 끼치지 않을 수도 있다.

이 단원에서는 어떤 사건이 일어났다는 조건 아래 다른 사건이 일어나는 확률인 조건부확률을 이해하고, 이를 이용하여 확률의 곱셈정리를 유도해 보자. 또 조건부확률과 확률의 곱셈정리를 활용하여 여러 가지 확률을 구해 보자.

6-1 조건부확률

조건부확률

조건부확률

1 조건부확률

어떤 표본공간에서 사건 A가 일어났다는 조건 아래 사건 B가 일어날 확률을 A가 일어났을 때 B의 **조건부확률**이라 하고 기호 $\mathrm{P}(B|A)$로 나타낸다.

$$\mathrm{P}(B|A)=\frac{n(A\cap B)}{n(A)}=\frac{\mathrm{P}(A\cap B)}{\mathrm{P}(A)} \ (\text{단, } \mathrm{P}(A)\neq 0)$$

2 확률의 곱셈정리

$\mathrm{P}(A)>0$, $\mathrm{P}(B)>0$일 때, 두 사건 A, B가 동시에 일어날 확률은

$$\mathrm{P}(A\cap B)=\mathrm{P}(A)\mathrm{P}(B|A)=\mathrm{P}(B)\mathrm{P}(A|B)$$

조건부확률의
뜻

두 팀 A, B의 축구 경기를 보러 온 관중 100명을 대상으로 응원하는 팀을 조사한 결과가 표와 같다고 하자.

	남	여	합계
A팀	45	25	70
B팀	15	15	30
합계	60	40	100

100명 중 한 명을 임의로 뽑을 때, A팀을 응원하는

사람을 뽑는 사건을 A, 남자를 뽑는 사건을 M, 여자를 뽑는 사건을 F라 하자.

한 명을 뽑을 때, A팀을 응원할 확률은 $\mathrm{P}(A)=\dfrac{70}{100}=\dfrac{7}{10}$이다.

한편, 뽑힌 한 사람이 남자일 때 A팀을 응원할 확률은 $\dfrac{45}{60}=\dfrac{3}{4}$이다.

이 확률은 사건 M이 일어났다는 조건 아래 사건 A가 일어날 확률이므로 사건 M이 일어났을 때 사건 A의 조건부확률이라 하고, $\mathrm{P}(A|M)$으로 나타낸다.

그리고 $\mathrm{P}(A|M)$은 사건 M과 $A\cap M$을 이용하여 다음과 같이 나타낼 수 있다.

$$\mathrm{P}(A|M)=\frac{n(A\cap M)}{n(M)}=\frac{45}{60}=\frac{3}{4}$$

또 뽑힌 한 사람이 여자일 때 A팀을 응원할 확률은

사건 F가 일어났을 때 사건 A의 조건부확률이므로

$$\mathrm{P}(A|F)=\frac{n(A\cap F)}{n(F)}=\frac{25}{40}=\frac{5}{8}$$

조건부확률의
계산

일반적으로 표본공간 S에서 확률이 0이 아닌 사건 A가 일어났을 때 사건 B가 일어날 확률을 A가 일어났을 때 B의 조건부확률이라 하고 기호 $\mathrm{P}(B|A)$로 나타낸다.

$\mathrm{P}(B|A)$는 전체집합이 A일 때 B가 일어날 확률이므로

$$\mathrm{P}(B|A)=\frac{n(A\cap B)}{n(A)}$$

이다. 그리고 $n(S)$로 분자, 분모를 나누면

$$P(B|A) = \frac{\dfrac{n(A\cap B)}{n(S)}}{\dfrac{n(A)}{n(S)}}, \ \ \text{곧} \ \ P(B|A) = \frac{P(A\cap B)}{P(A)}$$

따라서 $P(A)$와 $P(A\cap B)$를 알면 조건부확률을 구할 수 있다.

예를 들어 $P(A) = \dfrac{1}{2}$, $P(A\cap B) = \dfrac{1}{6}$이면 $P(B|A) = \dfrac{\frac{1}{6}}{\frac{1}{2}} = \dfrac{1}{3}$이다.

확률의 곱셈정리

$P(B|A) = \dfrac{P(A\cap B)}{P(A)}$이므로 $P(A\cap B) = P(A)P(B|A)$ $\quad$ ⋯ ㉠

$P(A|B) = \dfrac{P(A\cap B)}{P(B)}$이므로 $P(A\cap B) = P(B)P(A|B)$ $\quad$ ⋯ ㉡

㉠, ㉡을 확률의 곱셈정리라 한다. 이를 이용하여 조건부확률을 이용하면 $A\cap B$의 확률을 구할 수 있다.

예를 들어 사건 A가 일어날 확률이 $\dfrac{2}{3}$, 사건 A가 일어났을 때 사건 B가 일어날 확률이 $\dfrac{1}{4}$이면 A와 B가 동시에 일어날 확률은

$$P(A\cap B) = P(A)P(B|A) = \frac{2}{3}\times\frac{1}{4} = \frac{1}{6}$$

$P(A\cap B)$와 $P(B|A)$

두 사건 A, B가 동시에 일어날 확률 ➡ $P(A\cap B) = \dfrac{n(A\cap B)}{n(S)}$

사건 A가 일어났을 때 사건 B가 일어날 확률

➡ $P(B|A) = \dfrac{n(A\cap B)}{n(A)}$ 또는 $P(B|A) = \dfrac{P(A\cap B)}{P(A)}$

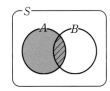

개념 Check

◆ 정답 및 풀이 **38**쪽

1 사건 A, B는 표본공간 S의 두 사건이다. $n(A) = 5$, $n(B) = 6$, $n(A\cap B) = 2$일 때, 다음을 구하시오.

(1) $P(A|B)$ $\qquad\qquad\qquad$ (2) $P(B|A)$

2 두 사건 A, B에 대하여 $P(A) = \dfrac{1}{2}$, $P(A\cap B) = \dfrac{1}{3}$일 때, $P(B|A)$를 구하시오.

3 두 사건 A, B에 대하여 $P(B) = \dfrac{1}{4}$, $P(A|B) = \dfrac{1}{2}$일 때, $P(A\cap B)$를 구하시오.

주사위 두 개를 동시에 던질 때, 다음 물음에 답하시오.

(1) 두 눈의 수의 합이 3의 배수일 때, 두 눈의 수의 곱이 홀수일 확률을 구하시오.

(2) 두 눈의 수의 곱이 홀수일 때, 두 눈의 수의 합이 3의 배수일 확률을 구하시오.

날선 Guide 주사위 두 개를 동시에 던질 때, 표본공간 S는 표와 같다. 두 눈의 수의 합이 3의 배수인 사건을 A(파란색, 연두색), 두 눈의 수의 곱이 홀수인 사건을 B(빨간색, 연두색)라 하면

→ $A \cap B$(연두색)

	1	2	3	4	5	6
1	(1, 1)	(1, 2)	(1, 3)	(1, 4)	(1, 5)	(1, 6)
2	(2, 1)	(2, 2)	(2, 3)	(2, 4)	(2, 5)	(2, 6)
3	(3, 1)	(3, 2)	(3, 3)	(3, 4)	(3, 5)	(3, 6)
4	(4, 1)	(4, 2)	(4, 3)	(4, 4)	(4, 5)	(4, 6)
5	(5, 1)	(5, 2)	(5, 3)	(5, 4)	(5, 5)	(5, 6)
6	(6, 1)	(6, 2)	(6, 3)	(6, 4)	(6, 5)	(6, 6)

(1) 전체가 사건 A일 때, 사건 B가 일어날 확률이므로 $\dfrac{n(A \cap B)}{n(A)}$를 구한다.

(2) 전체가 사건 B일 때, 사건 A가 일어날 확률이므로 $\dfrac{n(A \cap B)}{n(B)}$를 구한다.

참고 $P(B|A) = \dfrac{P(A \cap B)}{P(A)}$, $P(A|B) = \dfrac{P(A \cap B)}{P(B)}$

이므로 $P(A)$, $P(B)$, $P(A \cap B)$를 구해도 된다. 이때 $n(S) = 6 \times 6$임을 이용한다.

답 (1) $\dfrac{1}{4}$ (2) $\dfrac{1}{3}$

날선 Point
- '～일 때, ～일 확률'은 조건부확률을 생각한다.
- $P(B|A) = \dfrac{n(A \cap B)}{n(A)}$ 또는 $P(B|A) = \dfrac{P(A \cap B)}{P(A)}$

1-1 표는 어느 고등학교 학생 250명을 대상으로 문화체험과 생태연구 체험활동에 대한 선호도를 조사하여 나타낸 것이다. 임의로 뽑은 한 명이 생태연구를 선택한 학생일 때, 이 학생이 남학생일 확률을 구하시오.

	문화체험	생태연구	합계
남학생	23	77	100
여학생	87	63	150
합계	110	140	250

1-2 주사위 두 개를 동시에 던질 때, 다음 물음에 답하시오.

(1) 두 눈의 수의 합이 4의 배수일 때, 두 눈의 수의 차가 2일 확률을 구하시오.

(2) 두 눈의 수의 차가 2일 때, 두 눈의 수의 합이 4의 배수일 확률을 구하시오.

어떤 제품은 A 공장에서 80 %, B 공장에서 20 %가 생산되고, A 공장과 B 공장에서 생산된 제품의 불량률은 각각 1 %, 1.5 %라 한다. 임의로 선택한 제품 한 개가 불량품일 때, 그 제품이 B 공장에서 생산된 제품일 확률을 구하시오.

낱선 Guide 확률 문제이므로 제품이 1000개라 하고 계산해도 된다.

A 공장 제품은 800개, B 공장 제품은 200개이므로

A, B 공장 제품의 정상 제품과 불량품의 개수는 표와 같다.

	A 공장	B 공장	합계
정상 제품	① 800×0.99	② 200×0.985	①+②
불량품	③ 800×0.01	④ 200×0.015	③+④
합계	800	200	1000

따라서 임의로 선택한 제품이 불량품일 때, B 공장 제품일 확률은 $\dfrac{④}{③+④}$ 이다.

참고 위의 표를 다음과 같이 확률로 나타낼 수도 있다.

	A 공장	B 공장(B)	합계
정상 제품	① 0.8×0.99	② 0.2×0.985	①+②
불량품(E)	③ 0.8×0.01	④ 0.2×0.015	③+④
합계	0.8	0.2	1

제품이 불량품인 사건을 E라 하고, B 공장 제품인 사건을 B라 하면

임의로 선택한 제품이 불량품일 때, B 공장 제품일 확률은

$P(B|E) = \dfrac{P(B \cap E)}{P(E)}$ 이다. 따라서 위 표에서 $\dfrac{④}{③+④}$ 를 구해도 된다.

답 $\dfrac{3}{11}$

낱선 Point $P(A|E)$를 구하는 두 가지 방법

❶ $n(A \cap E)$, $n(E)$를 구하고 $P(A|E) = \dfrac{n(A \cap E)}{n(E)}$ 를 계산한다.

❷ $P(A \cap E)$, $P(E)$를 구하고 $P(A|E) = \dfrac{P(A \cap E)}{P(E)}$ 를 계산한다.

2-1 어느 공장에서 기계 A, B, C를 이용하여 이어폰을 만든다. A, B, C는 각각 전체 생산량의 50 %, 30 %, 20 %를 만들고, 각 기계의 생산량 중 불량품의 비율은 각각 2 %, 3 %, 4 %라 한다. 이 공장에서 생산된 이어폰 중 임의로 선택한 한 개가 불량품일 때, 그 이어폰이 A 기계에서 만들어졌을 확률을 구하시오.

두 사건 A, B에 대하여 다음 물음에 답하시오.

(1) $P(A)=\dfrac{1}{2}$, $P(B)=\dfrac{2}{3}$, $P(A\cup B)=\dfrac{3}{4}$일 때, $P(B|A)$를 구하시오.

(2) $P(A)=\dfrac{1}{2}$, $P(A|B)=\dfrac{1}{4}$, $P(A\cup B)=\dfrac{4}{5}$일 때, $P(B|A^{C})$를 구하시오.

날선 Guide (1) $P(B|A)=\dfrac{P(A\cap B)}{P(A)}$ 이므로 조건에서 $P(A\cap B)$를 구해야 한다.
$$P(A\cup B)=P(A)+P(B)-P(A\cap B)$$
를 이용한다.

(2) $P(A|B)=\dfrac{P(A\cap B)}{P(B)}=\dfrac{1}{4}$ 이므로

$P(A\cap B)=x$라 하면
$$P(B)=4x,\ P(B\cap A^{C})=3x$$
이다. $P(A)$, $P(A\cup B)$를 이용하여 x의 값을 구하고
$$P(B|A^{C})=\dfrac{P(B\cap A^{C})}{P(A^{C})}=\dfrac{P(B\cap A^{C})}{1-P(A)}$$
를 계산한다.

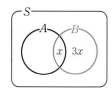

답 (1) $\dfrac{5}{6}$　(2) $\dfrac{3}{5}$

날선 Point 확률을 계산할 때에는 ➡ • $P(A\cup B)=P(A)+P(B)-P(A\cap B)$
　　　　　　　　　　　　 • $P(A^{C})=1-P(A)$
　　　　　　　　　　　　 • $P(B|A)=\dfrac{P(A\cap B)}{P(A)}$

3-1 두 사건 A, B에 대하여 $P(A)=\dfrac{3}{5}$, $P(B)=\dfrac{1}{5}$, $P(A|B)=\dfrac{1}{2}$일 때, $P(A^{C}\cap B^{C})$를 구하시오.

 3-2 두 사건 A, B가 배반사건이고 $P(A)=\dfrac{1}{3}$, $P(B)=\dfrac{2}{5}$일 때, 다음을 구하시오.

(1) $P(B|A)$　　　　　　　　　　　　　(2) $P(B|A^{C})$

당첨 제비 3개를 포함한 제비 10개가 들어 있는 주머니에서 A와 B가 차례로 제비를 한 개씩 뽑을 때, 다음 확률을 구하시오. (단, 뽑은 제비는 다시 넣지 않는다.)

(1) A와 B가 모두 당첨 제비를 뽑는다.

(2) A는 당첨 제비를 뽑지 않고 B는 당첨 제비를 뽑는다.

날선 Guide (1) A, B가 당첨 제비를 뽑는 사건을 각각 A, B라 할 때, $A \cap B$가 일어날 확률이다.

$P(A) = \dfrac{3}{10}$이고, A가 당첨 제비를 뽑는 경우 남은 제비 9장 중 당첨 제비는 2장이므로 B가 당첨 제비를 뽑을 확률은 $\dfrac{2}{9}$이다. 따라서 $P(A \cap B) = \dfrac{3}{10} \times \dfrac{2}{9}$이다.

이때 $\dfrac{2}{9}$는 A가 일어났을 때 B가 일어날 확률, 곧 $P(B|A)$이므로 확률의 곱셈정리

$$P(A \cap B) = P(A)P(B|A)$$

를 활용하는 꼴이다.

(2) A가 당첨 제비를 뽑지 않는 경우 남은 제비 9장 중 당첨 제비는 3장이므로 B가 당첨 제비를 뽑을 확률은 $\dfrac{3}{9}$이다. 곧, $P(B|A^c) = \dfrac{3}{9}$이다.

답 (1) $\dfrac{1}{15}$　(2) $\dfrac{7}{30}$

날선 Point A이고 B일 확률

➡ A가 일어날 확률과 B가 일어날 확률을 곱한다.

이때 B의 확률은 A가 일어났을 때 확률이므로 $P(B|A)$이다.

4-1 흰 공 4개와 검은 공 9개가 들어 있는 주머니에서 차례로 공을 2개 꺼낼 때, 다음 확률을 구하시오. (단, 꺼낸 공은 다시 넣지 않는다.)

(1) 두 번 모두 흰 공을 꺼낸다.

(2) 첫 번째 꺼낸 공은 검은 공이고 두 번째 꺼낸 공은 흰 공이다.

4-2 당첨 제비 3개를 포함한 제비 10개가 들어 있는 주머니에서 A와 B가 차례로 제비를 한 개씩 뽑을 때, 다음 확률을 구하시오. (단, 뽑은 제비는 다시 넣는다.)

(1) A와 B가 모두 당첨 제비를 뽑는다.

(2) A는 당첨 제비를 뽑지 않고 B는 당첨 제비를 뽑는다.

어느 축구팀인 A팀의 경기가 비가 오는 날 매진될 확률이 $\frac{1}{10}$이고, 비가 오지 않는 날 매진될 확률이 $\frac{2}{3}$이다. 내일 비가 올 확률이 $\frac{1}{4}$일 때, A팀의 경기가 매진될 확률을 구하시오.

날선 Guide 매진인 경우는 비가 오고 매진인 경우와 비가 오지 않고 매진인 경우가 있다. 두 경우를 나누어야 하는 이유는 매진될 확률이 다르기 때문이다.

$$\text{매진} \begin{cases} \text{비가 오고 매진} \\ \text{비가 오지 않고 매진} \end{cases}$$

(i) 내일 비가 오고, 매진될 확률

　비가 올 확률은 $\frac{1}{4}$이고, 비가 올 때 매진될 확률은 $\frac{1}{10}$이므로 두 확률을 곱한다.

(ii) 내일 비가 오지 않고, 매진될 확률

　비가 오지 않을 확률은 $\frac{3}{4}$이고, 비가 오지 않을 때 매진될 확률은 $\frac{2}{3}$이므로 두 확률을 곱한다.

따라서 매진될 확률은 (i)과 (ii)의 확률의 합이다.

참고 내일 비가 오는 사건을 A, A팀의 경기가 매진되는 사건을 E라 하면

　(i)에서 비가 오고 매진될 확률은 $P(A \cap E)$이고,

　　　비가 올 때 매진될 확률은 $P(E|A)$이다.

　(ii)에서 비가 오지 않고 매진될 확률은 $P(A^c \cap E)$이고,

　　　비가 오지 않을 때 매진될 확률은 $P(E|A^c)$이다.

　그리고 A팀의 경기가 매진될 확률 $P(E)$는 $P(A \cap E)$와 $P(A^c \cap E)$의 합이므로

　　$P(E) = P(A \cap E) + P(A^c \cap E)$

　　　　$= P(A)P(E|A) + P(A^c)P(E|A^c)$

답 $\frac{21}{40}$

날선 Point A에 따라 B의 확률이 다를 때

❶ $B \cap A$의 확률과 $B \cap A^c$의 확률로 나누어 생각한다.

❷ $P(B \cap A)$와 $P(B \cap A^c)$는 (조건부)확률의 곱을 생각한다.

5-1 어떤 의사가 암에 걸린 사람을 암에 걸렸다고 진단할 확률은 90 %, 암에 걸리지 않은 사람을 암에 걸렸다고 오진할 확률이 5 %라 한다. 암에 걸린 사람의 비율이 10 %인 집단에서 임의로 택한 한 명을 이 의사가 진단했을 때, 그 사람을 암에 걸렸다고 진단할 확률을 구하시오.

대표 Q6 경우를 나누는 확률 (2)

◆ 정답 및 풀이 **41**쪽

주머니 A에는 1, 2, 3, 4, 5가 하나씩 적힌 카드 5장이 들어 있고, 주머니 B에는 1, 2, 3, 4, 5, 6이 하나씩 적힌 카드 6장이 들어 있다. 주사위를 한 번 던져 나온 눈의 수가 3의 배수이면 주머니 A에서 임의로 카드 한 장을 꺼내고, 3의 배수가 아니면 주머니 B에서 임의로 카드 한 장을 꺼낸다. 카드에 적힌 수가 짝수일 때, 이 카드가 주머니 A에서 꺼낸 카드일 확률을 구하시오.

낱선 Guide 짝수가 적힌 카드를 꺼낼 확률과 주머니 A에 들어 있는 짝수가 적힌 카드를 꺼낼 확률을 알아야 한다.

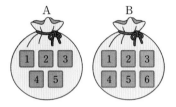

짝수가 적힌 카드를 꺼내는 사건을 E,
주머니 A에서 꺼내는 사건을 A,
주머니 B에서 꺼내는 사건을 B라 하자.

주머니 A에서 꺼낼 확률은 주사위의 눈의 수가 3의 배수일 확률 $\frac{2}{6}$이므로

주머니 A에서 짝수가 적힌 카드를 뽑을 확률은 $P(A \cap E) = \frac{2}{6} \times \frac{2}{5}$이다.

또 주머니 B에서 꺼낼 확률은 주사위의 눈의 수가 3의 배수가 아닐 확률 $\frac{4}{6}$이므로

주머니 B에서 짝수가 적힌 카드를 뽑을 확률은 $P(B \cap E) = \frac{4}{6} \times \frac{3}{6}$이다.

이를 이용하여 카드에 적힌 수가 짝수일 때, 이 카드가 주머니 A에서 꺼낸 카드일 확률을 구한다.

탑 $\frac{2}{7}$

낱선 Point
- A일 때 B일 확률 ➡ $P(A)$와 $P(A \cap B)$부터 구한다.
- A이고 B일 확률 ➡ 확률의 곱을 생각한다.

6-1 1, 2, 3, 4, 5가 하나씩 적힌 카드 5장이 들어 있는 주머니 A와 6, 7, 8, 9, 10이 하나씩 적힌 카드 5장이 들어 있는 주머니 B에서 각각 카드 한 장을 꺼냈다. 카드에 적힌 두 수의 합이 짝수일 때, 주머니 A에서 꺼낸 카드에 적힌 수가 짝수일 확률을 구하시오.

6-2 양궁 선수 A와 B가 화살을 한 번 쏘아 10점 영역을 맞힐 확률은 각각 $\frac{3}{4}$, $\frac{2}{3}$라 한다. 두 선수가 임의로 순서를 정하여 화살을 한 번씩 쏘았더니 먼저 쏜 사람만 10점 영역을 맞혔을 때, 먼저 쏜 사람이 A일 확률을 구하시오.

01 어느 고등학교 전체 학생 500명을 대상으로 지역 A와 지역 B에 대한 국토 문화 탐방 희망 여부를 조사한 결과가 표와 같다.

지역 A / 지역 B	희망함	희망하지 않음	합계
희망함	140	310	450
희망하지 않음	40	10	50
합계	180	320	500

이 고등학교 학생 중 임의로 선택한 한 명이 지역 A를 희망한 학생일 때, 이 학생이 지역 B도 희망한 학생일 확률은?

① $\dfrac{19}{45}$　　② $\dfrac{23}{45}$　　③ $\dfrac{3}{5}$　　④ $\dfrac{31}{45}$　　⑤ $\dfrac{7}{9}$

02 1부터 10까지의 자연수가 하나씩 적힌 카드 10장 중 임의로 한 장을 택한다. 카드에 적힌 수가 짝수일 때, 이 카드에 적힌 수가 6의 약수일 확률을 구하시오.

03 어느 고등학교의 전체 학생은 360명이고, 각 학생은 체험 학습 A, B 중 하나를 선택하였다. 이 학교의 학생 중 체험 학습 A를 선택한 학생은 남학생 90명과 여학생 70명이다. 이 학교의 학생 중 임의로 뽑은 한 명의 학생이 체험 학습 B를 선택했을 때, 이 학생이 남학생일 확률은 $\dfrac{2}{5}$이다. 이 학교의 여학생 수는?

① 180　　② 185　　③ 190　　④ 195　　⑤ 200

04 두 사건 A, B에 대하여 $\mathrm{P}(A^c \cup B) = \dfrac{4}{5}$, $\mathrm{P}(B^c | A) = \dfrac{1}{3}$일 때, $\mathrm{P}(A \cap B)$를 구하시오.

05 당첨 제비 6개를 포함한 제비 10개가 들어 있는 주머니에서 수빈이와 선미가 차례로 제비를 한 개씩 뽑을 때, 두 사람 모두 당첨 제비를 뽑을 확률을 구하시오. (단, 뽑은 제비는 다시 넣지 않는다.)

06 어떤 상자에 딸기 맛 사탕 6개, 포도 맛 사탕 9개가 들어 있다. 두 사람 A와 B가 이 순서대로 이 상자에서 임의로 사탕 1개를 꺼낼 때, A가 꺼낸 사탕이 딸기 맛 사탕이고, B가 꺼낸 사탕이 포도 맛 사탕일 확률을 구하시오.
(단, 꺼낸 사탕은 다시 넣지 않는다.)

07 어느 카페의 메뉴에는 그림과 같이 주스 3가지와 아이스크림 2가지가 있다. 선미와 소희가 이 5가지 중 1가지씩을 임의로 주문했다고 한다. 선미와 소희가 주문한 것이 서로 다를 때, 선미와 소희가 주문한 것이 모두 아이스크림일 확률을 구하시오.

MENU
주스
• 딸기 주스
• 오렌지 주스
• 키위 주스
아이스크림
• 바닐라 아이스크림
• 초코 아이스크림

수능 기출

08 한 개의 주사위를 두 번 던진다. 6의 눈이 한 번도 나오지 않을 때, 나온 두 눈의 수의 합이 4의 배수일 확률을 구하시오.

평가원 기출

09 어느 도서관 이용자 300명을 대상으로 각 연령대별, 성별 이용 현황을 조사한 결과는 표와 같다.

구분	19세 이하	20대	30대	40세 이상	합계
남성	40	a	$60-a$	100	200
여성	35	$45-b$	b	20	100

이 도서관 이용자 300명 중에서 30대가 차지하는 비율은 12 % 이다. 이 도서관 이용자 300명 중에서 임의로 선택한 한 명이 남성일 때 이 이용자가 20대일 확률과 이 도서관 이용자 300명 중에서 임의로 선택한 한 명이 여성일 때 이 이용자가 30대일 확률이 서로 같다. a, b의 값을 구하시오.

10 장마철에 어느 지역의 날씨를 조사하였더니 비가 온 날의 다음 날 비가 올 확률은 0.6이고, 비가 오지 않은 날의 다음 날 비가 올 확률은 0.3이었다. 목요일에 비가 왔을 때, 그 주 토요일에도 비가 올 확률을 구하시오.

11 흰 공 3개, 검은 공 2개가 들어 있는 주머니에서 갑이 임의로 2개의 공을 동시에 꺼내고, 남아 있는 3개의 공 중에서 을이 임의로 2개의 공을 동시에 꺼낸다. 갑이 꺼낸 흰 공의 개수가 을이 꺼낸 흰 공의 개수보다 많을 때, 을이 꺼낸 공이 모두 검은 공일 확률은?

① $\dfrac{1}{15}$ ② $\dfrac{2}{15}$ ③ $\dfrac{1}{5}$ ④ $\dfrac{4}{15}$ ⑤ $\dfrac{1}{3}$

12 하는 말의 $\dfrac{1}{10}$이 거짓말인 사람 X가 있다. 어느 거짓말 탐지기는 응답자가 거짓말을 했을 때 거짓이라고 판단할 확률이 $\dfrac{7}{10}$, 응답자가 참말을 했을 때 거짓이라고 판단할 확률이 $\dfrac{1}{5}$이라 한다. 거짓말 탐지기가 X의 말을 거짓이라 판단했을 때, X가 실제로 거짓말을 했을 확률을 구하시오.

13 주머니 A에는 흰 공 2개와 검은 공 3개가 들어 있고, 주머니 B에는 흰 공 1개와 검은 공 3개가 들어 있다. 주머니 A에서 임의로 공 1개를 꺼내어 흰 공이면 흰 공 3개를 주머니 B에 넣고, 검은 공이면 흰 공 2개와 검은 공 1개를 주머니 B에 넣은 후 주머니 B에서 임의로 공 1개를 꺼낼 때, 꺼낸 공이 흰 공일 확률은?

① $\dfrac{1}{5}$ ② $\dfrac{9}{35}$ ③ $\dfrac{13}{35}$ ④ $\dfrac{17}{35}$ ⑤ $\dfrac{4}{7}$

14 남학생 수와 여학생 수의 비가 2 : 3인 어느 고등학교에서 전체 학생의 70 %가 K자격증을 가지고 있고, 나머지 30 %는 가지고 있지 않다. 이 학교의 학생 중에서 임의로 한 명을 선택할 때, 이 학생이 K자격증을 가지고 있는 남학생일 확률이 $\dfrac{1}{5}$이다. 이 학교의 학생 중에서 임의로 선택한 학생이 K자격증을 가지고 있지 않을 때, 이 학생이 여학생일 확률은?

① $\dfrac{1}{4}$ ② $\dfrac{1}{3}$ ③ $\dfrac{5}{12}$ ④ $\dfrac{1}{2}$ ⑤ $\dfrac{7}{12}$

정답 개수: /14 오답 번호 Check:

두 사건이 서로가 발생할 확률에 영향을 주는지 여부에 따라 사건의 독립과 종속을 판단할 수 있다.

이 단원에서는 독립과 종속을 이해하고, 독립 사건의 확률을 구하는 방법을 알아보자. 또 서로 독립인 시행을 반복하는 독립시행을 이해하고, 이를 활용하여 여러 가지 문제를 해결해 보자.

독립과 종속

7

1 두 사건 A, B에서 한 사건이 일어나는 것이 다른 사건이 일어날 확률에 영향을 주지 않을 때, 두 사건은 **독립**이라 한다.

$$A,\ B가\ 독립 \Rightarrow \mathrm{P}(A)=\mathrm{P}(A\,|\,B) \text{ 또는 } \mathrm{P}(B)=\mathrm{P}(B\,|\,A)$$

또 두 사건이 독립이 아닐 때, **종속**이라 한다.

2 $\mathrm{P}(A)\neq 0$, $\mathrm{P}(B)\neq 0$일 때,

$$두\ 사건\ A,\ B가\ 독립이다. \iff \mathrm{P}(A\cap B)=\mathrm{P}(A)\mathrm{P}(B)$$

독립과 종속 •

흰 공 3개, 검은 공 2개가 들어 있는 주머니에서 공을 한 개씩 두 번 꺼낼 때, 첫 번째에 흰 공을 꺼내는 사건을 A, 두 번째에 흰 공을 꺼내는 사건을 B라 하자.

(ⅰ) 꺼낸 공을 다시 넣는 경우

두 번째에 흰 공을 꺼낼 확률은 첫 번째에 꺼낸 공의 색깔에 영향을 받지 않으므로

$$\mathrm{P}(B\,|\,A)=\mathrm{P}(B\,|\,A^{C})=\mathrm{P}(B)=\frac{3}{5}$$

첫 번째와 두 번째의 흰 공과 검은 공의 개수가 같다.

이와 같이 첫 번째에 꺼낸 공에 관계없이 두 번째에 꺼낸 공이 흰 공일 확률은 일정하다. 이런 두 사건을 독립이라 한다.

(ⅱ) 꺼낸 공을 다시 넣지 않는 경우

두 번째에 흰 공을 꺼낼 확률은 첫 번째에 꺼낸 공의 색깔에 영향을 받으므로

$$\mathrm{P}(B\,|\,A)=\frac{2}{4}=\frac{1}{2}$$

$$\mathrm{P}(B\,|\,A^{C})=\frac{3}{4}$$

첫 번째와 두 번째의 흰 공과 검은 공의 개수가 다르다.

이와 같이 첫 번째에 꺼낸 공이 흰 공인지 아닌지에 따라 두 번째에 꺼낸 공이 흰 공일 확률이 바뀐다. 이런 두 사건을 종속이라 한다.

•

일반적으로 두 사건 A, B에서 한 사건이 일어나는 것이 다른 사건이 일어날 확률에 영향을 주지 않을 때, 두 사건은 독립이라 한다. 따라서

$$A,\ B가\ 독립 \Rightarrow \mathrm{P}(A)=\mathrm{P}(A\,|\,B) \text{ 또는 } \mathrm{P}(B)=\mathrm{P}(B\,|\,A)$$

또 두 사건이 독립이 아니면 두 사건은 종속이라 한다.

참고 $\mathrm{P}(A)=\mathrm{P}(A\,|\,B)$이면 $\mathrm{P}(B)=\mathrm{P}(B\,|\,A)$이고 역도 성립한다.
따라서 둘 중에 하나만 말해도 된다. 증명은 다음 쪽에서 공부한다.

독립 사건 •

$P(A) \neq 0$, $P(B) \neq 0$일 때,

$$\text{두 사건 } A, B \text{가 독립이다.} \iff P(A \cap B) = P(A)P(B)$$

확률의 곱셈정리를 이용하여 다음과 같이 증명한다.

(증명) 확률의 곱셈정리에서 $P(A \cap B) = P(B)P(A|B)$ ⋯ ㉠

그런데 A, B가 독립이면 $P(A) = P(A|B)$이므로 ㉠에서

$$P(A \cap B) = P(B)P(A)$$

역으로 $P(A \cap B) = P(B)P(A)$이면 ㉠에서 $P(A)P(B) = P(B)P(A|B)$

곧, $P(A) = P(A|B)$이므로 A, B는 독립이다.

이 성질을 이용하면 두 사건이 독립인지 아닌지도 판별할 수 있다.

예를 들어 주사위를 던져 짝수의 눈이 나오는 사건을 A, 3의 배수의 눈이 나오는 사건을 B
라 하면 $A = \{2, 4, 6\}$, $B = \{3, 6\}$, $A \cap B = \{6\}$이므로

$$P(A) = \frac{1}{2}, \ P(B) = \frac{1}{3}, \ P(A \cap B) = \frac{1}{6}$$

$P(A \cap B) = P(A)P(B)$이므로 A, B는 독립이다.

독립 사건의 •
여러 가지 성질

독립에 대한 다음 성질도 같이 기억하면 좋다.

① A와 B가 독립이면 A와 B^C도 독립이다. 곧,

$$P(A) = P(A|B)\text{이면 } P(A) = P(A|B^C)$$

② $P(A) = P(A|B)$이면 $P(B) = P(B|A)$이다.

증명은 A, B가 독립이면 $P(A \cap B) = P(A)P(B)$를 이용한다.

(증명) ① $P(A) = P(A|B)$이면 A, B는 독립이므로 $P(A \cap B) = P(A)P(B)$

$$\therefore P(A|B^C) = \frac{P(A \cap B^C)}{P(B^C)} = \frac{P(A) - P(A \cap B)}{1 - P(B)}$$

$$= \frac{P(A) - P(A)P(B)}{1 - P(B)} = P(A)$$

② $P(A) = P(A|B)$이면 $P(A \cap B) = P(A)P(B)$이므로

$$P(B|A) = \frac{P(B \cap A)}{P(A)} = \frac{P(B)P(A)}{P(A)} = P(B)$$

▶ **개념 Check**

◆ 정답 및 풀이 **45**쪽

1 사건 A, B가 독립이고 $P(A) = \frac{1}{4}$, $P(B) = \frac{1}{3}$일 때, $P(A \cap B)$를 구하시오.

2 $P(A|B) = P(A|B^C)$이고 $P(A) = \frac{1}{2}$, $P(A \cap B) = \frac{1}{6}$일 때, $P(B)$를 구하시오.

◆ 정답 및 풀이 **45**쪽

1부터 20까지의 자연수가 각각 적힌 카드 20장에서 임의로 한 장을 뽑을 때, 홀수가 나오는 사건을 A, 5의 배수가 나오는 사건을 B, 15보다 큰 수가 나오는 사건을 C라 하자. 다음 두 사건이 독립인지 종속인지 말하시오.

(1) A와 B　　　　　　　(2) B^C와 C　　　　　　　(3) A와 $B \cap C$

날선 Guide (1) 사건 A와 B가
　　　　　① $\mathrm{P}(B) = \mathrm{P}(B \,|\, A)$
　　　　　② $\mathrm{P}(A \,|\, B) = \mathrm{P}(A \,|\, B^C)$
　　　　　③ $\mathrm{P}(A \cap B) = \mathrm{P}(A)\mathrm{P}(B)$
　　　중 하나를 만족시키면 독립이다. 이때 A, B의 위치는 바뀌어도 된다.
　　　보통은 ③을 확인하는 것이 가장 간단하다.
　　(2) 사건 B와 C가 독립이면 B^C와 C도 독립이고 역도 성립한다.
　　　따라서 $\mathrm{P}(B^C \cap C) = \mathrm{P}(B^C)\mathrm{P}(C)$가 성립하는지 확인해도 되고,
　　　$\mathrm{P}(B \cap C) = \mathrm{P}(B)\mathrm{P}(C)$가 성립하는지 확인해도 된다.
　　(3) 역시 다음이 성립하는지 확인한다.
　　　　　$\mathrm{P}(A \cap (B \cap C)) = \mathrm{P}(A)\mathrm{P}(B \cap C)$

답 (1) 독립　(2) 독립　(3) 종속

날선 Point　A, B가 독립이다. $\Longleftrightarrow \mathrm{P}(B) = \mathrm{P}(B \,|\, A)$
　　　　　　　　　　　　　　$\Longleftrightarrow \mathrm{P}(A \,|\, B) = \mathrm{P}(A \,|\, B^C)$
　　　　　　　　　　　　　　$\Longleftrightarrow \mathrm{P}(A \cap B) = \mathrm{P}(A)\mathrm{P}(B)$

1-1 사건 A, B가 독립이고 $\mathrm{P}(A \cup B) = \dfrac{1}{2}$, $\mathrm{P}(A \,|\, B) = \dfrac{3}{8}$일 때, $\mathrm{P}(A \cap B^C)$를 구하시오.

1-2 주사위를 한 번 던질 때, 짝수의 눈이 나오는 사건을 A, 소수의 눈이 나오는 사건을 B, 4보다 큰 수의 눈이 나오는 사건을 C라 하자. 다음 중 옳은 것을 모두 고르면?

① A와 B는 독립이다.　　　　　② B와 C는 종속이다.
③ A^C와 C는 독립이다.　　　　④ B와 C^C는 배반사건이다.
⑤ A와 $B \cap C$는 배반사건이다.

클레이 사격 선수 A, B, C가 총을 한 발씩 쏘아 날아오르는 원반을 맞힐 확률은 각각 $\dfrac{1}{2}$, $\dfrac{2}{3}$, $\dfrac{3}{4}$ 이다. 세 사람이 총을 한 발씩 쏠 때, 다음을 구하시오.

(1) 세 명 모두 원반을 맞힐 확률

(2) 두 명만 원반을 맞힐 확률

(3) 적어도 한 명이 원반을 맞힐 확률

날선 Guide (1) 한 사람이 원반을 맞히는 사건이 다른 사람이 원반을 맞히는 사건에 영향을 주지 않는다. 따라서 A, B, C가 총을 한 발씩 쏠 때 원반을 맞히는 사건을 A, B, C라 하면 A, B, C는 독립이므로

$$\mathrm{P}(A\cap B\cap C)=\mathrm{P}(A\cap B)\mathrm{P}(C)=\mathrm{P}(A)\mathrm{P}(B)\mathrm{P}(C)$$

이다.

(2) 두 명만 원반을 맞히면 A와 B 또는 B와 C 또는 C와 A만 맞힐 확률이다.

이때 A와 B만 원반을 맞히는 경우 C가 원반을 맞히지 못하므로 사건 A, B, C^{C}가 일어나는 경우이다. 따라서 확률은

$$\mathrm{P}(A\cap B\cap C^{C})=\mathrm{P}(A)\mathrm{P}(B)\mathrm{P}(C^{C})$$

이다.

(3) 적어도 한 명이 원반을 맞히는 사건은 한 명도 원반을 맞히지 못하는 사건의 여사건이다.

또 한 명도 원반을 맞히지 못하는 사건은 $A^{C}\cap B^{C}\cap C^{C}$이고,

A^{C}, B^{C}, C^{C}는 독립이므로

$$\mathrm{P}(A^{C}\cap B^{C}\cap C^{C})=\mathrm{P}(A^{C})\mathrm{P}(B^{C})\mathrm{P}(C^{C})$$

이다.

답 (1) $\dfrac{1}{4}$ (2) $\dfrac{11}{24}$ (3) $\dfrac{23}{24}$

날선 Point
- 사건 A, B가 독립 ➡ $\mathrm{P}(A\cap B)=\mathrm{P}(A)\mathrm{P}(B)$

  사건 A, B, C가 독립 ➡ $\mathrm{P}(A\cap B\cap C)=\mathrm{P}(A)\mathrm{P}(B)\mathrm{P}(C)$
- 사건 A, B가 독립 ➡ A와 B^{C}, A^{C}와 B, A^{C}와 B^{C}도 각각 독립

2-1 세 양궁 선수가 활을 한 번씩 쏘아 10점 과녁을 맞힐 확률은 각각 $\dfrac{4}{5}$, p, $\dfrac{2}{5}$이다. 세 선수가 한 번씩 쏘아 적어도 한 선수가 10점 과녁을 맞힐 확률이 $\dfrac{119}{125}$일 때, p의 값을 구하시오.

Q3 경우를 나누는 문제

◆ 정답 및 풀이 46쪽

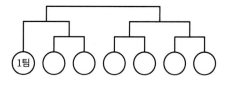

7개의 팀이 있는 어느 축구 클럽에서 오른쪽과 같이 토너먼트 방식으로 축구 시합을 하려고 한다. 1팀이 부전승으로 결정되어 있을 때, 2팀이 1팀과 시합을 할 확률을 구하시오.

(단, 비기는 경우는 없고, 각 팀이 이길 확률은 같다.)

날선 Guide

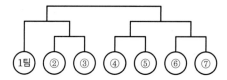

(i) 2팀이 ②, ③의 자리에 있으면 한 경기를 이기고 준결승에서 1팀과 시합할 수 있다.
  따라서 이때 확률은 2팀이 각 자리에 있을 확률과 한 경기를 이길 확률의 곱이다.
(ii) 2팀이 ④, ⑤, ⑥, ⑦의 자리에 있으면 두 경기를 이기고 결승에서 1팀과 시합할 수 있다.
  따라서 이때 확률은 2팀이 각 자리에 있을 확률과 두 경기를 이길 확률, 또 1팀이 준결승에서 이길 확률의 곱이다.
(i), (ii)에서의 각 사건은 독립이므로 확률을 곱하여 구한다.

답 $\dfrac{1}{4}$

날선 Point 곱사건의 확률

• 독립이면 각 사건의 확률을 곱한다.
• 종속이면 필요한 조건부확률을 곱한다.

3-1 예준이와 예담이는 볼링 시합에서 두 게임을 연속하여 이기는 사람이 우승하기로 하였다. 매 게임마다 예준이가 예담이를 이길 확률이 $\dfrac{2}{3}$라 할 때, 다섯 번째 게임에서 예준이가 우승할 확률을 구하시오. (단, 비기는 경우는 없다.)

3-2 그림과 같이 1, 2, 3, 4, 5, 6의 숫자가 한 면에만 각각 적혀 있는 카드 6장이 일렬로 놓여 있다. 주사위 한 개를 던져서 나온 눈의 수가 2 이하이면 가장 작은 숫자가 적혀 있는 카드 1장을 뒤집고, 3 이상이면 가장 작은 숫자가 적혀 있는 카드부터 차례로 카드 2장을 뒤집는 시행을 한다. 3번째 시행에서 4가 적혀 있는 카드가 뒤집어질 확률을 구하시오. (단, 모든 카드는 한 번만 뒤집는다.)

| 1 | 2 | 3 | 4 | 5 | 6 |

1 같은 시행을 반복할 때, 각 시행에서 일어나는 사건이 독립인 경우 이 시행을 **독립시행** 이라 한다.

2 한 번 시행에서 사건 A가 일어날 확률이 p일 때, 이 시행을 n번 반복하는 독립시행 에서 A가 r번 일어날 확률은 ${}_n C_r p^r (1-p)^{n-r}$이다.

독립시행

주사위를 던지는 시행을 반복할 때, 각 시행에서 1의 눈이 나올 확률은 앞 시행에서 1의 눈이 나온 결과에 관계없이 항상 $\frac{1}{6}$로 일정하다. 곧, 각 시행에서 1의 눈이 나오는 사건은 독립이 다. 이와 같이 같은 시행을 반복할 때, 각 시행의 결과가 독립인 경우 이 시행을 독립시행이라 한다.

독립시행의 확률

주사위를 4번 던질 때,
1의 눈이 나오는 경우를 ○, 나오지 않는 경우를 ×라 하면 1의 눈이 두 번 나오는 경우는 오른쪽 과 같이 ${}_4 C_2$가지이다.

1회	2회	3회	4회	확률
○	○	×	×	$\frac{1}{6} \times \frac{1}{6} \times \frac{5}{6} \times \frac{5}{6}$
○	×	○	×	$\frac{1}{6} \times \frac{5}{6} \times \frac{1}{6} \times \frac{5}{6}$
○	×	×	○	$\frac{1}{6} \times \frac{5}{6} \times \frac{5}{6} \times \frac{1}{6}$
×	○	○	×	$\frac{5}{6} \times \frac{1}{6} \times \frac{1}{6} \times \frac{5}{6}$
×	○	×	○	$\frac{5}{6} \times \frac{1}{6} \times \frac{5}{6} \times \frac{1}{6}$
×	×	○	○	$\frac{5}{6} \times \frac{5}{6} \times \frac{1}{6} \times \frac{1}{6}$

첫 번째 경우 ○, ×가 나올 확률은 각각 $\frac{1}{6}$, $\frac{5}{6}$이 고, ○ 또는 ×가 나오는 사건은 독립이므로 확률은

$$\frac{1}{6} \times \frac{1}{6} \times \frac{5}{6} \times \frac{5}{6} = \left(\frac{1}{6}\right)^2 \left(\frac{5}{6}\right)^2$$

나머지 경우도 확률은 $\left(\frac{1}{6}\right)^2 \left(\frac{5}{6}\right)^2$이고, 각 경우는

배반사건이므로 1의 눈이 두 번 나올 확률은 ${}_4 C_2 \left(\frac{1}{6}\right)^2 \left(\frac{5}{6}\right)^2$이다.

이와 같이 생각하면 한 번 시행에서 사건 A가 일어날 확률이 p일 때, 이 시행을 n번 하는 독립시행에서 A가 r번 일어날 확률은

$${}_n C_r p^r (1-p)^{n-r}$$

임을 알 수 있다.

여기에서 ${}_n C_r$는 n번 시행 중 A가 나오는 위치 r개를 정하는 경우의 수이고,
$1-p$는 A가 일어나지 않을 확률, $n-r$는 A가 일어나지 않는 횟수이다.

개념 Check ◆ 정답 및 풀이 **47**쪽

3 주사위 한 개를 3번 던질 때, 다음을 구하시오.

(1) 6의 눈이 1번 나올 확률

(2) 6의 눈이 3번 나올 확률

Q4 독립시행의 확률

◆ 정답 및 풀이 **47**쪽

> 주사위 한 개를 5번 던질 때, 다음을 구하시오.
>
> (1) 3의 배수의 눈이 2번 나올 확률
>
> (2) 3의 배수의 눈이 4번 이상 나올 확률
>
> (3) 3의 배수의 눈이 적어도 2번 나올 확률

날선 Guide (1) 주사위를 던지는 시행은 독립시행이다. 주사위를 5번 던지는 시행에서 3의 배수의 눈이 2번 나오는 경우는 $_5C_2$이고, 주사위를 한 번 던질 때, 3의 배수의 눈이 나올 확률은 $\dfrac{2}{6}=\dfrac{1}{3}$이므로

$$_5C_2\left(\dfrac{1}{3}\right)^2\left(\dfrac{2}{3}\right)^3$$

이다.

(2) 3의 배수의 눈이 4번 또는 5번 나온다. 따라서

$$_5C_4\left(\dfrac{1}{3}\right)^4\left(\dfrac{2}{3}\right)^1+_5C_5\left(\dfrac{1}{3}\right)^5\left(\dfrac{2}{3}\right)^0$$

을 계산한다.

(3) 3의 배수의 눈이 적어도 2번 나오는 사건은 0번 또는 1번 나오는 사건의 여사건이다. 따라서 먼저 3의 배수의 눈이 0번, 1번 나올 확률을 구한 후 여사건의 확률을 이용한다.

답 (1) $\dfrac{80}{243}$ (2) $\dfrac{11}{243}$ (3) $\dfrac{131}{243}$

> **날선 Point** 사건 A가 일어날 확률이 p일 때,
> n번 시행에서 A가 r번 일어날 확률은 $_nC_r p^r(1-p)^{n-r}$이다.

4-1 한 발을 쏘아 10점 과녁 명중률이 80 %인 양궁 선수가 화살을 4발 쏠 때, 다음을 구하시오.

(1) 10점 과녁에 3번 이상 명중시킬 확률

(2) 10점 과녁에 적어도 한 번 명중시킬 확률

 4-2 주사위 1개와 동전 1개가 있다. 주사위를 던져 3의 배수의 눈이 나오면 동전을 3번 던지고 3의 배수가 아닌 눈이 나오면 동전을 4번 던질 때, 동전의 앞면이 3번 나올 확률을 구하시오.

94

7 독립과 종속

대표 Q5 경우를 나누는 독립시행의 확률

야구팀 A와 B가 5번 경기하여 3번을 먼저 이기면 우승하는 결승전을 하게 되었다. A팀이 이 길 확률은 $\dfrac{2}{3}$이고 무승부는 없다고 할 때, 다음을 구하시오.

(1) A팀이 4번째 경기에서 우승할 확률

(2) A팀이 우승할 확률

(3) A팀이 우승했을 때, 4번째 경기를 이겨서 우승했을 확률

날선 Guide (1) 3번째 경기까지 2번 이기고 4번째 경기에서 이겨야 한다.

따라서 확률은

$$_3C_2\left(\dfrac{2}{3}\right)^2\left(\dfrac{1}{3}\right)^1\times\dfrac{2}{3}$$

이다.

◯◯◯승
승 2개

(2) 다음과 같이 A팀이 3번째 경기 또는 4번째 경기 또는 5번째 경기에서 우승할 수 있다.

① 3번째 경기까지 모두 이긴다.

② 3번째 경기까지 2번 이기고 4번째 경기를 이긴다.

③ 4번째 경기까지 2번 이기고 5번째 경기를 이긴다.

따라서 각 경우의 확률을 모두 구해서 더한다.

(3) (2)의 사건이 일어났을 때, (1)의 사건의 조건부확률이다.

① 승 승 승

② ◯◯◯승
승 2개

③ ◯◯◯◯승
승 2개

답 (1) $\dfrac{8}{27}$ (2) $\dfrac{64}{81}$ (3) $\dfrac{3}{8}$

날선 Point
• 빠짐없이 모든 경우를 찾아 각 사건의 확률을 구하고 각각을 더한다.
• A일 때 B일 확률 ➡ 분모가 $P(A)$인 사건 B의 조건부확률을 생각한다.
• '~이고'로 연결된 두 사건 ➡ 두 사건의 확률의 곱을 생각한다.

5-1 어느 게임 대회 결승전에 진출한 두 선수 A, B가 경기를 하는데 각 세트마다 A가 이길 확률이 $\dfrac{1}{4}$이다. 먼저 3세트를 이기면 우승이라고 할 때, 5세트에서 우승자가 결정될 확률을 구하시오. (단, 무승부는 없다.)

5-2 그림과 같이 한 변의 길이가 1인 정사각형의 변을 따라 시계 방향으로 움 직이는 점 P가 있다. 동전 한 개를 던져서 앞면이 나오면 2만큼, 뒷면이 나오면 1만큼 점 P를 움직인다. 동전을 3번 던질 때, 꼭짓점 A에서 출발 한 P가 다시 A로 돌아올 확률을 구하시오.

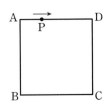

01 사건 A, B가 독립이고 $P(A^c) = \frac{1}{4}$, $P(A \cap B) = \frac{1}{2}$일 때, $P(B|A^c)$는?

① $\frac{5}{12}$　　　② $\frac{1}{2}$　　　③ $\frac{7}{12}$　　　④ $\frac{2}{3}$　　　⑤ $\frac{3}{4}$

02 흰 공 3개, 검은 공 5개가 들어 있는 주머니에서 공을 한 개씩 두 번 꺼낼 때, 첫 번째에는 흰 공, 두 번째에는 검은 공이 나올 확률을 다음 각 경우에 대하여 구하시오.

(1) 첫 번째에 꺼낸 공을 다시 넣는 경우

(2) 첫 번째에 꺼낸 공을 다시 넣지 않는 경우

03 명중률이 $\frac{1}{2}$인 사냥꾼 A와 명중률이 $\frac{1}{3}$인 사냥꾼 B가 동시에 같은 표적을 향해 총을 쏘아 1발만 명중했다고 한다. 표적을 명중시킨 사람이 A일 확률은?

① $\frac{1}{4}$　　　② $\frac{1}{3}$　　　③ $\frac{2}{3}$　　　④ $\frac{7}{9}$　　　⑤ $\frac{5}{6}$

04 불량품 2개를 포함한 제품 10개가 있다. 불량품 2개를 모두 찾을 때까지 제품을 한 개씩 차례로 검사할 때, 3번째에 검사가 끝날 확률을 구하시오.

05 선호와 채연이가 어떤 문제의 정답을 맞힐 확률이 각각 $\frac{3}{4}$, $\frac{1}{3}$이라 한다. 두 사람 중 한 사람만 정답을 맞힐 확률을 구하시오.

06 자유투 성공률이 80 %인 농구 선수가 5번의 자유투를 던질 때, 2번 이상 성공할 확률은?

① $\frac{124}{125}$　　　② $\frac{3104}{3125}$　　　③ $\frac{621}{625}$　　　④ $\frac{3109}{3125}$　　　⑤ $\frac{3111}{3125}$

07 두 사건 A, B가 $0<\mathrm{P}(A)<1$, $0<\mathrm{P}(B)<1$일 때, 다음 설명 중 옳지 않은 것은?

① A와 B가 배반사건이면 A와 B는 독립이다.

② A와 B가 배반사건이면 $\mathrm{P}(B\,|\,A^C)\mathrm{P}(A^C)=\mathrm{P}(B)$이다.

③ A와 B가 독립이면 A^C와 B^C도 독립이다.

④ A와 B가 독립이면 $\mathrm{P}(A^C\,|\,B^C)=1-\mathrm{P}(A\,|\,B)$이다.

⑤ A와 B가 독립이면 $\mathrm{P}(A\cap B^C)=\mathrm{P}(A\,|\,B)\mathrm{P}(B^C\,|\,A)$이다.

08 어떤 게임에 A, B, C 세 팀이 출전하였다. 과거의 승률에 따르면 A팀이 B팀을 이길 확률은 0.7, B팀이 C팀을 이길 확률은 0.2, C팀이 A팀을 이길 확률은 0.4이었다. 이 승률에 따라 그림과 같은 대진표로 경기를 진행할 때, A팀이 우승할 확률을 구하시오. (단, 비기는 경우는 없다.)

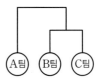

09 지아와 희철이는 번갈아가며 한 개의 주사위를 한 번씩 던져 먼저 5 이상의 눈이 나오는 사람이 이기는 게임을 한다. 지아부터 시작하여 승부가 날 때까지 주사위를 던진다고 할 때, 5회 이내에 지아가 이길 확률을 구하시오.

(단, 한 사람이 주사위를 한 번 던지는 시행을 한 회라고 하자.)

10 두 팀 A, B가 진출한 어느 스포츠 경기의 결승전은 7번의 경기 중 4번을 먼저 이기는 팀이 최종 우승을 하게 된다. 세 번째 경기까지 A팀이 2번, B팀이 1번 이겼을 때, A팀이 최종 우승을 할 확률을 구하시오.

$\left(\text{단, 두 팀이 각 경기에서 승리할 확률은 }\dfrac{1}{2}\text{이고 비기는 경우는 없다.}\right)$

11 한 개의 주사위를 한 번 던진다. 홀수의 눈이 나오는 사건을 A, 6 이하의 자연수 m에 대하여 m의 약수의 눈이 나오는 사건을 B라 하자. 두 사건 A와 B가 독립이 되도록 하는 모든 m값의 합을 구하시오.

평가원 기출

12 상자 A와 상자 B에 각각 6개의 공이 들어 있다. 동전 1개를 사용하여 다음 시행을 한다.

> 동전을 한 번 던져
> 앞면이 나오면 상자 A에서 공 1개를 꺼내어 상자 B에 넣고,
> 뒷면이 나오면 상자 B에서 공 1개를 꺼내어 상자 A에 넣는다.

위의 시행을 6번 반복할 때, 상자 B에 들어 있는 공의 개수가 6번째 시행 후 처음으로 8이 될 확률을 구하시오.

수능 기출

13 좌표평면의 원점에 점 A가 있다. 한 개의 동전을 사용하여 다음 시행을 한다.

> 동전을 한 번 던져
> 앞면이 나오면 점 A를 x축의 양의 방향으로 1만큼,
> 뒷면이 나오면 점 A를 y축의 양의 방향으로 1만큼 이동시킨다.

위의 시행을 반복하여 점 A의 x좌표 또는 y좌표가 처음으로 3이 되면 이 시행을 멈춘다. 점 A의 y좌표가 처음으로 3이 되었을 때, 점 A의 x좌표가 1일 확률을 구하시오.

교육청 기출

14 그림과 같이 바둑판의 중앙에 바둑돌 한 개가 놓여 있다. 한 개의 주사위를 던져 나온 눈의 수에 따라 다음과 같은 규칙으로 바둑돌을 이동시킨다.

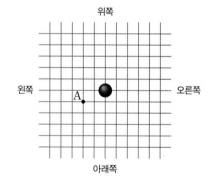

나온 눈의 수	이동 방법
1 또는 2	오른쪽으로 1칸
3 또는 4	왼쪽으로 1칸
5	아래쪽으로 1칸
6	위쪽으로 1칸

한 개의 주사위를 5번 던졌을 때, 바둑돌이 A 지점에 있을 확률을 구하시오.

정답 개수: /14   오답 번호 Check:

어떤 시행의 결과와 그 확률을 대응시키는 방법은 무엇일까?

이 단원에서는 어떤 시행의 결과와 그 확률을 대응시키는 확률변수와 확률분포에 대하여 알아보자. 또 이산확률변수의 평균(기댓값), 분산, 표준편차를 구하는 방법과 성질에 대해 알아보자. 그리고 이항분포를 이해하고, 이항분포의 평균, 분산, 표준편차를 구하는 방법과 성질에 대해 알아보자.

확률분포

8

1 확률변수

(1) 어떤 표본공간의 각 근원사건에 실수를 대응시키는 관계를 **확률변수**라 한다.

(2) 확률변수 X의 값이 유한개이거나 x_1, x_2, $\cdots$, x_n, $\cdots$ 꼴로 나타낼 수 있을 때, X를 **이산확률변수**라 한다.

2 확률분포

(1) 이산확률변수 X의 값이 x_1, x_2, $\cdots$, x_n일 때, 각각에 대응하는 확률이 p_1, p_2, $\cdots$, p_n이면 $P(X=x_i)=p_i$ $(i=1, 2, \cdots, n)$로 나타내고, 확률변수와 확률 사이의 관계를 **확률분포**라 한다.

(2) 확률분포를 나타내는 함수 $P(X=x_i)=p_i$ $(i=1, 2, \cdots, n)$를 **확률질량함수**라 한다.

(3) 모든 확률의 합은 1이다. 곧,

$$p_1+p_2+\cdots+p_n=1$$

확률변수 ●

주사위를 한 번 던질 때 나오는 눈의 수를 대응시키면 그림과 같다. 이 대응 관계를 확률변수라 한다.

이 확률변수를 X라 하면 X는 주사위의 각 눈의 수를 대응시키는 함수를 뜻하기도 하고, 이 함수의 치역 $\{1, 2, 3, 4, 5, 6\}$을 뜻하기도 한다. 보통 확률변수는 대문자 X, Y, Z, $\cdots$를 써서 나타낸다.

또 확률변수 X의 값이 유한개이거나 x_1, x_2, $\cdots$, x_n, $\cdots$ 꼴로 나타낼 수 있을 때, X를 이산확률변수라 한다.

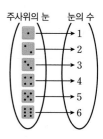

확률분포 ●

표본공간을 S, 주사위를 한 번 던질 때 나오는 눈의 수를 확률변수 X라 하면 X의 값은 1, 2, 3, 4, 5, 6이다.

$X=1$일 확률은 $\dfrac{1}{6}$이고 기호로

$$P(X=1)=\frac{1}{6}$$

로 나타낸다.

$X=2$, $\cdots$, 6일 때 확률도 각각 $\dfrac{1}{6}$이므로

$$P(X=2)=\frac{1}{6}, P(X=3)=\frac{1}{6}, P(X=4)=\frac{1}{6}, P(X=5)=\frac{1}{6}, P(X=6)=\frac{1}{6}$$

이다.

이와 같이 확률변수 X의 각 값에 대응하는 확률 사이의 관계를 X의 확률분포라 한다.

확률분포는 위와 같이 모두 나열할 수도 있고,

$$P(X=i)=\frac{1}{6}\ (i=1,\ 2,\ \cdots,\ 6)$$

과 같이 나타낼 수도 있다.

또 오른쪽과 같이 표로 나타낼 수도 있다.

그리고 X의 확률분포를

X	1	2	3	4	5	6	합계
$P(X=x)$	$\frac{1}{6}$	$\frac{1}{6}$	$\frac{1}{6}$	$\frac{1}{6}$	$\frac{1}{6}$	$\frac{1}{6}$	1

$$P(X=x_i)=p_i\ (i=1,\ 2,\ \cdots,\ n)$$

와 같이 나타낸 식을 X의 확률질량함수라 한다.

확률분포의 성질

위의 표에서 확률의 합은 1이다.

일반적으로 확률변수 X의 값이 $x_1,\ x_2,\ \cdots,\ x_n$이고 $P(X=x_i)=p_i$일 때 $p_1+p_2+\ \cdots\ +p_n$은 가능한 모든 경우의 확률의 합이므로 1이다. 곧,

$$\boldsymbol{p_1+p_2+\ \cdots\ +p_n=1}$$

확률분포의 예

동전을 2번 던지는 시행에서 앞면이 나오는 횟수도 확률변수가 될 수 있다.

앞면을 H, 뒷면을 T라 하면 표본공간은

$$S=\{(H,\ H),\ (H,\ T),\ (T,\ H),\ (T,\ T)\}$$

이다.

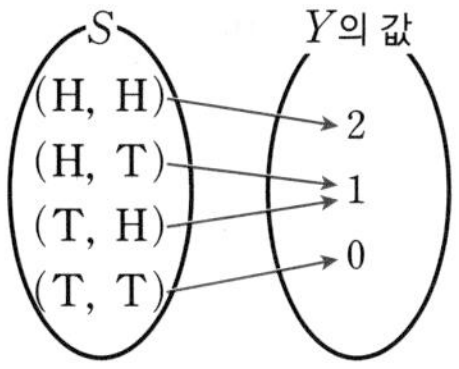

따라서 앞면이 나온 횟수를 확률변수 Y라 할 때,

대응 관계를 생각하면 그림과 같고,

Y의 값은 2, 1, 0이다.

또 $Y=2$, $Y=1$, $Y=0$일 때 확률을 구하면

$$P(Y=2)=\frac{1}{4},\ P(Y=1)=\frac{1}{2},\ P(Y=0)=\frac{1}{4}$$

이므로 Y의 확률분포는 표와 같다.

이때 확률의 합은 1임을 알 수 있다.

Y	2	1	0	합계
$P(Y=y)$	$\frac{1}{4}$	$\frac{1}{2}$	$\frac{1}{4}$	1

개념 Check

◈ 정답 및 풀이 **52**쪽

1 동전을 세 번 던질 때, 앞면이 나오는 횟수를 확률변수 X라 하자. 다음 물음에 답하시오.

(1) 가능한 X의 값을 구하시오.

(2) (1)에서 구한 각 값이 나올 확률을 구하시오.

(3) X의 확률분포를 표로 나타내시오.

확률변수 X의 확률질량함수가

$$\mathrm{P}(X=x)=kx \ (x=1, 2, 3, 4, 5)$$

일 때, 다음 물음에 답하시오.

(1) k의 값을 구하고, 확률분포를 표로 나타내시오.

(2) $\mathrm{P}(1 \leq X \leq 2)$를 구하시오.

날선 Guide (1) 확률변수 X의 값은 1, 2, 3, 4, 5이다.

$x=1$일 때, $\mathrm{P}(X=1)=k$,

$x=2$일 때, $\mathrm{P}(X=2)=2k$, $\cdots$

이므로 X의 확률분포를 표로 나타내면 다음과 같다.

X	1	2	3	4	5	합계
$\mathrm{P}(X=x)$	k	$2k$	$3k$	$4k$	$5k$	1

이때 확률의 합이 1임을 이용하여 k의 값을 구한다.

(2) $1 \leq X \leq 2$이면 $X=1$ 또는 $X=2$이다. 따라서

$$\mathrm{P}(1 \leq X \leq 2)=\mathrm{P}(X=1)+\mathrm{P}(X=2)$$

를 구한다.

답 (1) $k=\dfrac{1}{15}$, 표는 풀이 참조   (2) $\dfrac{1}{5}$

 날선 Point 확률분포에 대한 문제 ➡ ❶ 확률변수 X의 값을 모두 확인한다.

❷ 확률변수의 각 값에 대응하는 확률을 구한다.

❸ 확률의 합은 1임을 이용한다.

1-1 1, 2, 3, 4의 값을 취하는 이산확률변수 X의 확률분포가 표와 같을 때, $\mathrm{P}(2 \leq X \leq 3)$을 구하시오.

X	1	2	3	4	합계
$\mathrm{P}(X=x)$	$\dfrac{a}{2}$	$\dfrac{1}{10}$	a	$\dfrac{1}{5}$	1

1-2 확률변수 X의 확률질량함수가

$$\mathrm{P}(X=x)=\frac{k}{x(x-1)} \ (x=2, 3, 4, 5, 6)$$

일 때, 다음을 구하시오.

(1) k의 값   (2) $\mathrm{P}(X \leq 4)$

대표 Q2 확률분포 구하기

◆ 정답 및 풀이 **52**쪽

남학생 3명, 여학생 3명으로 이루어진 소모임에서 임의로 3명의 학생을 뽑을 때, 뽑은 여학생의 수를 확률변수 X라 하자. 다음 물음에 답하시오.

(1) X의 확률분포를 표로 나타내시오.

(2) $\mathrm{P}(X \leq 1)$을 구하시오.

날선 Guide (1) X는 여학생의 수이므로 가능한 값은 0, 1, 2, 3이다.

$X=0$일 때, 여자 3명 중 0명, 남자 3명 중 3명을 뽑는 경우이므로

$$\mathrm{P}(X=0)=\frac{{}_3\mathrm{C}_0 \times {}_3\mathrm{C}_3}{{}_6\mathrm{C}_3}$$

$X=1$일 때, 여자 3명 중 1명, 남자 3명 중 2명을 뽑는 경우이므로

$$\mathrm{P}(X=1)=\frac{{}_3\mathrm{C}_1 \times {}_3\mathrm{C}_2}{{}_6\mathrm{C}_3}$$

이와 같은 방법으로 $\mathrm{P}(X=2)$, $\mathrm{P}(X=3)$을 구하여 다음과 같은 표를 만든다.

X	0	1	2	3	합계
$\mathrm{P}(X=x)$					1

(2) $X \leq 1$이면 $X=0$ 또는 $X=1$이므로

$$\mathrm{P}(X \leq 1)=\mathrm{P}(X=0)+\mathrm{P}(X=1)$$

이다.

참고 X의 확률질량함수는

$$\mathrm{P}(X=x)=\frac{{}_3\mathrm{C}_x \times {}_3\mathrm{C}_{3-x}}{{}_6\mathrm{C}_3} \ (x=0, 1, 2, 3)$$

답 (1) 풀이 참조 (2) $\dfrac{1}{2}$

날선 Point 확률분포를 구하는 문제 ➡ ❶ 확률변수를 모두 찾는다.
❷ 확률변수의 각 값에 대응하는 확률을 구하고 표로 나타낸다.

2-1 상자 안에 0이 적힌 공이 1개, 1이 적힌 공이 2개, 2가 적힌 공이 3개 들어 있다. 이 중 2개를 꺼낼 때, 꺼낸 공에 적힌 수의 합을 확률변수 X라 하자. 다음 물음에 답하시오.

(1) X의 확률분포를 표로 나타내시오.

(2) $\mathrm{P}(X \geq 3)$을 구하시오.

이산확률변수의 평균과 표준편차

이산확률변수 X의 확률분포가 표와 같을 때

X	x_1	x_2	$\cdots$	x_n	합계
$P(X=x_i)$	p_1	p_2	$\cdots$	p_n	1

1 $x_1 p_1 + x_2 p_2 + \cdots + x_n p_n$을

X의 **기댓값** 또는 평균이라 하고 $E(X)$ 또는 m으로 나타낸다.

$$E(X) = x_1 p_1 + x_2 p_2 + \cdots + x_n p_n$$

2 확률변수 $(X-m)^2$의 평균을 X의 분산이라 하고 $V(X)$로 나타낸다. 곧,

$$V(X) = E((X-m)^2)$$
$$= (x_1-m)^2 p_1 + (x_2-m)^2 p_2 + \cdots + (x_n-m)^2 p_n$$

또 $V(X)$의 양의 제곱근을 X의 표준편차라 하고 $\sigma(X)$로 나타낸다. 곧,

$$\sigma(X) = \sqrt{V(X)}$$

3 X의 평균과 X^2의 평균 사이에는 다음이 성립한다.

$$V(X) = E(X^2) - \{E(X)\}^2$$

도수분포와
확률분포

다음은 어떤 복권 100장의 당첨금과 장수를 나타낸 표이다.

당첨금(만 원)	10	5	1	0	합계
장수(장)	2	8	40	50	100

따라서 당첨금을 변량, 장수를 도수라 생각하면 평균 m과 분산 σ^2은

$$m = \frac{10 \times 2 + 5 \times 8 + 1 \times 40 + 0 \times 50}{100} = 1(\text{만 원}) \qquad \cdots \text{㉠}$$

$$\sigma^2 = \frac{(10-1)^2 \times 2 + (5-1)^2 \times 8 + (1-1)^2 \times 40 + (0-1)^2 \times 50}{100} = \frac{17}{5}$$

위의 표에서 10만 원 복권을 뽑을 확률은 $\dfrac{2}{100}$이다.

이와 같이 각 복권을 뽑을 확률을 생각하면 표와 같다.

당첨금(만 원)	10	5	1	0	합계
확률	$\dfrac{2}{100}$	$\dfrac{8}{100}$	$\dfrac{40}{100}$	$\dfrac{50}{100}$	1

따라서 이 표는 100장에서 한 장을 뽑을 때 당첨금이 확률변수인 확률분포이다.

그리고 ㉠의 평균 m은

$$m = 10 \times \frac{2}{100} + 5 \times \frac{8}{100} + 1 \times \frac{40}{100} + 0 \times \frac{50}{100} = 1(\text{만 원})$$

과 같이 정리할 수도 있다. 평균 1만 원은 복권을 한 장 뽑을 때, 받을 수 있는 금액이라 생각할 수 있으므로 **기댓값**이라고도 한다.

같은 방법으로 분산 σ^2을 계산하면 다음과 같다.

$$\sigma^2 = (10-1)^2 \times \frac{2}{100} + (5-1)^2 \times \frac{8}{100} + (1-1)^2 \times \frac{40}{100} + (0-1)^2 \times \frac{50}{100}$$

$$= \frac{17}{5}$$

이산확률변수의
평균과
표준편차

일반적으로 이산확률변수 X의 확률분포가 표와 같을 때 평균 $E(X)$, 분산 $V(X)$, 표준편차 $\sigma(X)$는

X	x_1	x_2	$\cdots$	x_n	합계
$P(X=x_i)$	p_1	p_2	$\cdots$	p_n	1

$$E(X) = x_1 p_1 + x_2 p_2 + \cdots + x_n p_n$$

또 $E(X) = m$이라 하면

$$V(X) = E((X-m)^2) = (x_1-m)^2 p_1 + (x_2-m)^2 p_2 + \cdots + (x_n-m)^2 p_n$$

$$\sigma(X) = \sqrt{V(X)}$$

그리고 $V(X)$는 다음과 같은 확률분포의 평균이라 생각할 수도 있다.

$(X-m)^2$	$(x_1-m)^2$	$(x_2-m)^2$	$\cdots$	$(x_n-m)^2$	합계
$P(X=x_i)$	p_1	p_2	$\cdots$	p_n	1

$E(X)$와
$E(X^2)$
사이의 관계

$$V(X) = (x_1-m)^2 p_1 + \cdots + (x_n-m)^2 p_n$$

$$= (x_1{}^2 - 2mx_1 + m^2)p_1 + \cdots + (x_n{}^2 - 2mx_n + m^2)p_n$$

$$= (x_1{}^2 p_1 + \cdots + x_n{}^2 p_n) - 2m(x_1 p_1 + \cdots + x_n p_n) + m^2(p_1 + \cdots + p_n)$$

$x_1 p_1 + \cdots + x_n p_n = m = E(X)$, $p_1 + \cdots + p_n = 1$이므로

$$V(X) = E(X^2) - 2mE(X) + m^2 = E(X^2) - m^2$$

$$\therefore V(X) = E(X^2) - \{E(X)\}^2$$

이 식을 이용하여 앞에서 예를 든 복권의 분산 $V(X)$를 구하면

$$V(X) = x_1{}^2 p_1 + x_2{}^2 p_2 + x_3{}^2 p_3 + x_4{}^2 p_4 - m^2$$

$$= 10^2 \times \frac{2}{100} + 5^2 \times \frac{8}{100} + 1^2 \times \frac{40}{100} + 0^2 \times \frac{50}{100} - 1^2 = \frac{17}{5}$$

개념 Check

◆ 정답 및 풀이 **53**쪽

2 주사위를 한 번 던질 때 나오는 눈의 수를 확률변수 X라 하자. X의 확률분포가 표와 같을 때, 다음을 구하시오.

X	1	2	3	4	5	6	합계
$P(X=x)$	$\frac{1}{6}$	$\frac{1}{6}$	$\frac{1}{6}$	$\frac{1}{6}$	$\frac{1}{6}$	$\frac{1}{6}$	1

(1) $E(X)$　　　　　　(2) $E(X^2)$　　　　　　(3) $V(X)$

X가 이산확률변수일 때,

$$\mathrm{E}(aX+b)=a\mathrm{E}(X)+b$$

$$\mathrm{V}(aX+b)=a^2\mathrm{V}(X),\ \sigma(aX+b)=|a|\sigma(X)$$

$aX+b$ 꼴의 확률변수

주사위를 한 번 던져 나온 눈의 수를 확률변수 X라 할 때,

확률변수 $2X+1$은 X의 각 값 x_i에 대하여 $2x_i+1$이 변수이고 확률이 p_i인 확률변수이다. 따라서 $2X+1$의 확률분포는 표와 같다.

$2X+1$	3	5	7	9	11	13	합계
$\mathrm{P}(2X+1)$	$\dfrac{1}{6}$	$\dfrac{1}{6}$	$\dfrac{1}{6}$	$\dfrac{1}{6}$	$\dfrac{1}{6}$	$\dfrac{1}{6}$	1

이와 같이 X가 확률변수일 때, 확률변수 $aX+b$도 생각할 수 있다.

$\mathrm{E}(aX+b)$, $\mathrm{V}(aX+b)$

X가 확률변수일 때, 확률변수 $aX+b$의 평균과 분산은 X의 평균과 분산을 이용하여 구할 수 있다.

$aX+b$	ax_1+b	ax_2+b	$\cdots$	ax_n+b	합계
$\mathrm{P}(aX+b)$	p_1	p_2	$\cdots$	p_n	1

$aX+b$의 확률분포가 표와 같으므로

$$\mathrm{E}(aX+b)=(ax_1+b)p_1+(ax_2+b)p_2+\cdots+(ax_n+b)p_n$$
$$=a(x_1p_1+x_2p_2+\cdots+x_np_n)+b(p_1+p_2+\cdots+p_n)=\boldsymbol{a\mathrm{E}(X)+b}$$

또 $\mathrm{E}(X)=m$이라 하면 $aX+b$의 평균은 $am+b$이므로

$$\mathrm{V}(aX+b)=\{(ax_1+b)-(am+b)\}^2p_1+\{(ax_2+b)-(am+b)\}^2p_2$$
$$+\cdots+\{(ax_n+b)-(am+b)\}^2p_n$$
$$=a^2\{(x_1-m)^2p_1+(x_2-m)^2p_2+\cdots+(x_n-m)^2p_n\}=\boldsymbol{a^2\mathrm{V}(X)}$$

$$\sigma(aX+b)=\sqrt{\mathrm{V}(aX+b)}=\sqrt{a^2\mathrm{V}(X)}=|a|\sigma(X)$$

개념 **Check 2**(105쪽)에서 주사위를 한 번 던져 나온 눈의 수를 확률변수 X라 하면

$$\mathrm{E}(X)=\frac{7}{2},\ \mathrm{V}(X)=\frac{35}{12}$$

임을 이미 구했다. 따라서 $2X+1$의 평균과 분산은

$$\mathrm{E}(2X+1)=2\times\frac{7}{2}+1=8,\ \mathrm{V}(2X+1)=2^2\times\frac{35}{12}=\frac{35}{3}$$

개념 **Check**

◆ 정답 및 풀이 **53**쪽

3 확률변수 X의 평균이 10, 분산이 2일 때, 다음 확률변수의 평균과 분산을 구하시오.

(1) $-2X+3$　　　　　　　　　(2) $\dfrac{X-10}{2}$

확률변수 X의 확률분포가 표와 같고
$E(X)=\dfrac{3}{4}$일 때, 다음을 구하시오.

X	-1	0	1	2	합계
$P(X=x)$	a	$\dfrac{1}{8}$	b	$\dfrac{1}{8}$	1

(1) a, b의 값 　　　　　(2) $V(X)$

(3) $Y=4X-5$라 할 때, $E(Y)$와 $V(Y)$

날선 Guide (1) 확률의 합은 1이므로 $a+\dfrac{1}{8}+b+\dfrac{1}{8}=1$

또 평균이 $\dfrac{3}{4}$이므로 $-1\times a+0\times\dfrac{1}{8}+1\times b+2\times\dfrac{1}{8}=\dfrac{3}{4}$

두 식을 연립하여 푼다.

(2) 평균이 $\dfrac{3}{4}$이므로 다음 두 식 중 하나를 계산한다.

$$V(X)=\left(-1-\dfrac{3}{4}\right)^2\times a+\left(0-\dfrac{3}{4}\right)^2\times\dfrac{1}{8}+\left(1-\dfrac{3}{4}\right)^2\times b+\left(2-\dfrac{3}{4}\right)^2\times\dfrac{1}{8}$$

$$V(X)=(-1)^2\times a+0^2\times\dfrac{1}{8}+1^2\times b+2^2\times\dfrac{1}{8}-\left(\dfrac{3}{4}\right)^2$$

(3) $E(Y)$와 $V(Y)$에 $Y=4X-5$를 대입한 $E(4X-5)$와 $V(4X-5)$를 구하는 것과 같다. 곧, $E(4X-5)=4E(X)-5$, $V(4X-5)=4^2V(X)$

답 (1) $a=\dfrac{1}{8}, b=\dfrac{5}{8}$ 　(2) $\dfrac{11}{16}$ 　(3) $E(Y)=-2, V(Y)=11$

날선 Point
- $E(X)=m=x_1p_1+x_2p_2+x_3p_3+\cdots+x_np_n$
  $V(X)=x_1^2p_1+x_2^2p_2+x_3^2p_3+\cdots+x_n^2p_n-m^2$
- $E(aX+b)=aE(X)+b, V(aX+b)=a^2V(X)$

3-1 확률변수 X의 확률분포가 표와 같고
$E(X)=4$일 때, 다음을 구하시오.

X	1	2	4	8	합계
$P(X=x)$	$\dfrac{1}{12}$	a	$\dfrac{1}{4}$	b	1

(1) a, b의 값 　　　　(2) $V(X)$

3-2 확률변수 X의 확률분포가 표와 같다. 다음을 구하시오.

X	140	150	160	합계
$P(X=x)$	a	$\dfrac{1}{4}$	$\dfrac{1}{8}$	1

(1) $Y=\dfrac{1}{10}X-15$라 할 때, $E(Y)$와 $V(Y)$

(2) $E(X)$, $V(X)$

주머니에 1, 2, 3, 4, 5가 각각 적힌 카드가 5장 들어 있다. 이 중 2장을 뽑을 때, 카드에 적힌 작은 수를 확률변수 X라 하자. 다음 물음에 답하시오.

(1) X의 확률분포를 표로 나타내시오.

(2) $E(X)$와 $V(X)$를 구하시오.

날선 Guide (1) 가능한 X의 값은 1, 2, 3, 4이다.

예를 들어 $X=1$일 때, 가능한 경우는

$(1, 2)$, $(1, 3)$, $(1, 4)$, $(1, 5)$이므로

$$P(X=1)=\frac{4}{{}_5C_2}$$

이다. 이와 같이 확률 p_1, p_2, p_3, p_4를 구한다.

(2) 위의 표에서 평균은

$$E(X)=1\times p_1+2\times p_2+3\times p_3+4\times p_4$$

또 분산은 $E(X)=m$이라 할 때,

$$V(X)=(1-m)^2\times p_1+(2-m)^2\times p_2+(3-m)^2\times p_3+(4-m)^2\times p_4$$

또는

$$V(X)=1^2\times p_1+2^2\times p_2+3^2\times p_3+4^2\times p_4-m^2$$

을 계산한다.

X	1	2	3	4	합계
$P(X=x)$	p_1	p_2	p_3	p_4	1

답 (1) 풀이 참조 (2) $E(X)=2$, $V(X)=1$

날선 Point
- $E(X)=m=x_1p_1+x_2p_2+\cdots+x_np_n$
- $V(X)=E((X-m)^2)=(x_1-m)^2p_1+(x_2-m)^2p_2+\cdots+(x_n-m)^2p_n$

또는

$$V(X)=E(X^2)-m^2=x_1^2p_1+x_2^2p_2+\cdots+x_n^2p_n-m^2$$

4-1 흰 공 3개, 검은 공 2개가 들어 있는 상자에서 공 3개를 동시에 꺼낼 때, 꺼낸 흰 공의 개수를 확률변수 X라 하자. 다음 물음에 답하시오.

(1) X의 확률분포를 표로 나타내시오.

(2) $E(X)$와 $V(X)$를 구하시오.

한 번 시행에서 사건 A가 일어날 확률이 p일 때, n번 독립시행에서 A가 일어나는 횟수 X가 확률변수인 확률분포를 **이항분포**라 하고 $\mathrm{B}(n, p)$로 나타낸다.

이항분포의 예 ● 주사위를 1번 던질 때, 3의 배수의 눈이 나오는 사건을 A라 하고, 주사위를 3번 던지는 독립시행에서 A가 일어난 횟수를 확률변수 X라 하자.

$\mathrm{P}(A)=\dfrac{2}{6}=\dfrac{1}{3}$이므로 독립시행의 확률에서 A가 r번 일어날 확률은

$$_3\mathrm{C}_r\left(\frac{1}{3}\right)^r\left(\frac{2}{3}\right)^{3-r}\ (r=0,\ 1,\ 2,\ 3)$$

이다. 따라서 X의 확률분포는 표와 같다.

X	0	1	2	3	합계
$\mathrm{P}(X{=}r)$	$_3\mathrm{C}_0\left(\frac{1}{3}\right)^0\left(\frac{2}{3}\right)^3$	$_3\mathrm{C}_1\left(\frac{1}{3}\right)^1\left(\frac{2}{3}\right)^2$	$_3\mathrm{C}_2\left(\frac{1}{3}\right)^2\left(\frac{2}{3}\right)^1$	$_3\mathrm{C}_3\left(\frac{1}{3}\right)^3\left(\frac{2}{3}\right)^0$	1

이때 확률변수 X는 이항분포 $\mathrm{B}\left(3,\ \dfrac{1}{3}\right)$을 따른다고 한다.

참고 확률의 합은 이항정리에서

$$_3\mathrm{C}_0\left(\frac{1}{3}\right)^0\left(\frac{2}{3}\right)^3+{_3}\mathrm{C}_1\left(\frac{1}{3}\right)^1\left(\frac{2}{3}\right)^2+{_3}\mathrm{C}_2\left(\frac{1}{3}\right)^2\left(\frac{2}{3}\right)^1+{_3}\mathrm{C}_3\left(\frac{1}{3}\right)^3\left(\frac{2}{3}\right)^0=\left(\frac{1}{3}+\frac{2}{3}\right)^3=1$$

이항분포 ● 한 번 시행에서 사건 A가 일어날 확률이 p일 때,

n번 독립시행에서 A가 일어나는 횟수를 확률변수 X라 하면

$$\mathrm{P}(X{=}r)={_n}\mathrm{C}_r p^r(1-p)^{n-r}\ (r=0,\ 1,\ 2,\ \cdots,\ n)$$

따라서 X의 확률분포는 표와 같다. (단, $q{=}1{-}p$)

X	0	1	2	$\cdots$	n	합계
$\mathrm{P}(X{=}r)$	$_n\mathrm{C}_0 q^n$	$_n\mathrm{C}_1 p^1 q^{n-1}$	$_n\mathrm{C}_2 p^2 q^{n-2}$		$_n\mathrm{C}_n p^n$	1

이와 같은 이산확률변수 X의 확률분포를 **이항분포**라 하고 $\mathrm{B}(n, p)$로 나타낸다.

또 X는 이항분포 $\mathrm{B}(n, p)$를 따른다고도 한다.

개념 Check ◆ 정답 및 풀이 **55**쪽

4 다음과 같은 확률변수 X는 이항분포 $\mathrm{B}(n, p)$를 따른다. n과 p의 값을 구하시오.

(1) 한 개의 주사위를 10번 던질 때, 1의 눈이 나오는 횟수 X

(2) 한 개의 주사위를 20번 던질 때, 짝수의 눈이 나오는 횟수 X

확률변수 X가 이항분포 $\mathrm{B}(n,\ p)$를 따를 때, 평균과 표준편차는
$$\mathrm{E}(X)=np,\ \sigma(X)=\sqrt{npq}\ (\text{단},\ q=1-p)$$

이항분포의
평균, 표준편차

한 개의 주사위를 3번 던질 때, 3의 배수의 눈이 나오는 횟수를 확률변수 X라 하면

X는 이항분포 $\mathrm{B}\left(3,\ \dfrac{1}{3}\right)$을 따른다.

그리고 주사위를 3번 던질 때, 3의 배수가 나오는 횟수는 $3\times\dfrac{1}{3}=1$이라 예상할 수 있다.

따라서 이항분포 $\mathrm{B}\left(3,\ \dfrac{1}{3}\right)$에서 평균은 1이라 말할 수 있다.

일반적으로 확률변수 X가 이항분포 $\mathrm{B}(n,\ p)$를 따를 때, 평균과 표준편차는 다음과 같다.
$$\mathbf{E(X)=np,}$$
$$\boldsymbol{\sigma(X)=\sqrt{npq}}\ (\text{단},\ q=1-p)$$

따라서 이항분포의 평균과 표준편차는 시행 횟수 n과 확률 p만 알면 구할 수 있다.

증명

미분을 공부한 경우 이항정리와 미분을 이용하여 증명할 수 있다.
$$(px+q)^n={}_n\mathrm{C}_0p^0q^n+{}_n\mathrm{C}_1p^1q^{n-1}x+{}_n\mathrm{C}_2p^2q^{n-2}x^2+\cdots+{}_n\mathrm{C}_np^nq^0x^n$$
양변을 x에 대해 미분하면
$$n(px+q)^{n-1}\times p=0+{}_n\mathrm{C}_1p^1q^{n-1}+2{}_n\mathrm{C}_2p^2q^{n-2}x+\cdots+n{}_n\mathrm{C}_np^nq^0x^{n-1}\quad\cdots\ \bigcirc$$
양변에 $x=1$을 대입하면 (좌변)$=n(p+q)^{n-1}\times p=np$이므로
$$np={}_n\mathrm{C}_1p^1q^{n-1}+2{}_n\mathrm{C}_2p^2q^{n-2}+\cdots+n{}_n\mathrm{C}_np^nq^0$$
따라서 확률변수 X의 값이 $0,\ 1,\ 2,\ \cdots,\ n$이고 $\mathrm{P}(X=i)=p_i\ (i=0,\ 1,\ 2,\ \cdots,\ n)$일 때
$$\mathrm{E}(X)=0\times p_0+1\times p_1+2\times p_2+\cdots+n\times p_n$$
$$={}_n\mathrm{C}_1p^1q^{n-1}+2{}_n\mathrm{C}_2p^2q^{n-2}+\cdots+n{}_n\mathrm{C}_np^nq^0=np$$
또 $\bigcirc$을 한 번 더 미분하면 $\mathrm{E}(X^2)$과 $\mathrm{V}(X)=\mathrm{E}(X^2)-\{\mathrm{E}(X)\}^2$을 구할 수 있다.

예를 들어 X가 이항분포 $\mathrm{B}\left(3,\ \dfrac{1}{3}\right)$을 따를 때, 평균과 표준편차는

$$\mathrm{E}(X)=3\times\dfrac{1}{3}=1,$$
$$\sigma(X)=\sqrt{3\times\dfrac{1}{3}\times\dfrac{2}{3}}=\dfrac{\sqrt{6}}{3}$$

▶ 개념 Check

◆ 정답 및 풀이 **55**쪽

5 확률변수 X가 이항분포 $\mathrm{B}\left(10,\ \dfrac{1}{2}\right)$을 따를 때, X의 평균과 표준편차를 구하시오.

대표 Q5 이항분포의 평균과 표준편차 (1)

◆ 정답 및 풀이 55쪽

◆ 정답 및 풀이 **55**쪽

1, 2, 3, 4, 5가 각각 적힌 카드가 5장 들어 있는 주머니에서 3장을 뽑아 수를 확인하고 다시 넣는 시행을 한다. 이 시행을 25회 반복할 때, 카드에 적힌 두 수의 합이 나머지 한 수와 같은 사건이 일어나는 횟수를 확률변수 X라 하자. 다음 물음에 답하시오.

(1) 한 번 시행에서 두 수의 합이 나머지 한 수와 같을 확률 p를 구하시오.

(2) $E(X)$, $V(X)$를 구하시오.

(3) $E(X^2)$을 구하시오.

날선 Guide
(1) 카드를 3장 뽑는 경우의 수는 $_5C_3$이다.
그리고 1, 2, 3과 같이 1, 2, 3, 4, 5에서 세 수를 뽑아 두 수의 합이 나머지 한 수가 되는 경우의 수를 구한다.

(2) 꺼낸 카드를 다시 넣으므로 각 시행은 독립시행이고 확률변수 X는 이항분포 $B(25, p)$를 따른다.
따라서 평균과 분산은
$$E(X) = 25p, \quad V(X) = np(1-p)$$
를 이용하여 구한다.

(3) 보통 $V(X)$는 $E(X^2)$을 계산하고, 다음을 이용하여 구한다.
$$V(X) = E(X^2) - \{E(X)\}^2$$
이항분포에서는 $V(X)$를 바로 구할 수 있으므로 이 식을 이용하여 $E(X^2)$을 구한다.

답 (1) $\dfrac{2}{5}$ (2) $E(X) = 10$, $V(X) = 6$ (3) 106

날선 Point
- 이항분포 $B(n, p)$에서
$$E(X) = np, \quad \sigma(X) = \sqrt{npq} \quad (단, q = 1-p)$$
- $V(X) = E(X^2) - \{E(X)\}^2$

5-1 서로 다른 두 개의 주사위를 동시에 던지는 시행을 36번 반복할 때, 두 눈의 수의 합이 7이 되는 횟수를 확률변수 X라 하자. 다음 물음에 답하시오.

(1) $E(X)$, $V(X)$를 구하시오.

(2) $E(X^2)$을 구하시오.

5-2 동전 3개를 동시에 던지는 시행을 한다. 이 시행을 40회 반복할 때, 앞면이 2개 나오는 횟수를 확률변수 X라 하자. $E(X)$와 $\sigma(X)$를 구하시오.

Q6 이항분포의 평균과 표준편차 (2)

◆ 정답 및 풀이 56쪽

다음 물음에 답하시오.

(1) 확률변수 X가 이항분포 $\mathrm{B}(10, p)$를 따른다. $\mathrm{P}(X=0)=\dfrac{1}{5}\mathrm{P}(X=1)$일 때, $\mathrm{E}(X)$를 구하시오.

(2) 확률변수 X가 이항분포 $\mathrm{B}(n, p)$를 따른다. $\mathrm{E}(2X-1)=7$, $\mathrm{V}(2X-1)=12$일 때, n과 p의 값을 구하시오.

 날선 Guide (1) X가 이항분포 $\mathrm{B}(10, p)$를 따르면
$$\mathrm{P}(X=0)={}_{10}\mathrm{C}_0 p^0 q^{10},$$
$$\mathrm{P}(X=1)={}_{10}\mathrm{C}_1 p^1 q^9 \ (\text{단, } q=1-p)$$
이다. 따라서 주어진 조건을 이용하여 p의 값부터 구한다.

(2) $\mathrm{E}(2X-1)=2\mathrm{E}(X)-1$,
$\mathrm{V}(2X-1)=4\mathrm{V}(X)$
이므로 주어진 조건에서 $\mathrm{E}(X)$와 $\mathrm{V}(X)$를 구할 수 있다.
그리고
$$\mathrm{E}(X)=np, \ \mathrm{V}(X)=npq \ (q=1-p)$$
임을 이용하여 n과 p의 값을 구한다.

답 (1) $\dfrac{10}{3}$ (2) $n=16$, $p=\dfrac{1}{4}$

날선 Point
- X가 이항분포 $\mathrm{B}(n, p)$를 따를 때
$$\mathrm{E}(X)=np, \ \sigma(X)=\sqrt{npq} \ (\text{단, } q=1-p)$$
- $\mathrm{E}(aX+b)=a\mathrm{E}(X)+b, \quad \mathrm{V}(aX+b)=a^2\mathrm{V}(X)$

6-1 다음 물음에 답하시오.

(1) 확률변수 X가 이항분포 $\mathrm{B}(5, p)$를 따르고 $\mathrm{P}(X=0)=\dfrac{1}{32}$일 때, $\mathrm{V}(X)$를 구하시오.

(2) 확률변수 X가 이항분포 $\mathrm{B}(n, p)$를 따른다. $\mathrm{E}(5X-3)=27$, $\mathrm{V}(5X-3)=50$일 때, n과 p의 값을 구하시오.

6-2 확률변수 X가 이항분포 $\mathrm{B}\left(n, \dfrac{2}{3}\right)$를 따르고 $\mathrm{E}(X)=\dfrac{8}{3}$일 때, $\mathrm{P}\left(\dfrac{n}{4}\leq X \leq \dfrac{n}{2}\right)$을 구하시오.

8 확률분포

01 확률변수 X의 확률분포가 표와 같을 때, $\mathrm{P}(X^2=1)$은?

X	-1	0	1	합계
$\mathrm{P}(X=x)$	a	$\dfrac{1}{12}$	$\dfrac{3}{4}$	1

① $\dfrac{1}{2}$
② $\dfrac{7}{12}$
③ $\dfrac{2}{3}$
④ $\dfrac{5}{6}$
⑤ $\dfrac{11}{12}$

02 동전을 두 번 던져 앞면이 나올 때마다 1000원, 뒷면이 나올 때마다 500원의 상금을 받는 게임이 있다. 이 게임을 한 번 해서 받을 수 있는 상금의 기댓값을 구하시오.

03 확률변수 X의 확률분포가 표와 같다.
$\mathrm{P}(0 \le X \le 2) = \dfrac{7}{8}$일 때,
$\mathrm{E}(X)$는?

X	-1	0	1	2	합계
$\mathrm{P}(X=x)$	$\dfrac{3-a}{8}$	$\dfrac{1}{8}$	$\dfrac{3+a}{8}$	$\dfrac{1}{8}$	1

① $\dfrac{1}{4}$
② $\dfrac{3}{8}$
③ $\dfrac{1}{2}$
④ $\dfrac{5}{8}$
⑤ $\dfrac{3}{4}$

04 한 개의 주사위를 던져 나온 눈의 수를 4로 나눈 나머지를 확률변수 X라 할 때, $\mathrm{E}(X)+\mathrm{V}(X)$의 값은?

① $\dfrac{9}{4}$
② $\dfrac{7}{3}$
③ $\dfrac{29}{12}$
④ $\dfrac{5}{2}$
⑤ $\dfrac{31}{12}$

05 확률변수 X의 평균과 분산이 $\mathrm{E}(X)=9$, $\mathrm{V}(X)=2$일 때, $\mathrm{E}(aX+b)=22$, $\mathrm{V}(aX+b)=8$을 만족시키는 두 양수 a, b에 대하여 $a+b$의 값은?

① 5   ② 6   ③ 7   ④ 8   ⑤ 9

06 확률변수 X의 확률분포가 표와 같을 때, 확률변수 $Y=5X+2$의 평균과 표준편차를 구하시오.

X	1	2	3	4	합계
$\mathrm{P}(X=x)$	$\dfrac{1}{10}$	$\dfrac{3}{10}$	$\dfrac{2}{5}$	$\dfrac{1}{5}$	1

07 한 개의 주사위를 36번 던질 때, 3의 배수의 눈이 나오는 횟수를 확률변수 X라 하자. $\mathrm{P}(1 \leq X \leq 2)$는?

① $13 \times \dfrac{2^{33}}{3^{35}}$ ② $13 \times \left(\dfrac{2}{3}\right)^{34}$ ③ $13 \times \dfrac{2^{35}}{3^{34}}$ ④ $13 \times \dfrac{2^{35}}{3^{33}}$ ⑤ $13 \times \dfrac{2^{36}}{3^{35}}$

08 확률변수 X의 확률질량함수가

$$\mathrm{P}(X=x)={}_{100}\mathrm{C}_x \left(\frac{1}{5}\right)^x \left(\frac{4}{5}\right)^{100-x} \quad (x=0,\ 1,\ \cdots,\ 100)$$

일 때, X의 평균과 분산을 구하시오.

09 확률변수 X가 이항분포 $\mathrm{B}\left(n, \dfrac{1}{2}\right)$을 따르고 $\mathrm{E}(X^2)=\mathrm{V}(X)+25$를 만족시킬 때, n의 값은?

① 10   ② 12   ③ 14   ④ 16   ⑤ 18

10 확률변수 X로 가능한 값이 -2, -1, 0, 1, 2이고 확률질량함수가

$$P(X=x)=\begin{cases} k-\dfrac{x}{9} & (x=-2,\ -1,\ 0) \\ k+\dfrac{x}{9} & (x=1,\ 2) \end{cases}$$

일 때, $P(X<0)$은?

① $\dfrac{1}{15}$ ② $\dfrac{1}{5}$ ③ $\dfrac{7}{15}$ ④ $\dfrac{3}{5}$ ⑤ $\dfrac{11}{15}$

11 0, 1, 2, 3, 4가 각각 적힌 카드가 5장 들어 있는 상자에서 2장의 카드를 동시에 꺼낼 때 나오는 카드에 적힌 두 수의 차를 확률변수 X라 하자. $P(X \le a)=\dfrac{9}{10}$ 일 때, 정수 a의 값을 구하시오.

12 검은 공 3개, 흰 공 2개가 들어 있는 주머니가 있다. 이 주머니에서 한 개의 공을 꺼내어 색을 확인한 후 다시 넣지 않는다. 이와 같은 시행을 반복할 때, 흰 공 2개가 나올 때까지의 시행 횟수를 확률변수 X라 하자. $P(X>3)$을 구하시오.

13 확률변수 X의 확률질량함수가 $P(X=x)=\dfrac{ax+2}{10}$ $(x=-1,\ 0,\ 1,\ 2)$일 때, $V(3X+2)$는?

① 9 ② 18 ③ 27 ④ 36 ⑤ 45

14 확률변수 X의 확률분포가 표와 같다. $E(X^2)=\dfrac{16}{3}$일 때, $V(X)$를 구하시오.

X	0	2	4	합계
$P(X=x)$	$\dfrac{1}{6}$	a	b	1

15 확률변수 X의 확률질량함수가

$$P(X=k)=\frac{1}{10}+(-1)^k p \ (k=1, 2, 3, \cdots, 2n)$$

이다. $E(X)=\dfrac{23}{4}$일 때, p의 값을 구하시오.

16 주머니 속에 1이 적혀 있는 공이 3개, 2가 적혀 있는 공이 2개, a가 적혀 있는 공이 1개 들어 있다. 이 주머니에서 1개의 공을 꺼낼 때, 꺼낸 공에 적혀 있는 수를 확률변수 X라 하자. $E(X)=2$일 때, $V(X)$는?
(단, a는 1도 아니고 2도 아니다.)

① 1   ② 2   ③ 3   ④ 4   ⑤ 5

평가원 기출

17 두 확률변수 X와 Y가 가지는 값이 각각 1부터 3까지의 자연수이고

$$P(Y=k)=\frac{1}{2}P(X=k)+\frac{1}{10} \ (k=1, 2, 3)$$

이다. $E(X)=4$일 때, $E(Y)$를 구하시오.

18 서로 다른 4개의 동전을 동시에 던질 때, 앞면이 나오는 동전의 개수를 확률변수 X라 하자. X의 평균을 m, 표준편차를 σ라 할 때, $P(|X-m|<\sigma)$를 구하시오.

19 어느 공장에서 생산되는 A 제품은 불량률이 20 %이고, B 제품은 불량률이 10 %라 한다. 한 상자에 A 제품 한 개와 B 제품 두 개를 넣은 1000개의 묶음 상품을 만들었고, 이 묶음 상품 속의 세 제품이 모두 불량이 아닐 때 합격품이라 하자. 합격품인 묶음 상품의 개수를 확률변수 X라 할 때, $E(X)$를 구하시오.

이산확률변수와 다르게 연속적인 값을 가지는 확률변수를 연속확률변수라 한다.

이 단원에서는 연속확률변수와 확률밀도함수를 이해하고, 확률밀도함수에 대한 문제를 해결해 보자. 또 정규분포를 표준정규분포로, 이항분포를 정규분포로 근사시키는 방법에 대해 알아보고, 이를 활용하여 여러 가지 확률을 구해 보자.

정규분포

연속확률변수의 확률분포

1 확률변수 X의 값이 어떤 범위 내의 모든 실수일 때, X를 **연속확률변수**라 한다.
   그리고 X의 값이 a 이상 b 이하일 확률은 $P(a \leq X \leq b)$로 나타낸다.

2 X가 α에서 β까지 값을 가지는 연속확률변수일 때,
   $\alpha \leq X \leq \beta$에서 정의되고 다음을 만족시키는 함수 $f(x)$를 X의 **확률밀도함수**라 한다.

   (1) $f(x) \geq 0$

   (2) $y = f(x)$의 그래프와 x축 및 직선 $x = \alpha$, $x = \beta$로 둘러
       싸인 부분의 넓이는 1이다.

   (3) $P(a \leq X \leq b)$는 $y = f(x)$의 그래프와 x축 및 직선
       $x = a$, $x = b$로 둘러싸인 부분의 넓이와 같다.

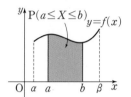

연속확률변수 • 지하철이 10분 간격으로 운행된다고 하자.

임의의 시각에 지하철역에 갈 때, 지하철을 기다리는 시간은 0분에서 10분 사이이다.

이때 기다리는 시간을 확률변수 X라 하면 X는 0에서 10 사이의 실수이다. 또 기다리는 시간이 1분에서 6분 사이일 확률은

$$\frac{6-1}{10-0} = \frac{1}{2}$$

이라 생각할 수 있다.

이와 같이 X의 값이 어떤 범위 내의 모든 실수인 확률변수를 연속확률변수라 한다.

연속확률변수에서는 X가 어떤 범위 안의 값을 가질 확률을 생각할 수 있다.

예를 들어 X의 값이 a 이상이고 b 이하일 확률은 $P(a \leq X \leq b)$로 나타낸다.

참고 연속확률변수 X가 특정한 값을 가질 확률, 곧 $P(X=a)=0$으로 생각한다. 따라서
   $P(a \leq X \leq b) = P(a \leq X < b) = P(a < X \leq b) = P(a < X < b)$

확률밀도함수의 • X가 α에서 β까지 값을 가지는 연속확률변수일 때, X에 대한 확률은 $\alpha \leq X \leq \beta$에서 정의되고
성질 다음을 만족시키는 함수 $f(x)$와 넓이를 이용하여 구한다.

   (1) $f(x)$는 확률이므로 $f(x) \geq 0$이다.

   (2) $P(\alpha \leq X \leq \beta) = 1$이므로 $y = f(x)$의 그래프와 x축 및
       직선 $x = \alpha$, $x = \beta$로 둘러싸인 부분의 넓이는 1이다.

   (3) $P(a \leq X \leq b)$는 $y = f(x)$의 그래프와 x축 및 직선 $x = a$,
       $x = b$로 둘러싸인 부분의 넓이이다. (단, $\alpha \leq a \leq b \leq \beta$)

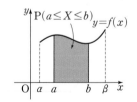

이때 함수 $f(x)$를 연속확률변수 X의 확률밀도함수라 하고,

X는 $f(x)$가 확률밀도함수인 확률분포를 따른다고 한다.

10분 간격으로 운행되는 지하철을 기다리는 시간을 확률변수 X라 할 때, X의 확률밀도함수 $f(x)$를 구해 보자.

(1) X가 0에서 10까지의 값을 가지는 정도가 일정하므로 $f(x)$는

$0 \leq x \leq 10$에서 정의된 상수함수이다.

따라서 $f(x)=a\,(0 \leq x \leq 10)$라 하자.

$P(0 \leq X \leq 10)=1$이므로 그림에서 색칠한 부분의 넓이는 1이다.

따라서 $a=\dfrac{1}{10}$이고, $f(x)=\dfrac{1}{10}\,(0 \leq x \leq 10)$이다.

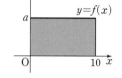

(2) 지하철을 1분 이상이고 6분 이하로 기다릴 확률은

그림에서 색칠한 부분의 넓이이므로

$$P(1 \leq X \leq 6)=\frac{1}{10} \times (6-1)=\frac{1}{2}$$

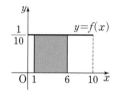

예를 들어 $0 \leq X \leq 2$에서 정의된 연속확률변수 X의 확률밀도함수를 $g(x)=ax$라 하자.

(1) 그림에서 색칠한 부분의 넓이가 1이므로

$$\frac{1}{2} \times 2 \times 2a=1 \qquad \therefore a=\frac{1}{2}$$

$$\therefore g(x)=\frac{1}{2}x$$

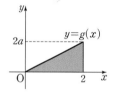

(2) X가 0 이상이고 1 이하일 확률은 $y=g(x)$의 그래프와

x축 및 직선 $x=1$로 둘러싸인 부분의 넓이이므로

$$P(0 \leq X \leq 1)=\frac{1}{2} \times 1 \times \frac{1}{2}=\frac{1}{4}$$

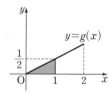

참고 $\alpha \leq X \leq \beta$의 값을 가지는 연속확률변수 X의 확률밀도함수가
$f(x)$일 때, 평균 $\mathrm{E}(X)$와 분산 $\mathrm{V}(X)$는 다음과 같다.
- $\mathrm{E}(X)$: $y=xf(x)$의 그래프와 x축 및 직선 $x=\alpha$, $x=\beta$로 둘러싸인 부분의 넓이
- $\mathrm{V}(X)$: $y=(x-m)^2 f(x)$의 그래프와 x축 및 직선 $x=\alpha$, $x=\beta$로 둘러싸인 부분의 넓이
  (단, $m=\mathrm{E}(X)$)

▶ 개념 Check

◆ 정답 및 풀이 **60**쪽

1 $-2 \leq X \leq 0$에서 정의된 연속확률변수 X의 확률밀도함수가 $f(x)=ax$일 때, 다음을 구하시오.

(1) a의 값

(2) $P(-1 \leq X \leq 0)$

연속확률변수 X의 확률분포의 성질은 확률밀도함수 $f(x)$의 정적분을 이용하여 나타낼 수 있다.

1 $f(x)$가 $\alpha \leq X \leq \beta$에서 정의된 연속확률변수 X의 확률밀도함수이면

(1) $f(x) \geq 0$

(2) $\displaystyle \int_{\alpha}^{\beta} f(x)\,dx = 1$

(3) $\mathrm{P}(a \leq X \leq b) = \displaystyle \int_{a}^{b} f(x)\,dx$

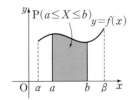

2 $\alpha \leq X \leq \beta$에서 정의된 연속확률변수 X의 확률밀도함수가 $f(x)$일 때

(1) $\mathrm{E}(X) = \displaystyle \int_{\alpha}^{\beta} x f(x)\,dx$

(2) $\mathrm{V}(X) = \displaystyle \int_{\alpha}^{\beta} (x-m)^2 f(x)\,dx = \int_{\alpha}^{\beta} x^2 f(x)\,dx - m^2$ (단, $m = \mathrm{E}(X)$)

확률과 정적분 • $f(x) \geq 0$일 때, $y = f(x)$의 그래프와 x축 및 직선 $x = \alpha$, $x = \beta$로 둘러싸인 부분의 넓이는 $\displaystyle \int_{\alpha}^{\beta} f(x)\,dx$임을 수학Ⅱ의 정적분에서 공부하였다.

연속확률변수 X가 0 이상이고 2 이하의 값을 갖고, X의 확률밀도함수가 $f(x) = ax$라 하자.

$\displaystyle \int_{0}^{2} ax\,dx = 1$이므로 $\left[\dfrac{1}{2}ax^2\right]_{0}^{2} = 1$, $2a = 1$ $\qquad \therefore a = \dfrac{1}{2}$

따라서 $f(x) = \dfrac{1}{2}x$이므로

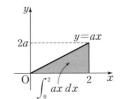

$$\mathrm{P}(1 \leq X \leq 2) = \int_{1}^{2} \frac{1}{2}x\,dx = \left[\frac{1}{4}x^2\right]_{1}^{2} = \frac{3}{4}$$

$$\mathrm{E}(X) = \int_{0}^{2} \left(x \times \frac{1}{2}x\right)dx = \left[\frac{1}{6}x^3\right]_{0}^{2} = \frac{4}{3}$$

$$\mathrm{V}(X) = \int_{0}^{2} \left(x^2 \times \frac{1}{2}x\right)dx - \left(\frac{4}{3}\right)^2 = \left[\frac{1}{8}x^4\right]_{0}^{2} - \frac{16}{9} = \frac{2}{9}$$

개념 Check ◆ 정답 및 풀이 **60쪽**

2 $0 \leq X \leq 1$에서 정의된 연속확률변수 X의 확률밀도함수가 $f(x) = ax^2$일 때, 다음을 구하시오.

(1) a의 값 (2) $\mathrm{P}\left(0 \leq X \leq \dfrac{1}{2}\right)$ (3) $\mathrm{E}(X)$

$0 \le X \le 2$에서 정의된 연속확률변수 X의 확률밀도함수가

$$f(x) = \begin{cases} kx & (0 \le x \le 1) \\ k(2-x) & (1 \le x \le 2) \end{cases}$$

일 때, 다음 물음에 답하시오.

(1) k의 값을 구하시오.

(2) $\mathrm{P}\!\left(0 \le X \le \dfrac{1}{2}\right)$을 구하시오.

날선 Guide

(1) $y = f(x)$의 그래프는 그림과 같고,
$f(x)$가 확률밀도함수이므로
$0 \le x \le 2$에서 $y = f(x)$의 그래프와 x축으로 둘러싸인
부분의 넓이가 1이다.
이를 이용하여 k의 값을 구한다.

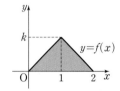

(2) $\mathrm{P}\!\left(0 \le X \le \dfrac{1}{2}\right)$은 $y = f(x)$의 그래프와

x축 및 직선 $x = \dfrac{1}{2}$로 둘러싸인 부분의 넓이이다.

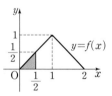

답 (1) 1 (2) $\dfrac{1}{8}$

날선 Point

$\alpha \le X \le \beta$에서 정의된 연속확률변수의 확률밀도함수가 $f(x)$일 때

• $y = f(x)$의 그래프와 x축 및 직선 $x = \alpha$, $x = \beta$로 둘러싸인 부분의 넓이가 1이다.

• $\mathrm{P}(a \le X \le b)$는 $y = f(x)$의 그래프와 x축 및 직선 $x = a$, $x = b$로 둘러싸인 부분의 넓이이다.

1-1 $0 \le X \le 3$에서 정의된 연속확률변수 X의 확률밀도함수 $y = f(x)$가 그림과 같을 때, k의 값을 구하시오.

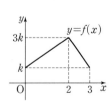

1-2 연속확률변수 X의 확률밀도함수 $f(x)$가 $f(x) = kx$ $(0 \le x \le 4)$일 때, $\mathrm{P}(2 \le X \le 4)$를 구하시오.

9-3 정규분포

> **1** 실수 전체의 집합에서 정의된 연속확률변수 X의 확률밀도함수가
>
> $$f(x) = \frac{1}{\sqrt{2\pi}\sigma}e^{-\frac{(x-m)^2}{2\sigma^2}}$$
>
> 일 때, X의 확률분포를 **정규분포**라 한다.
>
> 여기에서 m은 X의 평균, σ는 X의 표준편차이고
>
> e는 값이 $2.71828\cdots$인 무리수이다.
>
> **2** 평균이 m이고 표준편차가 σ인 정규분포를 $\mathrm{N}(m,\ \sigma^2)$으로 나타낸다.

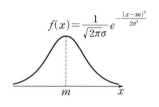

정규분포

자연 현상이나 사회 현상에서 얻는 통계 자료는 개수가 충분히 크고, 계급의 크기를 작게 하여 상대도수의 분포를 히스토그램으로 나타내면 그림과 같이 좌우 대칭인 종 모양의 곡선에 가까울 때가 많다. 이런 자료의 평균이 m, 표준편차가 σ이면 이 곡선은

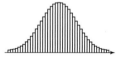

$$f(x) = \frac{1}{\sqrt{2\pi}\sigma}e^{-\frac{(x-m)^2}{2\sigma^2}} \qquad \cdots \ \text{⋺}$$

의 그래프에 근사한다는 것이 알려져 있다.

이와 같은 이유로 실수 전체의 집합에서 정의된 연속확률변수 X의 확률밀도함수가 ⋺일 때, X의 확률분포를 정규분포라 한다. 또 평균이 m이고 표준편차가 σ인 정규분포를 $\mathrm{N}(m,\ \sigma^2)$으로 나타내고, X는 정규분포 $\mathrm{N}(m,\ \sigma^2)$을 따른다고 한다.

정규분포 곡선의 성질

⋺의 그래프를 **정규분포곡선**이라 한다. 정규분포곡선의 성질은 다음과 같다.

(1) 직선 $x=m$에 대칭이고, 최댓값은 $f(m) = \dfrac{1}{\sqrt{2\pi}\sigma}$이다.

(2) 곡선과 x축 사이의 넓이는 1이다. ──→ 확률밀도함수의 성질

따라서 (1)에서 $\mathrm{P}(X \geq m) = \dfrac{1}{2}$, $\mathrm{P}(X \leq m) = \dfrac{1}{2}$이다.

(3) m의 값이 일정하면 σ의 값이 클수록 곡선의 높이는 낮아지고 옆으로 퍼진 모양이다.

(4) σ의 값이 일정할 때, m의 값이 변하면 대칭축의 위치는 변하지만 곡선의 모양은 변하지 않는다.

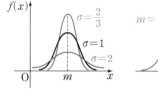 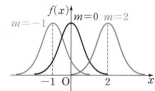

참고 표준편차 σ의 값이 커지면 자료가 넓게 분포하므로 $y=f(x)$의 그래프는 높이는 낮아지고 옆으로 퍼진다. 이때 퍼진 정도는 평균 m과 무관하다.

1 평균이 0, 표준편차가 1인 정규분포를 **표준정규분포**라 하고 $N(0, 1)$로 나타낸다.

2 확률변수 Z가 표준정규분포를 따를 때, Z의 확률밀도함수는

$$f(z) = \frac{1}{\sqrt{2\pi}} e^{-\frac{z^2}{2}}$$

이며, Z가 0 이상이고 a 이하일 확률

$P(0 \le Z \le a)$는 그림에서 색칠한 부분의 넓이와 같다.

표준정규분포표는 이 넓이를 계산한 표이다.

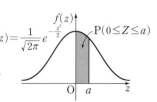

표준정규분포 평균이 0이고 표준편차가 1인 정규분포를 표준정규분포라 한다. 표준정규분포를 따르는 확률변수는 보통 Z로 나타내고, 확률밀도함수는 z로 나타낸다. 곧,

$$f(z) = \frac{1}{\sqrt{2\pi}} e^{-\frac{z^2}{2}}$$

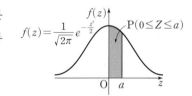

표준정규분포표 Z가 0 이상이고 a 이하일 확률 $P(0 \le Z \le a)$는 위의 그림에서 색칠한 부분의 넓이이다.

152쪽 표준정규분포표는 이 값을 계산한 표이다.

예를 들어 1.96에 해당하는 값은 0.4750이므로

$$P(0 \le Z \le 1.96) = 0.4750$$

z	0.00	$\cdots$	0.06	$\cdots$
$\vdots$				
1.9			.4750	
$\vdots$				

표준정규분포표에서 확률 구하기 곡선 $y = f(z)$는 직선 $z = 0$에 대칭이므로

$$P(Z \ge 0) = P(Z \le 0) = 0.5$$

이다. 따라서 표준정규분포표를 이용하여 확률을 구할 때에는 $P(0 \le Z \le a)$를 구하고, 다음 성질을 이용한다.

$P(-a \le Z \le 0)$
$= P(0 \le Z \le a)$

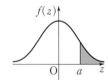

$P(Z \ge a)$
$= 0.5 - P(0 \le Z \le a)$
$\llcorner\!\!\rightarrow = P(Z \ge 0)$

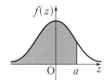

$P(Z \le a)$
$= 0.5 + P(0 \le Z \le a)$
$\llcorner\!\!\rightarrow = P(Z \le 0)$

▶ **개념 Check**

◆ 정답 및 풀이 **61**쪽

3 $P(0 \le Z \le 1.23) = 0.3907$임을 이용하여 다음을 구하시오.

(1) $P(-1.23 \le Z \le 1.23)$ (2) $P(Z \ge 1.23)$ (3) $P(Z \le 1.23)$

확률변수 X가 정규분포 $N(m, \sigma^2)$을 따를 때

(1) 확률변수 $Z = \dfrac{X-m}{\sigma}$은 표준정규분포 $N(0, 1)$을 따른다.

(2) $P(a \le X \le b) = P\left(\dfrac{a-m}{\sigma} \le Z \le \dfrac{b-m}{\sigma}\right)$

정규분포의 표준화

확률변수 X가 정규분포 $N(m, \sigma^2)$을 따른다고 하자. 확률변수 $Z = \dfrac{X-m}{\sigma}$이라 하면

$$E(Z) = E\left(\dfrac{X-m}{\sigma}\right) = \dfrac{E(X)-m}{\sigma} = 0 \quad \longrightarrow E(X) = m$$

$$V(Z) = V\left(\dfrac{X-m}{\sigma}\right) = \dfrac{V(X)}{\sigma^2} = 1 \quad \longrightarrow V(X) = \sigma^2$$

이므로 Z는 표준정규분포 $N(0, 1)$을 따른다.

이와 같이 정규분포 $N(m, \sigma^2)$을 따르는 확률변수 X를 표준정규분포 $N(0, 1)$을 따르는

$Z = \dfrac{X-m}{\sigma}$으로 바꾸는 것을 표준화라 한다.

표준화로 확률 구하기

예를 들어 X가 정규분포 $N(10, 2^2)$을 따를 때,
$P(8 \le X \le 12)$를 구해 보자.

$$Z = \dfrac{X-m}{\sigma} = \dfrac{X-10}{2}$$

에서 $X=8$일 때 $Z=-1$, $X=12$일 때 $Z=1$이므로

$$P(8 \le X \le 12) = P(-1 \le Z \le 1) = 2P(0 \le Z \le 1)$$

표준정규분포표에서 $P(0 \le Z \le 1) = 0.3413$이므로

$$P(8 \le X \le 12) = 2P(0 \le Z \le 1) = 0.6826$$

일반적으로 확률변수 X가 정규분포 $N(m, \sigma^2)$을 따를 때,

$$P(a \le X \le b) = P\left(\dfrac{a-m}{\sigma} \le Z \le \dfrac{b-m}{\sigma}\right)$$

임을 이용하여 확률을 구한다.

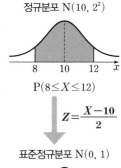

정규분포 $N(10, 2^2)$

$P(8 \le X \le 12)$

$Z = \dfrac{X-10}{2}$

표준정규분포 $N(0, 1)$

$P(-1 \le Z \le 1)$

$$X가\ 정규분포\ N(m, \sigma^2)을\ 따를\ 때 \Rightarrow Z = \dfrac{X-m}{\sigma}으로\ 고친다.$$

개념 Check

◆ 정답 및 풀이 **61**쪽

4 확률변수 X가 정규분포 $N(5, 1^2)$을 따를 때, 다음을 구하시오.
(단, $P(0 \le Z \le 1) = 0.3413$으로 계산한다.)

(1) $P(4 \le X \le 6)$ (2) $P(X \ge 6)$

확률변수 X가 정규분포 $N(70, 5^2)$을 따를 때, 오른쪽 표준정규분포
표를 이용하여 다음 물음에 답하시오.

z	$P(0 \leq Z \leq z)$
0.5	0.1915
1.0	0.3413
1.5	0.4332
2.0	0.4772

(1) $P(65 \leq X \leq 80)$을 구하시오.

(2) $P(X \leq 75)$를 구하시오.

(3) $P(X \geq a) = 0.3085$일 때, a의 값을 구하시오.

날선 Guide (1) $Z = \dfrac{X-m}{\sigma} = \dfrac{X-70}{5}$으로 표준화하면

$$P(65 \leq X \leq 80) = P(-1 \leq Z \leq 2)$$

따라서 그림에서 색칠한 부분의 넓이를 구한다.

그리고 곡선이 직선 $z=0$에 대칭이므로

$$P(-1 \leq Z \leq 0) = P(0 \leq Z \leq 1)$$

임을 이용한다.

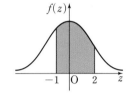

(2) 표준화하면

$$P(X \leq 75) = P(Z \leq 1)$$

따라서 그림에서 색칠한 부분의 넓이를 구한다.

이때에는 $P(Z \leq 0) = 0.5$임을 이용한다.

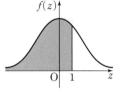

(3) $P(X \geq a) = P\left(Z \geq \dfrac{a-70}{5}\right)$

이므로 초록색 부분의 넓이가 0.3085이다.

따라서 빨간색 부분의 넓이가 $0.5 - 0.3085$임을 이용하여

$\dfrac{a-70}{5}$의 값부터 구한다.

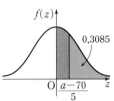

 (1) 0.8185 (2) 0.8413 (3) 72.5

날선 Point 확률변수 X가 정규분포 $N(m, \sigma^2)$을 따를 때 확률은

➡ $Z = \dfrac{X-m}{\sigma}$으로 표준화하고 표준정규분포표를 이용한다.

2-1 확률변수 X가 정규분포 $N(40, 6^2)$을 따를 때, **Q2**의 표준정규분포표를 이용하여 다음을 구하
시오.

(1) $P(31 \leq X \leq 46)$　　　　(2) $P(X \leq 37)$　　　　(3) $P(X \leq 52)$

2-2 확률변수 X가 정규분포 $N(20, 4^2)$을 따른다. $P(12 \leq X \leq a) = 0.9104$일 때, **Q2**의 표준정
규분포표를 이용하여 a의 값을 구하시오.

정규분포의 활용 (1)

◆ 정답 및 풀이 **62**쪽

어떤 공장에서 생산하는 과자 무게는 평균이 18 g, 표준편차가 0.2 g 인 정규분포를 따른다고 한다. 오른쪽 표준정규분포표를 이용하여 다음 물음에 답하시오.

(1) 과자 무게가 17.8 g 이상이고 18.4 g 이하일 확률을 구하시오.

(2) 과자 무게가 17.5 g 이하이면 불량품으로 판정할 때, 임의로 뽑은 과자 10000개 중 불량품으로 예상되는 과자의 개수를 구하시오.

z	$P(0 \le Z \le z)$
0.5	0.1915
1.0	0.3413
1.5	0.4332
2.0	0.4772
2.5	0.4938

날선 Guide (1) 과자 무게를 확률변수 X라 하면 X는 정규분포 $N(18, 0.2^2)$을 따른다.

$P(17.8 \le X \le 18.4)$이므로 오른쪽 그림에서 색칠한 부분의 넓이를 구하는 문제이다.

따라서 $Z = \dfrac{X-m}{\sigma} = \dfrac{X-18}{0.2}$로 표준화한 다음,

표준정규분포표를 이용하여 넓이를 구한다.

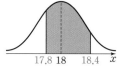

(2) 불량품의 개수는

$$10000 \times (불량품일 \ 확률)$$

이므로 불량품일 확률 $P(X \le 17.5)$부터 알아야 한다.

따라서 $Z = \dfrac{X-18}{0.2}$로 표준화하여 구한다.

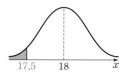

답 (1) 0.8185 (2) 62

 날선 Point 확률변수 X가 정규분포 $N(m, \sigma^2)$을 따를 때

❶ $Z = \dfrac{X-m}{\sigma}$으로 표준화하여 확률을 계산한다.

❷ 개수는 (전체 개수) × (확률)로 구한다.

3-1 어떤 도시의 성인 2000명의 몸무게는 평균이 61 kg, 표준편차가 12 kg인 정규분포를 따른다고 한다. **Q3**의 표준정규분포표를 이용하여 다음 물음에 답하시오.

(1) 이 도시 성인의 몸무게가 55 kg 이하일 확률을 구하시오.

(2) 몸무게가 49 kg 이상이고 79 kg 이하인 성인의 수를 구하시오.

3-2 누리가 등교하는 데 걸리는 시간은 평균 30분, 표준편차가 5분인 정규분포를 따른다고 한다. 학교 등교 시각은 8시까지이고 집에서 출발한 시각이 7시 40분일 때, 누리가 지각하지 않을 확률을 **Q3**의 표준정규분포표를 이용하여 구하시오.

어느 대학의 입학 시험에 1000명이 응시하였고, 응시생의 점수는 평균이 156점, 표준편차가 20점인 정규분포를 따른다고 한다. 시험 점수가 높은 순으로 200명이 합격할 때, 오른쪽 표준정규분포표를 이용하여 다음 물음에 답하시오.

z	$P(0 \leq Z \leq z)$
0.84	0.30
0.96	0.33
1.08	0.36
1.20	0.38
1.50	0.43

(1) 점수가 180점인 학생은 몇 등이라 할 수 있는지 구하시오.

(2) 입학 시험에 합격하기 위한 최저 점수를 구하시오.

날선 Guide (1) 응시생의 점수를 확률변수 X라 하면 X는 정규분포 $N(156, 20^2)$을 따른다.

180점 이상인 학생의 비율은 확률 $P(X \geq 180)$이라 생각할 수 있다.

따라서 점수가 180점 이상인 학생 수는

$$1000 \times P(X \geq 180)$$

이다. 이때 $P(X \geq 180)$은

$$Z = \frac{X - m}{\sigma} = \frac{X - 156}{20}$$

으로 표준화하여 구한다.

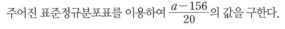

(2) 응시생 1000명 중 200명을 모집하므로 합격률은

$\frac{200}{1000} = 0.2$이고 합격 최저 점수를 a라 하면

$$P(X \geq a) = 0.2$$

표준화하면 $P\left(Z \geq \frac{a - 156}{20}\right) = 0.2$이므로

주어진 표준정규분포표를 이용하여 $\frac{a - 156}{20}$의 값을 구한다.

답 (1) 120등 (2) 172.8점

날선 Point 확률변수 X가 정규분포 $N(m, \sigma^2)$을 따를 때

❶ X는 $Z = \frac{X - m}{\sigma}$으로 표준화하여 확률을 계산한다.

❷ 순서, 최댓값, 최솟값 등의 확률은 비율로 구할 수 있다.

4-1 500명이 응시한 어떤 수학능력시험 모의고사에서 수학 영역 점수는 평균이 65점, 표준편차가 10점인 정규분포를 따른다고 한다. **Q4**의 표준정규분포표를 이용하여 다음 물음에 답하시오.

(1) 점수가 80점 이상인 학생 수를 구하시오.

(2) 85등인 학생의 점수를 구하시오.

확률변수 X, Y는 각각 정규분포 $N(m, \sigma_1^2)$, $N(m, \sigma_2^2)$을 따른다. X, Y의 확률밀도함수가 각각 $f(x)$, $g(x)$이고 $P(X \geq 2m) = P(Y \geq 3m)$일 때, 보기에서 옳은 것만을 있는 대로 고른 것은? (단, $m \neq 0$)

┤ 보기 ├

ㄱ. $\sigma_2 = 2\sigma_1$ ㄴ. $f(m) > g(m)$ ㄷ. $P(X \leq 0) + P(Y \geq 0) = 1$

① ㄱ   ② ㄴ   ③ ㄱ, ㄴ   ④ ㄴ, ㄷ   ⑤ ㄱ, ㄴ, ㄷ

날선 Guide ㄱ. X, Y를 각각 표준화하면

$$P(X \geq 2m) = P\left(Z \geq \frac{m}{\sigma_1}\right)$$

$$P(Y \geq 3m) = P\left(Z \geq \frac{2m}{\sigma_2}\right)$$

따라서 조건에서 $\dfrac{m}{\sigma_1} = \dfrac{2m}{\sigma_2}$이다.

ㄴ. 평균이 m이므로 두 곡선 $f(x)$, $g(x)$는 그림과 같이 직선 $x = m$에 대칭이다. 그리고 σ_1, σ_2의 크기를 생각하면 곡선의 퍼진 정도를 정할 수 있다.

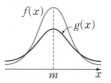

ㄷ. $P(X \leq 0) = P\left(Z \leq -\dfrac{m}{\sigma_1}\right)$,

$P(Y \geq 0) = P\left(Z \geq -\dfrac{m}{\sigma_2}\right)$

이므로 색칠한 부분의 넓이의 합을 생각한다.

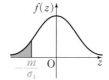 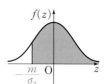

답 ③

날선 Point

• 정규분포곡선 ➡ 직선 $x = m$에 대칭이고, $x = m$에서 최대이다.

• 정규분포의 확률 ➡ $Z = \dfrac{X - m}{\sigma}$으로 표준화하여 표준정규분포곡선에서 비교한다.

5-1 확률변수 X, Y는 각각 정규분포 $N(0, \sigma^2)$, $N\left(0, \dfrac{\sigma^2}{4}\right)$을 따른다. a, b가 양수이고

$P(|X| \leq a) = P(|Y| \leq b)$일 때, 다음 물음에 답하시오.

(1) a, b 사이의 관계식을 구하시오.

(2) $P\left(Z \geq \dfrac{2b}{\sigma}\right) = 0.3$일 때, $P\left(Y \leq \dfrac{a}{2}\right)$를 구하시오.

이항분포와 정규분포

확률변수 X가 이항분포 $\mathrm{B}(n,\ p)$를 따르고 n이 충분히 크면
X는 근사적으로 정규분포 $\mathrm{N}(np,\ npq)$를 따른다. (단, $q=1-p$)

이항분포 ●

주사위 한 개를 n번 던져 1의 눈이 나오는 횟수를 확률변수 X라 하면

X는 이항분포 $\mathrm{B}\left(n,\ \dfrac{1}{6}\right)$을 따른다.

$n=10,\ 20,\ 30,\ 40,\ 50$일 때, 이항분포

$\mathrm{B}\left(n,\ \dfrac{1}{6}\right)$을 따르는 X의 확률질량함수의

그래프는 그림과 같이 n이 커짐에 따라 정규
분포곡선에 가까워진다는 것을 알 수 있다.

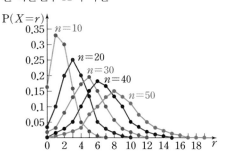

예를 들어 $n=180$일 때 이항분포 $\mathrm{B}\left(180,\ \dfrac{1}{6}\right)$의 평균과 분산은

$$\mathrm{E}(X)=180\times\dfrac{1}{6}=30,\ \mathrm{V}(X)=180\times\dfrac{1}{6}\times\dfrac{5}{6}=25$$

따라서 이항분포 $\mathrm{B}\left(180,\ \dfrac{1}{6}\right)$의 곡선은 정규분포 $\mathrm{N}(30,\ 5^2)$의 확률밀도함수의 그래프와 거

의 같다.

또 X가 이항분포 $\mathrm{B}\left(180,\ \dfrac{1}{6}\right)$을 따를 때,

$30\le X\le40$일 확률은

$$\mathrm{P}(30\le X\le40)=\mathrm{P}\left(\dfrac{30-30}{5}\le Z\le\dfrac{40-30}{5}\right)$$

$$=\mathrm{P}(0\le Z\le2)=0.4772$$

와 같이 표준정규분포표를 이용하여 구할 수 있다.

z	0.00	$\cdots$
$\vdots$		
2.0	.4772	
$\vdots$		

이항분포와
정규분포

이와 같이 확률변수 X가 이항분포 $\mathrm{B}(n,\ p)$를 따르고 n이 충분히 크면

X는 근사적으로 정규분포 $\mathrm{N}(np,\ npq)$를 따른다는 것을 이용하여 X의 확률을 구한다.

보통 $np\ge5$, $nq\ge5$이면 n은 충분히 크다고 할 수 있다.

개념 Check

◆ 정답 및 풀이 **64**쪽

5 확률변수 X가 다음 이항분포를 따를 때, X가 근사적으로 따르는 정규분포를 기호로 나타
내시오.

(1) $\mathrm{B}\left(100,\ \dfrac{1}{2}\right)$

(2) $\mathrm{B}\left(7200,\ \dfrac{1}{3}\right)$

대표 **Q6** 이항분포를 정규분포로 근사하여 풀기

어느 해운회사의 데이터에 의하면 A 코스 유람선을 예약한 고객이 10명 중 8명의 비율로 승선한다고 한다. 정원이 340명인 여객선의 예약 고객이 400명일 때, 오른쪽 표준정규분포표를 이용하여 다음 물음에 답하시오.

z	$P(0 \leq Z \leq z)$
0.5	0.19
1.0	0.34
1.5	0.43
2.0	0.48
2.5	0.49

(1) 승선하는 사람이 312명 이하일 확률을 구하시오.

(2) 정원을 초과하지 않을 확률을 구하시오.

날선 Guide (1) 예약한 고객이 승선할 확률은 $\dfrac{8}{10}=\dfrac{4}{5}$이므로

예약한 고객 중 승선하는 사람 수를 확률변수 X라 하면 X는 이항분포 $B\left(400, \dfrac{4}{5}\right)$를 따른다.

$$E(X)=400 \times \frac{4}{5}=320$$

$$V(X)=400 \times \frac{4}{5} \times \frac{1}{5}=64$$

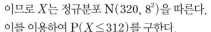

이므로 X는 정규분포 $N(320, 8^2)$을 따른다.

이를 이용하여 $P(X \leq 312)$를 구한다.

(2) 정원을 초과하지 않을 확률이므로

$$P(X \leq 340)$$

을 구한다.

답 (1) 0.16 (2) 0.99

날선 Point 확률변수 X가 이항분포 $B(n, p)$를 따를 때

❶ X를 정규분포 $N(np, npq)$에 근사한다. (단, $q=1-p$)

❷ X를 $Z=\dfrac{X-m}{\sigma}$으로 표준화하고 확률을 구한다.

6-1 서브 성공률이 80 %인 어느 테니스 선수가 서브를 100번 할 때, 90번 이상 성공할 확률을 **Q6**의 표준정규분포표를 이용하여 구하시오.

6-2 한 개의 동전을 400번 던질 때, 앞면이 나오는 횟수를 확률변수 X라 하자. $P(X \leq k)=0.98$을 만족시키는 k의 값을 **Q6**의 표준정규분포표를 이용하여 구하시오.

대표 Q7 정규분포에서 이항분포의 확률 구하기

◆ 정답 및 풀이 **65**쪽

어느 과수원에서 수확하는 사과의 무게는 평균이 $400\,g$, 표준편차가 $50\,g$인 정규분포를 따른다고 한다. 이 사과 중 무게가 $442\,g$ 이상인 것을 '특대' 등급으로 정한다. 이 과수원에서 수확한 사과 100개를 임의로 선택할 때, '특대' 등급 상품이 24개 이상일 확률을 오른쪽 표준정규분포표를 이용하여 구하시오.

z	$P(0 \le Z \le z)$
0.64	0.24
0.84	0.30
1.00	0.34
2.00	0.48

날선 Guide 사과 100개 중 '특대' 등급 사과가 24개 이상일 확률을 구하는 문제이다. 따라서 다음과 같이 두 단계로 나누어 생각한다.

(i) 사과가 '특대' 등급일 확률

사과의 무게를 확률변수 X라 하면 X는 정규분포 $N(400, 50^2)$을 따르므로 무게가 $442\,g$ 이상일 확률은

$$P(X \ge 442) = P\left(Z \ge \frac{442-400}{50}\right)$$
$$= P(Z \ge 0.84)$$
$$= 0.5 - P(0 \le Z \le 0.84)$$
$$= 0.2$$

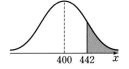

(ii) 100개 중 '특대' 등급 상품이 24개 이상일 확률

100개 중 '특대' 등급 상품의 개수를 확률변수 Y라 하면 Y는 이항분포 $B(100, 0.2)$를 따른다.

$$E(Y) = 100 \times 0.2$$
$$V(Y) = 100 \times 0.2 \times 0.8$$

인 정규분포를 따르므로 $P(Y \ge 24)$를 구할 수 있다.

답 0.16

날선 Point 확률변수 X가 정규분포를 따를 때, n개 중 조건 A를 만족시키는 것의 개수에 대한 문제

❶ X를 표준화하여 조건 A를 만족시킬 확률 p를 구한다.

❷ 조건 A를 만족시키는 것의 개수는 이항분포 $B(n, p)$를 따른다.

7-1 어느 공장에서 생산하는 제품의 무게는 평균이 $180\,g$, 표준편차가 $8\,g$인 정규분포를 따른다고 한다. 이 공장에서는 제품의 무게가 $164\,g$ 이하이면 불량품으로 판정한다. 하루에 생산되는 제품이 2500개일 때, 불량품이 64개 이하일 확률을 **Q7**의 표준정규분포표를 이용하여 구하시오.

9 정규분포

01 $0 \le X \le 4$에서 정의된 연속확률변수 X의 확률밀도함수가 $f(x) = k|x-2|$일 때, 다음 물음에 답하시오.

(1) k의 값을 구하시오.

(2) $P(X \le 3)$을 구하시오.

02 확률변수 X가 정규분포 $N(8, 2^2)$을 따를 때, $P(7 \le X \le 10)$은?

① 0.5328   ② 0.6247   ③ 0.6687

④ 0.7745   ⑤ 0.8185

z	$P(0 \le Z \le z)$
0.5	0.1915
1.0	0.3413
1.5	0.4332
2.0	0.4772

03 확률변수 X가 정규분포 $N(m, 2^2)$을 따르고 $P(X \le 15) = P(X \ge 27)$일 때, $P(X \ge 24)$를 구하시오.

z	$P(0 \le Z \le z)$
0.5	0.1915
1.0	0.3413
1.5	0.4332
2.0	0.4772

04 어느 농장에서 판매하는 파프리카 한 상자의 무게는 평균이 1.5 kg, 표준편차가 0.2 kg인 정규분포를 따른다고 한다. 이 농장에서 판매하는 파프리카 중 임의로 선택한 한 상자의 무게가 1.3 kg 이상이고 1.8 kg 이하일 확률은?

z	$P(0 \le Z \le z)$
1.00	0.3413
1.25	0.3944
1.50	0.4332
1.75	0.4599

① 0.8543   ② 0.8012   ③ 0.7745   ④ 0.7357   ⑤ 0.6826

05 발아율이 75 %인 어떤 씨앗을 1200개 뿌렸을 때, 발아한 씨앗이 945개 이상일 확률을 구하시오.

z	$P(0 \leq Z \leq z)$
1.0	0.3413
2.0	0.4772
3.0	0.4987

06 어떤 동물의 특정 자극에 대한 반응 시간은 평균이 m초, 표준편차가 1초인 정규분포를 따른다고 한다. 반응 시간이 2.93초 미만일 확률이 0.1003일 때, m의 값을 구하시오.

z	$P(0 \leq Z \leq z)$
0.91	0.3186
1.28	0.3997
1.65	0.4505
2.02	0.4783

07 3학년 학생 수가 각각 300명인 세 고등학교 A, B, C의 3학년 학생의 기말고사 수학 성적 분포가 각각 정규분포를 따르고 그 정규분포곡선이 그림과 같을 때, **보기**에서 옳은 것만을 있는 대로 고른 것은?

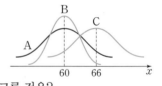

┌ 보기 ├

ㄱ. 성적이 우수한 학생들은 A 학교보다 C 학교에 더 많이 있다.

ㄴ. B 학교 학생들은 평균적으로 A 학교 학생들보다 성적이 더 우수하다.

ㄷ. C 학교 학생들보다 B 학교 학생들의 성적이 더 고른 편이다.

① ㄱ   ② ㄱ, ㄴ   ③ ㄱ, ㄷ   ④ ㄴ, ㄷ   ⑤ ㄱ, ㄴ, ㄷ

(↔) 수능 기출

08 연속확률변수 X가 갖는 값의 범위는 $0 \leq X \leq 2$이고 X의 확률밀도함수의 그래프가 그림과 같을 때, $P\left(\dfrac{1}{3} \leq X \leq a\right)$는?

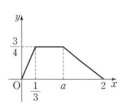

① $\dfrac{11}{16}$ ② $\dfrac{5}{8}$ ③ $\dfrac{9}{16}$

④ $\dfrac{1}{2}$ ⑤ $\dfrac{7}{16}$

09 확률변수 X가 정규분포 $N(50, 3^2)$을 따를 때, $P(X \geq a) = 0.0228$을 만족시키는 a의 값을 구하시오. (단, 정규분포 $N(m, \sigma^2)$을 따르는 확률변수 X의 확률 $P(m \leq X \leq x)$는 오른쪽 표와 같다.)

x	$P(m \leq X \leq x)$
$m+0.5\sigma$	0.1915
$m+\sigma$	0.3413
$m+1.5\sigma$	0.4332
$m+2\sigma$	0.4772

🔄 **수능 기출**

10 확률변수 X가 평균이 m, 표준편차가 σ인 정규분포를 따르고 $P(X \leq 3) = P(3 \leq X \leq 80) = 0.3$일 때, $m + \sigma$의 값을 구하시오. (단, Z가 표준정규분포를 따르는 확률변수일 때, $P(0 \leq Z \leq 0.25) = 0.1$, $P(0 \leq Z \leq 0.52) = 0.2$로 계산한다.)

11 신입 사원을 모집하는 A 회사에 2000명이 지원하여 입사 시험을 치뤘고, 지원자들의 점수는 평균이 640점, 표준편차가 80점인 정규분포를 따른다고 한다. 시험 점수가 높은 순으로 134명이 합격할 때, 입사 시험에 합격하기 위한 최저 점수를 구하시오.

z	$P(0 \leq Z \leq z)$
1.0	0.341
1.5	0.433
2.0	0.477
2.5	0.494

🔍 **평가원 기출**

12 두 연속확률변수 X와 Y는 각각 정규분포 $N(50, \sigma^2)$, $N(65, 4\sigma^2)$을 따른다. $P(X \geq k) = P(Y \leq k) = 0.1056$일 때, k, σ의 값을 구하시오. (단, $\sigma > 0$)

z	$P(0 \leq Z \leq z)$
1.25	0.3944
1.50	0.4332
1.75	0.4599
2.00	0.4772

13 미나는 수능 시험에서 과학 탐구 과목을 선택하려 한다. 그동안 학교에서 시험 본 과

	물리	화학	생명과학	지구과학
평균	60	65	70	55
표준편차	3	4	2	5
성적	65	75	73	65

학 네 과목의 평균과 표준편차, 미나의 성적이 표와 같다. 네 과목 중 상대적으로 성적이 높은 두 과목을 수능 시험에서 선택한다고 할 때, 선택하는 두 과목을 구하시오.

(대표) 교육청 기출

14 $_{400}\text{C}_{351}\left(\dfrac{9}{10}\right)^{351}\left(\dfrac{1}{10}\right)^{49}+_{400}\text{C}_{352}\left(\dfrac{9}{10}\right)^{352}\left(\dfrac{1}{10}\right)^{48}$

$+\cdots+_{400}\text{C}_{369}\left(\dfrac{9}{10}\right)^{369}\left(\dfrac{1}{10}\right)^{31}$

의 값을 구하시오.

z	$P(0\leq Z\leq z)$
0.5	0.1915
1.0	0.3413
1.5	0.4332
2.0	0.4772

수능 기출

15 다음은 어느 백화점에서 판매하고 있는 등산화에 대한 제조회사별 고객의 선호도를 조사한 표이다.

제조 회사	A	B	C	D	합계
선호도(%)	20	28	25	27	100

192명의 고객이 각각 한 켤레씩 등산화를 산다고 할 때, C 회사 제품을 선택할 고객이 42명 이상일 확률을 구하시오.

z	$P(0\leq Z\leq z)$
0.5	0.1915
1.0	0.3413
1.5	0.4332
2.0	0.4772

수능 기출

16 어느 회사 직원들의 어느 날의 출근 시간은 평균이 66.4분, 표준편차가 15분인 정규분포를 따른다고 한다. 이 날 출근 시간이 73분 이상인 직원들 중에서 40 %, 73분 미만인 직원들 중에서 20 %가 지하철을 이용하였고, 나머지 직원들은 다른 교통수단을 이용하였다. 이 날 출근한 이 회사 직원들 중 임의로 선택한 1명이 지하철을 이용하였을 확률은? (단, Z가 표준정규분포를 따르는 확률변수일 때, $P(0\leq Z\leq 0.44)=0.17$로 계산한다.)

① 0.266　　② 0.276　　③ 0.286　　④ 0.296　　⑤ 0.306

정답 개수 : ／16　　오답 번호 **Check** :　　　　　　　　　　　　월　　일

통계를 낼 때 가장 정확한 방법은 모든 대상을 일일이 다 조사하는 것이겠지만 현실적으로 어려울 때가 많다. 이럴 때 전체 집단(모집단)을 대표하는 특정 집단을 선택해서 조사하게 되는데, 이 특정 집단을 표본이라 한다.

이 단원에서는 통계적 추정의 기초가 되는 모집단과 표본에 대해 알아보자. 또 신뢰도와 신뢰구간을 이해하고, 이를 활용하여 모평균을 추정하는 방법을 알아보자.

통계적 추정

1 모집단과 표본

(1) 통계 조사의 대상이 되는 집단 전체를 **모집단**이라 하고,
  조사를 위해 모집단에서 뽑은 일부를 **표본**, 표본의 개수를 표본의 크기라 한다.
  그리고 모집단에서 표본을 뽑는 것을 **추출**이라 한다.

(2) 모집단 전체를 조사하는 것을 **전수조사**라 하고, 모집단에서 표본을 추출하여 조사
  하는 것을 **표본조사**라 한다.

2 표본의 추출

(1) 표본을 추출할 때 통계 조사자의 주관을 배제하고 모집단의 각 대상이 같은 확률
  로 추출되도록 하는 것을 **임의추출**이라 한다.

(2) 뽑은 표본을 다시 뽑는 것을 **복원추출**, 뽑은 표본을 다시 뽑지 않는 것을 **비복원
  추출**이라 한다.

모집단과 표본 ● 어떤 회사에서 생산되는 건전지의 수명을 조사한다고 하자.

생산되는 모든 건전지는 모집단이다. 그런데 모든 건전지의 수명을 조사하면 제품으로 판매
할 수 있는 것이 없다. 이 경우에 일부만 뽑아 수명을 조사한 다음, 전체 건전지의 수명을 추
측하는 것이 합리적이다.

이때 조사하기 위해 뽑은 일부 건전지를 표본이라 하고, 일부 건전지를 뽑는 것을 추출이라
한다. 이와 같이 집단 전체에서 표본을 추출하여 조사하는 것을 표본조사라 한다.

이 단원에서는 표본조사의 결과로 모집단의 성질을 추정하는 방법을 공부한다.

임의추출 ● 표본을 뽑을 때에는 통계 조사자의 주관을 배제하고 모집단의 각 대상이 같은 확률로 추출되
어야 한다. 이와 같이 표본을 추출하는 것을 임의추출이라 한다. 표본을 임의추출할 때에는
난수표, 제비뽑기, 난수 주사위, 컴퓨터 프로그램 등을 이용한다.

그리고 뽑은 표본을 다시 뽑는 것을 복원추출, 뽑은 표본을 다시 뽑지 않는 것을 비복원추출
이라 한다.

개념 Check

◆ 정답 및 풀이 **70**쪽

1 다음 중 표본조사가 적합한 것을 모두 고르면?

① 전구의 평균 수명 조사　　　　② 우리나라 총인구 조사

③ TV 드라마의 시청률 조사　　　④ 병역 의무자의 징병 검사

⑤ 선거 여론 조사

10-2 모평균과 표본평균

1 모집단에서 조사하고자 하는 특성을 나타내는 확률변수를 X라 할 때,

X의 평균, 분산, 표준편차를 **모평균**, **모분산**, **모표준편차**라 하고,

각각 m, σ^2, σ로 나타낸다.

2 크기가 n인 표본 X_1, X_2, $\cdots$, X_n의 평균, 분산, 표준편차는 각각 $\overline{X}$, S^2, S로 나타내고

$$\overline{X} = \frac{1}{n}(X_1 + X_2 + \cdots + X_n)$$

$$S^2 = \frac{1}{n-1}\{(X_1 - \overline{X})^2 + (X_2 - \overline{X})^2 + \cdots + (X_n - \overline{X})^2\}$$

$$S = \sqrt{S^2}$$

으로 계산한다. 이때 $\overline{X}$, S^2, S를 각각 **표본평균**, **표본분산**, **표본표준편차**라 한다.

모평균, 모분산, 모표준편차

1부터 10까지의 자연수가 하나씩 적힌 공 10개가 들어 있는 주머니를 모집단이라 하자.

공에 적힌 수를 확률변수라 할 때, 모든 공에 적힌 수의 평균 m을 모평균, 분산 σ^2을 모분산, 표준편차 σ를 모표준편차라 한다.

표본평균, 표본분산, 표본표준편차

이 주머니에서 임의추출하여 공을 3개 꺼낼 때, 꺼낸 공의 수가 2, 7, 9이면 2, 7, 9는 크기가 3인 표본이다. 이 표본의 평균을 $\overline{X}$, 분산을 S^2, 표준편차를 S라 하면

$$\overline{X} = \frac{1}{3}(2+7+9) = 6$$

$$S^2 = \frac{1}{3-1}\{(2-6)^2 + (7-6)^2 + (9-6)^2\} = 13$$

$$S = \sqrt{13}$$

이다. 여기에서 분산 S^2을 구할 때 3이 아닌 2로 나눈다는 것에 주의해야 한다.

또 표본이 2, 6, 8이면 표본평균, 표본분산, 표본표준편차는

$$\overline{X} = \frac{16}{3}, \ S^2 = \frac{84}{9}, \ S = \frac{2\sqrt{21}}{3}$$

이다. 이와 같이 모집단의 평균과 표준편차는 일정하지만 표본평균, 표본표준편차는 추출한 표본에 따라 다를 수 있다.

앞으로는 모평균과 표본평균의 관계에 대해서 공부한다.

개념 Check

◆ 정답 및 풀이 **70**쪽

2 위의 예에서 임의추출하여 뽑은 공에 적힌 수가 3, 3, 7일 때, 표본평균과 표본분산을 구하시오.

모평균이 m, 모표준편차가 σ인 모집단에서 크기가 n인 표본을 임의추출할 때

1 표본평균 $\overline{X}$의 평균, 분산, 표준편차

$$\mathrm{E}(\overline{X})=m,\ \mathrm{V}(\overline{X})=\frac{\sigma^2}{n},\ \sigma(\overline{X})=\frac{\sigma}{\sqrt{n}}$$

2 표본평균 $\overline{X}$의 확률분포

모집단이 정규분포 $\mathrm{N}(m,\sigma^2)$을 따르면 $\overline{X}$는 정규분포 $\mathrm{N}\!\left(m,\dfrac{\sigma^2}{n}\right)$을 따른다.

또 모집단이 정규분포를 따르지 않을 때에도 n이 충분히 크면 $\overline{X}$는 근사적으로 정규분포를 따른다.

표본평균의
평균, 분산,
표준편차

앞에서 1부터 10까지의 자연수가 하나씩 적힌 공 10개가 들어 있는 주머니를 모집단이라 하고, 크기가 3인 표본을 생각하였다. 이 모집단의 평균을 m, 표준편차를 σ라 하자.

뽑은 공을 다시 넣는 복원추출을 생각하면 공을 3개 뽑는 경우의 수는 $10\times10\times10=1000$이므로 크기가 3인 표본은 모두 1000개를 생각할 수 있다.

그리고 1000개의 표본마다 표본평균을 구해 $\overline{X_1},\ \overline{X_2},\ \overline{X_3},\ \cdots,\ \overline{X_{1000}}$이라 하자.

이때 표본평균의 평균이 변수인 확률변수 $\overline{X}$를 생각하면

$\mathrm{E}(\overline{X})$와 $\mathrm{V}(\overline{X})$는 $\overline{X_1},\ \overline{X_2},\ \overline{X_3},\ \cdots,\ \overline{X_{1000}}$의 평균과 분산이다. 그리고

$$\mathrm{E}(\overline{X})=m,\ \mathrm{V}(\overline{X})=\frac{\sigma^2}{3},\ \sigma(\overline{X})=\frac{\sigma}{\sqrt{3}}$$

임이 알려져 있다. 이때 $\mathrm{E}(\overline{X})$는 어떤 특정한 표본의 평균이 아니라 모든 표본평균의 평균이다.

표본평균의
확률분포

특히, 모집단이 정규분포를 따르거나 표본의 크기 n이 충분히 크면

$\overline{X}$의 평균이 m, 표준편차가 $\dfrac{\sigma}{\sqrt{n}}$일 뿐만 아니라 $\overline{X}$의 분포가 정규분포라는 것도 알려져 있다.

곧, 모집단이 정규분포 $\mathrm{N}(m,\sigma^2)$을 따르면 $\overline{X}$의 평균이 m, 표준편차가 $\dfrac{\sigma}{\sqrt{n}}$이고

$\overline{X}$의 확률분포가 정규분포이다.

예를 들어 정규분포 $\mathrm{N}(20,2^2)$을 따르는 모집단에서 크기가 25인 표본을 임의추출하면

표본평균 $\overline{X}$는 정규분포 $\mathrm{N}\!\left(20,\dfrac{2^2}{25}\right)$을 따른다.

개념 Check

◆ 정답 및 풀이 **70**쪽

3 평균이 100, 표준편차가 3인 모집단에서 크기가 36인 표본을 임의추출할 때, 표본평균 $\overline{X}$의 평균과 표준편차를 구하시오.

대표 Q1 표본평균의 평균, 분산, 표준편차

주머니에 1, 3, 5, 7이 하나씩 적힌 공 4개가 들어 있다. 공을 한 개 꺼내고 적힌 수를 확인한 다음 다시 넣는 시행을 두 번 했을 때 나온 두 수의 평균을 $\overline{X}$라 하자. $E(\overline{X})$와 $V(\overline{X})$를 구하시오.

낱선 Guide 꺼낸 공을 다시 넣으므로 $\overline{X}$는
모집단 1, 3, 5, 7에서 크기가 2인 표본을 복원추출할 때,
표본평균이 변수인 확률변수이다.
모집단 1, 3, 5, 7의 평균 m과 분산 σ^2을 구한 다음

$$E(\overline{X}) = m, \quad V(\overline{X}) = \frac{\sigma^2}{n}$$

을 이용한다.

참고 처음 꺼낸 공에 적힌 수를 X_1, 두 번째 꺼낸 공에 적힌 수를 X_2라 하면 가능한 경우의 수는 16가지이다.
또 표본평균 $\overline{X} = \dfrac{X_1 + X_2}{2}$를 구하면 오른쪽 표와 같으므로 확률변수 $\overline{X}$의 확률분포는 아래 표와 같다.

X_2＼X_1	1	3	5	7
1	1	2	3	4
3	2	3	4	5
5	3	4	5	6
7	4	5	6	7

$\overline{X}$	1	2	3	4	5	6	7	합계
$P(\overline{X}=\overline{x})$	$\frac{1}{16}$	$\frac{2}{16}$	$\frac{3}{16}$	$\frac{4}{16}$	$\frac{3}{16}$	$\frac{2}{16}$	$\frac{1}{16}$	1

이 분포의 평균과 표준편차를 직접 구하면

$$E(\overline{X}) = 1 \times \frac{1}{16} + 2 \times \frac{2}{16} + 3 \times \frac{3}{16} + 4 \times \frac{4}{16} + 5 \times \frac{3}{16} + 6 \times \frac{2}{16} + 7 \times \frac{1}{16} = 4$$

$$V(\overline{X}) = 1^2 \times \frac{1}{16} + 2^2 \times \frac{2}{16} + 3^2 \times \frac{3}{16} + 4^2 \times \frac{4}{16} + 5^2 \times \frac{3}{16} + 6^2 \times \frac{2}{16} + 7^2 \times \frac{1}{16} - 4^2$$

$$= \frac{5}{2}$$

답 $E(\overline{X}) = 4, \ V(\overline{X}) = \dfrac{5}{2}$

낱선 Point 모집단의 평균이 m, 표준편차가 σ일 때, 표본의 크기가 n이면

$$E(\overline{X}) = m, \quad V(\overline{X}) = \frac{\sigma^2}{n}, \quad \sigma(\overline{X}) = \frac{\sigma}{\sqrt{n}}$$

1-1 주머니에 1부터 5까지의 자연수가 하나씩 적힌 공 5개가 들어 있다. 이 주머니에서 크기가 3인 표본을 복원추출할 때 나온 세 수의 평균을 $\overline{X}$라 하자. $\overline{X}$의 평균, 표준편차를 구하시오.

z	$P(0 \le Z \le z)$
0.5	0.1915
1.0	0.3413
1.5	0.4332
2.0	0.4772
2.5	0.4938

어느 생수 회사에서 생산하는 생수 1병의 무게는 평균이 500 g, 표준편차가 10 g인 정규분포를 따른다고 한다. 오른쪽 표준정규분포표를 이용하여 다음 물음에 답하시오.

(1) 이 회사에서 생산된 생수 중 16병을 임의추출하여 측정한 무게의 평균이 497.5 g 이상 505 g 이하일 확률을 구하시오.

(2) 생수 4병을 한 세트로 판매할 때, 임의추출한 한 세트의 무게가 2030 g 이상일 확률을 구하시오.

 낱선 Guide (1) 생수 16병 무게의 표본평균을 $\overline{X}$라 하면 크기가 16인 표본이므로

$\overline{X}$는 평균이 500, 표준편차가 $\dfrac{10}{\sqrt{16}} = 2.5$인 정규분포를 따른다.

따라서 확률변수 $Z = \dfrac{\overline{X}-500}{2.5}$으로 표준화하여 $P(497.5 \le \overline{X} \le 505)$를 구한다.

(2) 4병이 한 세트이므로 크기가 4인 표본이라 생각하면

무게가 2030 g인 세트는 평균이 $\dfrac{2030}{4} = 507.5\,(g)$인 표본이라 생각할 수 있다.

한 세트 무게의 평균을 $\overline{Y}$라 하면 $\overline{Y}$는 평균이 500, 표준편차가 $\dfrac{10}{\sqrt{4}} = 5$인 정규분포를 따르므로 확률변수 $Z = \dfrac{\overline{Y}-500}{5}$으로 표준화하여 $P(\overline{Y} \ge 507.5)$를 구한다.

답 (1) 0.8185　(2) 0.0668

낱선 Point • 모집단이 정규분포 $N(m, \sigma^2)$을 따르면

크기가 n인 표본평균 $\overline{X}$는 정규분포 $N\left(m, \dfrac{\sigma^2}{n}\right)$을 따른다.

• n개를 한 세트로 판매하면 크기가 n인 표본으로 생각한다.

2-1 어느 채소 가게에서 판매하는 당근 한 개의 무게는 평균이 300 g, 표준편차가 40 g인 정규분포를 따른다고 한다. **Q2**의 표준정규분포표를 이용하여 다음 물음에 답하시오.

(1) 당근 25개를 임의추출하여 측정한 무게의 평균이 284 g 이상 316 g 이하일 확률을 구하시오.

(2) 당근 16개를 한 상자에 담아 판매할 때, 임의추출한 한 상자의 무게가 4880 g 이상일 확률을 구하시오.

z	$P(0 \leq Z \leq z)$
1.0	0.3413
1.5	0.4332
2.0	0.4772
2.5	0.4938

어느 공장에서 생산되는 건전지의 수명은 평균이 m시간, 표준편차가 3시간인 정규분포를 따른다고 한다. 이 공장에서 생산된 건전지 n개를 임의추출할 때, 추출된 건전지 수명의 표본평균을 $\overline{X}$라 하면

$$P(m-0.5 \leq \overline{X} \leq m+0.5) = 0.8664$$

이다. n의 값을 오른쪽 표준정규분포표를 이용하여 구하시오.

날선 Guide 모집단은 평균이 m, 표준편차가 3이고, $\overline{X}$는 크기가 n인 표본의 표본평균이므로

$\overline{X}$는 평균이 m, 표준편차가 $\dfrac{3}{\sqrt{n}}$인 정규분포를 따른다.

따라서 확률변수 $Z = \dfrac{\overline{X}-m}{\frac{3}{\sqrt{n}}}$으로 표준화하면

$$P(m-0.5 \leq \overline{X} \leq m+0.5) = P\left(-\frac{0.5}{\frac{3}{\sqrt{n}}} \leq Z \leq \frac{0.5}{\frac{3}{\sqrt{n}}}\right)$$

주어진 표를 이용하여 $\dfrac{0.5}{\frac{3}{\sqrt{n}}}$의 값부터 구한다.

참고 $P(m-0.5 \leq \overline{X} \leq m+0.5) = 0.8664$는 추출된 건전지 수명의 평균이 $m-0.5$ 이상 $m+0.5$ 이하일 확률이 0.8664라는 뜻이다.

탑 81

날선 Point 모집단이 정규분포 $N(m, \sigma^2)$을 따르면

크기가 n인 표본평균 $\overline{X}$는 정규분포 $N\left(m, \dfrac{\sigma^2}{n}\right)$을 따른다.

3-1 어느 비행기 탑승객 수하물의 무게는 평균이 m kg, 표준편차가 4 kg인 정규분포를 따른다고 한다. 이 비행기 탑승객 수하물 중 n개를 임의추출하여 측정한 무게의 평균이 $m-2.0$ 이상 $m+2.0$ 이하일 확률이 0.9544이다. n의 값을 **Q3**의 표준정규분포표를 이용하여 구하시오.

정규분포 $N(m, \sigma^2)$을 따르는 모집단에서 크기가 n인 표본을 임의추출하여 구한 표본의 평균이 $\overline{x}$이면 모평균 m의

(1) 신뢰도 95 %의 신뢰구간 : $\overline{x} - 1.96 \dfrac{\sigma}{\sqrt{n}} \leq m \leq \overline{x} + 1.96 \dfrac{\sigma}{\sqrt{n}}$

(2) 신뢰도 99 %의 신뢰구간 : $\overline{x} - 2.58 \dfrac{\sigma}{\sqrt{n}} \leq m \leq \overline{x} + 2.58 \dfrac{\sigma}{\sqrt{n}}$

참고 모표준편차 σ를 모를 때, 표본의 크기 n이 충분히 크면 σ 대신 표본표준편차를 써도 된다.

추정

표본의 정보만 이용하여 모집단의 성질을 확률적으로 추측하는 것을 **추정**이라 한다.

예를 들어 표본평균을 이용하여 모집단의 평균을 예측하는 것은 추정이다.

모평균의 신뢰구간 (95 %)

정규분포 $N(m, \sigma^2)$을 따르는 모집단에서 크기가 n인 표본을 임의추출할 때,

표본평균 $\overline{X}$는 정규분포 $N\left(m, \dfrac{\sigma^2}{n}\right)$을 따르고,

확률변수 $Z = \dfrac{\overline{X} - m}{\dfrac{\sigma}{\sqrt{n}}}$은 표준정규분포 $N(0, 1)$을 따른다.

표준정규분포표에서 $P(-1.96 \leq Z \leq 1.96) = 0.95$이므로

$$P\left(-1.96 \leq \dfrac{\overline{X} - m}{\dfrac{\sigma}{\sqrt{n}}} \leq 1.96\right) = 0.95$$

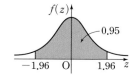

$$\therefore P\left(\overline{X} - 1.96 \dfrac{\sigma}{\sqrt{n}} \leq m \leq \overline{X} + 1.96 \dfrac{\sigma}{\sqrt{n}}\right) = 0.95$$

따라서 모평균 m이 $\overline{X} - 1.96 \dfrac{\sigma}{\sqrt{n}} \leq m \leq \overline{X} + 1.96 \dfrac{\sigma}{\sqrt{n}}$에 포함될 확률이 0.95이다.

곧, 실제로 얻은 표본평균 $\overline{X}$의 값이 $\overline{x}$일 때,

$$\overline{x} - 1.96 \dfrac{\sigma}{\sqrt{n}} \leq m \leq \overline{x} + 1.96 \dfrac{\sigma}{\sqrt{n}}$$

를 모평균 m의 신뢰도 95 %의 신뢰구간이라 한다.

모평균의 신뢰구간 (99 %)

표준정규분포표에서 $P(-2.58 \leq Z \leq 2.58) = 0.99$이므로

$$P\left(-2.58 \leq \dfrac{\overline{X} - m}{\dfrac{\sigma}{\sqrt{n}}} \leq 2.58\right) = 0.99$$

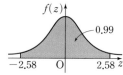

따라서 실제로 얻은 표본평균 $\overline{X}$의 값이 $\overline{x}$일 때, 모평균 m의 신뢰도 99 %의 신뢰구간은 다음과 같다.

$$\overline{x} - 2.58 \dfrac{\sigma}{\sqrt{n}} \leq m \leq \overline{x} + 2.58 \dfrac{\sigma}{\sqrt{n}}$$

신뢰도의 의미 ●

모집단에서 추출하는 표본에 따라 $\bar{x}$가 달라지고 신뢰구간도 달라진다. 신뢰구간 중 그림과 같이 모평균 m을 포함하는 것과 포함하지 않는 것이 있을 수 있다.

모평균 m의 신뢰도 95 %의 신뢰구간이라는 것은 크기가 n인 표본을 임의추출하여 신뢰구간을 만들 때, 95 %는 모평균을 포함한다는 뜻이다.

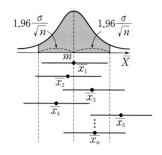

예를 들어 크기가 n인 표본을 100개 추출하면 95개의 표본평균은 $\overline{x_1}$, $\overline{x_2}$, $\overline{x_3}$, $\overline{x_4}$와 같이 색칠한 부분에 있고, 5개는 $\overline{x_5}$와 같이 색칠한 부분 바깥에 있다.

모평균의 추정 ●

예를 들어 정규분포 $\mathrm{N}(m, 2^2)$을 따르는 모집단에서 크기가 25인 표본을 임의추출하였을 때, 표본평균이 70이었다고 하자.

(1) 모평균 m의 신뢰도 95 %의 신뢰구간은

$$70-1.96\times\frac{2}{\sqrt{25}}\leq m\leq 70+1.96\times\frac{2}{\sqrt{25}}$$

$$\therefore\ 69.216\leq m\leq 70.784$$

(2) 모평균 m의 신뢰도 99 %의 신뢰구간은

$$70-2.58\times\frac{2}{\sqrt{25}}\leq m\leq 70+2.58\times\frac{2}{\sqrt{25}}$$

$$\therefore\ 68.968\leq m\leq 71.032$$

신뢰구간의
길이 ●

모평균 m의 신뢰구간이 $a\leq m\leq b$일 때, $b-a$를 신뢰구간의 길이라 한다.

(1) 신뢰도 95 %의 신뢰구간의 길이는 $2\times 1.96\dfrac{\sigma}{\sqrt{n}}$이다.

(2) 신뢰도 99 %의 신뢰구간의 길이는 $2\times 2.58\dfrac{\sigma}{\sqrt{n}}$이다.

따라서 표본의 크기 n이 커지면 신뢰구간의 길이는 줄어든다.

개념 Check

◆ 정답 및 풀이 **72**쪽

4 정규분포 $\mathrm{N}(m, 5^2)$을 따르는 모집단에서 크기가 100인 표본을 임의추출하여 구한 표본평균이 50이었다. 다음과 같은 신뢰도로 추정한 모평균 m의 신뢰구간을 구하시오.

(단, Z가 표준정규분포를 따르는 확률변수일 때, $\mathrm{P}(|Z|\leq 1.96)=0.95$,

$\mathrm{P}(|Z|\leq 2.58)=0.99$로 계산한다.)

(1) 신뢰도 95 %

(2) 신뢰도 99 %

전국연합학력평가를 본 고등학교 2학년 전체 학생 중 1600명을 임의추출하여 가채점 하였더니
수학 영역 점수의 평균이 62점, 표준편차가 16점이었다. 다음 물음에 답하시오.
(단, Z가 표준정규분포를 따르는 확률변수일 때, $P(|Z| \le 1.96) = 0.95$,
$P(|Z| \le 2.58) = 0.99$로 계산한다.)

(1) 신뢰도 95 %로 전체 학생의 수학 영역 점수의 평균 m을 추정하시오.

(2) 신뢰도 99 %로 전체 학생의 수학 영역 점수의 평균 m을 추정하시오.

날선 Guide 모집단의 평균을 m, 표준편차를 σ라 하자.
표본평균이 62, 표본의 크기가 1600이므로
신뢰도 95 %로 모평균 m을 추정하면

$$62 - 1.96 \times \frac{\sigma}{\sqrt{1600}} \le m \le 62 + 1.96 \times \frac{\sigma}{\sqrt{1600}} \qquad \cdots \ ㉠$$

신뢰도 99 %로 모평균 m을 추정하면

$$62 - 2.58 \times \frac{\sigma}{\sqrt{1600}} \le m \le 62 + 2.58 \times \frac{\sigma}{\sqrt{1600}} \qquad \cdots \ ㉡$$

이 문제에서는 표본의 크기가 충분히 크므로 σ 대신 표본표준편차 16을 쓰면 된다.

참고 ㉠의 1.96은 $P(|Z| \le a) = 0.95$에서,
㉡의 2.58은 $P(|Z| \le b) = 0.99$에서 나온 값이다.

답 (1) $61.216 \le m \le 62.784$ (2) $60.968 \le m \le 63.032$

날선 Point 정규분포 $N(m, \sigma^2)$을 따르는 모집단에서 표본의 크기가 n이고 표본평균이 $\overline{x}$이면

• 신뢰도 95 %의 신뢰구간 : $\overline{x} - 1.96 \dfrac{\sigma}{\sqrt{n}} \le m \le \overline{x} + 1.96 \dfrac{\sigma}{\sqrt{n}}$

• 신뢰도 99 %의 신뢰구간 : $\overline{x} - 2.58 \dfrac{\sigma}{\sqrt{n}} \le m \le \overline{x} + 2.58 \dfrac{\sigma}{\sqrt{n}}$

4-1 어느 공장에서 생산되는 전구의 수명은 정규분포를 따른다고 한다. 이 공장에서 생산된 전구 중
100개를 임의추출하여 수명을 조사하였더니 평균이 2000시간, 표준편차가 40시간이었다. 다음
물음에 답하시오.

(1) 신뢰도 95 %로 이 전구의 평균 수명 m을 추정하시오.

(2) 신뢰도 99 %로 이 전구의 평균 수명 m을 추정하시오.

4-2 어느 고등학교 학생들의 키는 평균이 m cm, 표준편차가 11 cm인 정규분포를 따른다고 한다.
표본으로 택한 n명의 키의 평균이 168.5 cm이고 이를 이용하여 추정한 이 고등학교 학생들의
키의 평균 m에 대한 신뢰도 99 %의 신뢰구간이 $165.92 \le m \le 171.08$일 때, n의 값을 구하시오.

대표 Q5 신뢰구간의 길이

◆ 정답 및 풀이 **72**쪽

평균이 m, 표준편차가 σ인 정규분포를 따르는 모집단에서 크기가 n인 표본을 임의추출하였다. 다음 물음에 답하시오. (단, Z가 표준정규분포를 따르는 확률변수일 때, $\mathrm{P}(|Z|\leq1.96)=0.95$, $\mathrm{P}(|Z|\leq2.58)=0.99$로 계산한다.)

(1) 신뢰도 95 %의 신뢰구간이 $100.4\leq m\leq139.6$일 때, 신뢰도 99 %의 신뢰구간을 구하시오.

(2) $\sigma=50$이고 신뢰도 99 %의 신뢰구간의 길이가 10.32 이하일 때, n의 최솟값을 구하시오.

날선 Guide (1) 표본평균을 $\bar{x}$라 하면 신뢰도 95 %의 신뢰구간은

$$\bar{x}-1.96\times\frac{\sigma}{\sqrt{n}}\leq m\leq\bar{x}+1.96\times\frac{\sigma}{\sqrt{n}}$$

$100.4\leq m\leq139.6$과 비교하면 $\bar{x}$와 $\dfrac{\sigma}{\sqrt{n}}$를 구할 수 있다.

(2) $\sigma=50$이므로 신뢰도 99 %의 신뢰구간은

$$\bar{x}-2.58\times\frac{50}{\sqrt{n}}\leq m\leq\bar{x}+2.58\times\frac{50}{\sqrt{n}}$$

따라서 신뢰구간의 길이는 $2\times2.58\times\dfrac{50}{\sqrt{n}}$이다.

답 (1) $94.2\leq m\leq145.8$ (2) 625

날선 Point 정규분포 $\mathrm{N}(m,\sigma^2)$을 따르는 모집단에서 표본의 크기가 n이고 표본평균이 $\bar{x}$이면

● 신뢰도 95 %의

신뢰구간 : $\bar{x}-1.96\dfrac{\sigma}{\sqrt{n}}\leq m\leq\bar{x}+1.96\dfrac{\sigma}{\sqrt{n}}$, 신뢰구간의 길이 : $2\times1.96\dfrac{\sigma}{\sqrt{n}}$

● 신뢰도 99 %의

신뢰구간 : $\bar{x}-2.58\dfrac{\sigma}{\sqrt{n}}\leq m\leq\bar{x}+2.58\dfrac{\sigma}{\sqrt{n}}$, 신뢰구간의 길이 : $2\times2.58\dfrac{\sigma}{\sqrt{n}}$

5-1 어느 제과점에서 만드는 초콜릿 한 개의 무게는 평균이 m g, 표준편차가 σ g인 정규분포를 따른다고 한다. 이 제과점에서 만든 초콜릿 n개를 임의추출하여 추정한 모평균 m의 신뢰도 95 %의 신뢰구간이 $69.02\leq m\leq70.98$일 때, 신뢰도 99 %의 신뢰구간을 구하시오.

5-2 어느 택배사에서 처리되는 화물 한 개의 무게는 표준편차가 4 kg인 정규분포를 따른다고 한다. 이 택배사에서 처리된 화물 무게의 평균을 신뢰도 95 %로 추정한 신뢰구간의 길이가 4 kg 이하가 되도록 하는 표본의 크기의 최솟값을 구하시오.

정규분포를 따르는 모집단에서 표본을 임의추출하여 모평균을 추정하려고 한다. 보기에서 옳은 것만을 있는 대로 고른 것은?

┌─ 보기 ├─
ㄱ. 표본평균 $\overline{X}$의 분산은 표본의 크기에 반비례한다.
ㄴ. 신뢰구간의 길이는 모평균에 정비례한다.
ㄷ. 신뢰도가 일정할 때, 표본의 크기가 작을수록 신뢰구간의 길이는 짧아진다.

① ㄱ   ② ㄱ, ㄴ   ③ ㄱ, ㄷ   ④ ㄴ, ㄷ   ⑤ ㄱ, ㄴ, ㄷ

(날선 Guide) 모집단의 평균을 m, 표준편차를 σ, 표본의 크기를 n이라 하면

ㄱ. 표본평균 $\overline{X}$의 평균은 m, 분산은 $\dfrac{\sigma^2}{n}$이다.

ㄴ. 신뢰도 95 %의 신뢰구간의 길이는 $2 \times 1.96 \dfrac{\sigma}{\sqrt{n}}$이다.

ㄷ. 신뢰구간의 길이 $2 \times 1.96 \dfrac{\sigma}{\sqrt{n}}$와 표본의 크기의 관계를 생각한다.

답 ①

> **날선 Point** 모집단의 표준편차를 σ, 표본의 크기를 n이라 하면
> ● 신뢰구간의 길이 : $2 \times 1.96 \dfrac{\sigma}{\sqrt{n}}$ (95 %), $2 \times 2.58 \dfrac{\sigma}{\sqrt{n}}$ (99 %)

6-1 어떤 두 직업에 종사하는 전체 근로자 중 한 직업에서 표본 A를, 또 다른 직업에서 표본 B를 추출하여 월급을 조사하였더니 다음 표와 같았다.

표본	표본의 크기	평균	표준편차	신뢰도(%)	모평균 m의 추정
A	n_1	240	12	a	$237 \leq m \leq 243$
B	n_2	230	10	a	$228 \leq m \leq 232$

위 자료에 대한 설명으로 **보기**에서 옳은 것만을 있는 대로 고른 것은?
(단, 모집단은 모두 정규분포를 따른다.)

┌─ 보기 ├─
ㄱ. 표본 A보다 표본 B의 분포가 더 고르다.
ㄴ. 표본 A의 크기는 표본 B의 크기보다 작다.
ㄷ. 신뢰도를 a보다 크게 하면 신뢰구간의 길이는 길어진다.

① ㄱ   ② ㄱ, ㄴ   ③ ㄱ, ㄷ   ④ ㄴ, ㄷ   ⑤ ㄱ, ㄴ, ㄷ

10 통계적 추정

01 정규분포 $N(56, 3^2)$을 따르는 모집단에서 크기가 36인 표본을 임의추출할 때, 표본평균 $\overline{X}$에 대하여 $E(\overline{X})$, $V(\overline{X})$를 구하시오.

02 모표준편차가 14인 모집단에서 크기가 n인 표본을 임의추출하여 구한 표본평균 을 $\overline{X}$라 하자. $\sigma(\overline{X})=2$일 때, n의 값은?

① 9   ② 16   ③ 25   ④ 36   ⑤ 49

03 정규분포 $N(50, 6^2)$을 따르는 모집단에서 크기가 16 인 표본을 임의추출할 때, 표본평균 $\overline{X}$에 대하여 확률 $P(\overline{X} \le 47)$을 구하시오.

z	$P(0 \le Z \le z)$
1.5	0.4332
2.0	0.4772
2.5	0.4938

04 어느 공장에서 생산하는 화장품 한 개의 용량은 평균이 201.5 g이고 표준편차가 1.8 g인 정규분포를 따른다고 한다. 이 공장에서 생산한 화장품 9개를 임의추출할 때, 화장품 용량의 표본평균이 200 g 이상일 확률을 구하시오.

z	$P(0 \le Z \le z)$
1.0	0.3413
1.5	0.4332
2.0	0.4772
2.5	0.4938

05 어느 과수원에서 생산하는 석류 무게는 평균이 m g, 표준편차가 40 g인 정규분 포를 따른다고 한다. 이 과수원에서 생산하는 석류 64개를 임의추출하여 조사하 였더니 석류 무게의 표본평균의 값이 $\overline{x}$이었다. 이 결과를 이용하여 이 과수원에 서 생산하는 석류 무게의 평균 m에 대한 신뢰도 99 %의 신뢰구간을 구하면 $\overline{x}-c \le m \le \overline{x}+c$이다. c의 값은?

① 25.8   ② 21.5   ③ 17.2   ④ 12.9   ⑤ 8.6

06 주머니 속에 1의 숫자가 적혀 있는 공 1개, 2의 숫자가 적혀 있는 공 2개, 3의 숫자가 적혀 있는 공 5개가 들어 있다. 이 주머니에서 임의로 한 개의 공을 꺼내어 공에 적혀 있는 수를 확인한 후 다시 넣는다. 이와 같은 시행을 2번 반복할 때, 꺼낸 공에 적혀 있는 수의 평균을 $\overline{X}$라 하자. $P(\overline{X}=2)$의 값은?

① $\dfrac{5}{32}$　　② $\dfrac{11}{64}$　　③ $\dfrac{3}{16}$　　④ $\dfrac{13}{64}$　　⑤ $\dfrac{7}{32}$

07 모집단의 확률변수 X의 확률분포는 표와 같다. 이 모집단에서 크기가 20인 표본을 임의추출할 때, 표본평균 $\overline{X}$에 대하여 $V(\overline{X})$를 구하시오.

X	1	2	3	4	합계
$P(X=x)$	$\dfrac{2}{5}$	$\dfrac{3}{10}$	$\dfrac{1}{5}$	$\dfrac{1}{10}$	1

08 어느 공장에서 생산되는 제품의 길이 X는 평균이 m이고, 표준편차가 4인 정규분포를 따른다고 한다. $P(m \leq X \leq a)=0.3413$일 때, 이 공장에서 생산된 제품 중에서 임의추출한 제품 16개의 길이의 표본평균이 $a-2$ 이상일 확률을 구하시오. (단, a는 상수이고, 길이의 단위는 cm이다.)

z	$P(0 \leq Z \leq z)$
1.0	0.3413
1.5	0.4332
2.0	0.4772

09 대중교통을 이용하여 출근하는 어느 지역 직장인의 월 교통비는 평균이 8이고 표준편차가 1.2인 정규분포를 따른다고 한다. 대중교통을 이용하여 출근하는 이 지역 직장인 중 임의추출한 n명의 월 교통비의 표본평균을 $\overline{X}$라 할 때, $P(7.76 \leq \overline{X} \leq 8.24) \geq 0.6826$이 되기 위한 n의 최솟값을 구하시오. (단, 교통비의 단위는 만 원이다.)

z	$P(0 \leq Z \leq z)$
0.5	0.1915
1.0	0.3413
1.5	0.4332
2.0	0.4772

수능 기출

10 어느 마을에서 수확하는 수박의 무게는 평균이 m kg, 표준편차가 1.4 kg인 정규분포를 따른다고 한다. 이 마을에서 수확한 수박 중에서 49개를 임의추출하여 얻은 표본평균을 이용하여, 이 마을에서 수확하는 수박의 무게의 평균 m에 대한 신뢰도 95 %의 신뢰구간을 구하면 $a \le m \le 7.992$이다. a의 값은?

① 7.198   ② 7.208   ③ 7.218   ④ 7.228   ⑤ 7.238

11 어느 지역의 고등부 야구 선수들의 공 던지기 기록은 평균이 m m, 표준편차가 2 m인 정규분포를 따른다고 한다. 이 야구 선수들의 공 던지기 기록의 평균을 신뢰도 99 %로 추정할 때, 신뢰구간의 길이가 1.72 이하가 되도록 하려면 적어도 몇 명의 선수들을 임의추출하여 조사해야 하는지 구하시오.

수능 기출

12 어느 지역 주민들의 하루 여가 활동 시간은 평균이 m분, 표준편차가 σ분인 정규분포를 따른다고 한다. 이 지역 주민 중 16명을 임의추출하여 구한 하루 여가 활동 시간의 표본평균이 75분일 때, 모평균 m에 대한 신뢰도 95 %의 신뢰구간이 $a \le m \le b$이다. 이 지역 주민 중 16명을 다시 임의추출하여 구한 하루 여가 활동 시간의 표본평균이 77분일 때, 모평균 m에 대한 신뢰도 99 %의 신뢰구간이 $c \le m \le d$이다. $d - b = 3.86$을 만족시키는 σ의 값을 구하시오.

13 정규분포 $N(m, \sigma^2)$을 따르는 모집단에서 표본을 임의추출하여 모평균 m을 추정할 때, 다음 중 m의 신뢰구간에 대한 설명으로 옳은 것은?

① 신뢰도를 낮추면서 표본의 크기를 작게 하면 신뢰구간의 길이는 짧아진다.
② 신뢰도를 낮추면서 표본의 크기를 작게 하면 신뢰구간의 길이는 길어진다.
③ 신뢰도를 낮추면서 표본의 크기를 크게 하면 신뢰구간의 길이는 짧아진다.
④ 신뢰도를 높이면서 표본의 크기를 크게 하면 신뢰구간의 길이는 짧아진다.
⑤ 신뢰도를 높이면서 표본의 크기를 크게 하면 신뢰구간의 길이는 길어진다.

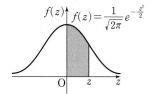

$$f(z) = \frac{1}{\sqrt{2\pi}} e^{-\frac{z^2}{2}}$$

$P(0 \leq Z \leq z)$는 그림에서 색칠한 부분의 넓이이다.

z	0.00	0.01	0.02	0.03	0.04	0.05	0.06	0.07	0.08	0.09
0.0	.0000	.0040	.0080	.0120	.0160	.0199	.0239	.0279	.0319	.0359
0.1	.0398	.0438	.0478	.0517	.0557	.0596	.0636	.0675	.0714	.0753
0.2	.0793	.0832	.0871	.0910	.0948	.0987	.1026	.1064	.1103	.1141
0.3	.1179	.1217	.1255	.1293	.1331	.1368	.1406	.1443	.1480	.1517
0.4	.1554	.1591	.1628	.1664	.1700	.1736	.1772	.1808	.1844	.1879
0.5	.1915	.1950	.1985	.2019	.2054	.2088	.2123	.2157	.2190	.2224
0.6	.2257	.2291	.2324	.2357	.2389	.2422	.2454	.2486	.2517	.2549
0.7	.2580	.2611	.2642	.2673	.2704	.2734	.2764	.2794	.2823	.2852
0.8	.2881	.2910	.2939	.2967	.2995	.3023	.3051	.3078	.3106	.3133
0.9	.3159	.3186	.3212	.3238	.3264	.3289	.3315	.3340	.3365	.3389
1.0	.3413	.3438	.3461	.3485	.3508	.3531	.3554	.3577	.3599	.3621
1.1	.3643	.3665	.3686	.3708	.3729	.3749	.3770	.3790	.3810	.3830
1.2	.3849	.3869	.3888	.3907	.3925	.3944	.3962	.3980	.3997	.4015
1.3	.4032	.4049	.4066	.4082	.4099	.4115	.4131	.4147	.4162	.4177
1.4	.4192	.4207	.4222	.4236	.4251	.4265	.4279	.4292	.4306	.4319
1.5	.4332	.4345	.4357	.4370	.4382	.4394	.4406	.4418	.4429	.4441
1.6	.4452	.4463	.4474	.4484	.4495	.4505	.4515	.4525	.4535	.4545
1.7	.4554	.4564	.4573	.4582	.4591	.4599	.4608	.4616	.4625	.4633
1.8	.4641	.4649	.4656	.4664	.4671	.4678	.4686	.4693	.4699	.4706
1.9	.4713	.4719	.4726	.4732	.4738	.4744	.4750	.4756	.4761	.4767
2.0	.4772	.4778	.4783	.4788	.4793	.4798	.4803	.4808	.4812	.4817
2.1	.4821	.4826	.4830	.4834	.4838	.4842	.4846	.4850	.4854	.4857
2.2	.4861	.4864	.4868	.4871	.4875	.4878	.4881	.4884	.4887	.4890
2.3	.4893	.4896	.4898	.4901	.4904	.4906	.4909	.4911	.4913	.4916
2.4	.4918	.4920	.4922	.4925	.4927	.4929	.4931	.4932	.4934	.4936
2.5	.4938	.4940	.4941	.4943	.4945	.4946	.4948	.4949	.4951	.4952
2.6	.4953	.4955	.4956	.4957	.4959	.4960	.4961	.4962	.4963	.4964
2.7	.4965	.4966	.4967	.4968	.4969	.4970	.4971	.4972	.4973	.4974
2.8	.4974	.4975	.4976	.4977	.4977	.4978	.4979	.4979	.4980	.4981
2.9	.4981	.4982	.4982	.4983	.4984	.4984	.4985	.4985	.4986	.4986
3.0	.4987	.4987	.4987	.4988	.4988	.4989	.4989	.4989	.4990	.4990
3.1	.4990	.4991	.4991	.4991	.4992	.4992	.4992	.4992	.4993	.4993
3.2	.4993	.4993	.4994	.4994	.4994	.4994	.4994	.4995	.4995	.4995
3.3	.4995	.4995	.4995	.4996	.4996	.4996	.4996	.4996	.4996	.4997

날선개념
학습 Note

확률과 통계

날선개념 학습 Note

날선개념 학습 Note는 다음 세 부분으로 구성되어 있습니다.

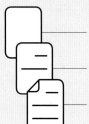

이 책을 공부하기 전 계획을 세우고, 실천 내용을 확인하는 **학습 PLAN Note**

대표Q 문제의 풀이를 확인하며 나의 풀이를 만드는 **대표Q 학습 Note**

틀린 문제를 나만의 방식으로 정리하는 **나의 오답 Note**

날선개념 학습 Note 한 권이면

학습 계획부터 대표Q 문제와 나의 풀이, 오답노트까지

수학 공부에 필요한 모든 내용을 담을 수 있습니다.

공부를 시작하는 순간부터 시험 직전까지
날선개념 학습 Note와 함께하세요.

+👤 **이 책을 시작하는 나에게**

+👤 **공부 계획/목표**

☑

☑

☑

☑

+👤 **My Wish List**

☑

☑

☑

☑

이 책을 공부하는 나의 꿈과 계획, 구체적인 실천 결과를 기록하고 시험 전에 살펴보세요.
부족한 점이 무엇인지, 기억할 것이 무엇인지 확인할 수 있을 거예요.

● 서울 및 전국 주요 대학의 위치를 살펴보세요.

● 장래 희망을 계획해 보세요.

● 목표 대학/학과를 정해 보세요.

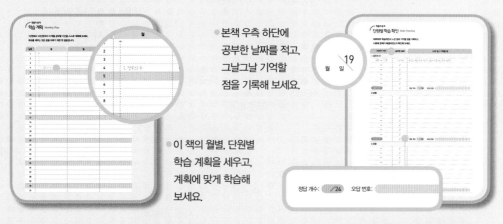

● 본책 우측 하단에
공부한 날짜를 적고,
그날그날 기억할
점을 기록해 보세요.

● 이 책의 월별, 단원별
학습 계획을 세우고,
계획에 맞게 학습해
보세요.

● 본책 '연습과 실전'에서 정답
개수와 오답 번호를 Check하고,
틀린 문제는 나의 오답 Note를
활용해 정리해 보세요.

● 시험 D-21의 계획을 세우고
목표대로 학습하면 반드시 좋은
결과가 있을 거예요.

학습 PLAN Note 한글파일은 동아출판 홈페이지
(http://www.bookdonga.com)에서 다운로드 받을 수 있습니다.

서울 주요 대학 목록 List of University

광운대
서울여대
국민대
한국예술종합학교
상명대
성균관대
경희대
한국외대
고려대
연세대
이화여대
서울시립대
홍익대
세종대
서강대
동국대
건국대
숙명여대
한양대
한국체육대
중앙대
숭실대
서울교육대
서울대

전국 주요 대학 목록

강원대

인하대 ● ● 경인교대
● 단국대
● 아주대

충북대
● 한국교원대
충남대 ●● KAIST

경북대
● 영남대
● 전북대

전남대 부산대

● 제주대

나의 목표 대학

● 목표 대학

스티커를
붙이세요.

● 장래 희망

♀ 1지망

● 대학

● 학과

♀ 2지망

● 대학

● 학과

♀ 3지망

● 대학

● 학과

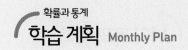

학습 계획 Monthly Plan

1단원에서 10단원까지 이 책을 공부할 기간을 스스로 계획해 보세요.
목표를 세우는 것은 꿈을 이루기 위한 첫 걸음입니다.

날짜	월	월	월
1			
2			
3			
4	1. 경우의 수		
5			
6			
7			
8			
9			
10			
11			
12			
13			
14			
15			
16			
17			
18			
19			
20			
21			
22			
23			
24			
25			
26			
27			
28			
29			
30			
31			

단원별 학습 확인 Daily Checkup

하루하루 학습하면서 느낀 점과 기억할 점을 기록하고,
나중에 문제가 해결되었는지 확인해 보세요.

공부한 내용	공부한 날짜	느낀 점 / 기억할 점
1 경우의 수		
8쪽 ~ 12쪽	3 / 10	A 또는 B는 합의 법칙, A와 B 동시는 곱의 법칙!
~	/	
~	/	
~	/	
~	/	
~	/	
연습과 실전	/	정답 개수: /10 오답 번호:
2 순열		
~	/	
~	/	
~	/	
~	/	
~	/	
~	/	
~	/	
~	/	
~	/	
연습과 실전	/	정답 개수: /24 오답 번호:
3 조합		
~	/	
~	/	
~	/	
~	/	
~	/	
~	/	
~	/	
~	/	
연습과 실전	/	정답 개수: /21 오답 번호:

공부한 내용	공부한 날짜	느낀 점 / 기억할 점
4 이항정리		
~	/	
~	/	
~	/	
~	/	
~	/	
연습과 실전	/	정답 개수: /16 오답 번호:
5 확률		
~	/	
~	/	
~	/	
~	/	
~	/	
연습과 실전	/	정답 개수: /15 오답 번호:
6 조건부확률		
~	/	
~	/	
~	/	
~	/	
~	/	
~	/	
~	/	
연습과 실전	/	정답 개수: /15 오답 번호:
7 독립과 종속		
~	/	
~	/	
~	/	
~	/	
~	/	
~	/	
~	/	
연습과 실전	/	정답 개수: /14 오답 번호:

공부한 내용	공부한 날짜	느낀 점 / 기억할 점
8 확률분포		
~	/	
~	/	
~	/	
~	/	
~	/	
~	/	
~	/	
~	/	
연습과 실전	/	정답 개수: /19 오답 번호:
9 정규분포		
~	/	
~	/	
~	/	
~	/	
~	/	
~	/	
~	/	
~	/	
~	/	
~	/	
연습과 실전	/	정답 개수: /16 오답 번호:
10 통계적 추정		
~	/	
~	/	
~	/	
~	/	
~	/	
~	/	
~	/	
~	/	
연습과 실전	/	정답 개수: /13 오답 번호:

D-21 시험 계획 Test Plan

시험명

D-21 월 일	D-20 월 일	D-19 월 일	D-18 월 일	D-17 월 일	D-16 월 일	D-15 월 일

D-14 월 일	D-13 월 일	D-12 월 일	D-11 월 일	D-10 월 일	D-9 월 일	D-8 월 일

D-7 월 일	D-6 월 일	D-5 월 일	D-4 월 일	D-3 월 일	D-2 월 일	D-1 월 일

D-day 월 일

📍시험 범위

📍목표 점수

대표Q 문제의 (날선 Guide)에는 문제의 출제 의도와 해결 원리, 떠올려야 할 핵심 개념과 Keyword가 수록되어 있습니다. (날선 Guide)를 모티브로 하여 대표Q 문제를 해결할 수 있도록 노력해 보세요.

❝ 배운 개념이 어떻게 활용되는지 스스로 생각하고 학습할 수 있는 힘이 길러집니다. ❞

단순히 유형별로 분류된 문제의 풀이 방법을 외우는 것으로는 개념을 온전히 내 것으로 만들 수 없어요.
만약 (날선 Guide)만으로 대표Q 문제가 해결되지 않으면 **대표Q 학습 Note**를 활용해 보세요.
대표Q 학습 Note에는 본책의 대표Q 문제의 (날선 Guide)에 따른 자세한 해설이 수록되어 있습니다.
아래 방법을 참고하여 **대표Q 학습 Note**를 활용해 보세요.

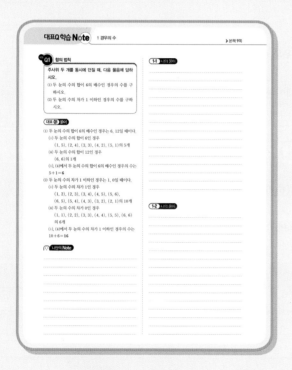

Step1

대표Q 문제를 해결하고 유제를 풀 때
대표Q 학습 Note의 자세한 풀이를 참고해
보세요. 대표Q 문제를 해결한 개념과 원리
를 이용하면 유제를 어렵지 않게 해결 할
수 있을 거예요.

Step2

대표Q 문제를 해결할 때의 핵심 공식과
기억할 것, 주의할 점, 선생님 강의 내용,
나의 풀이 등을 **나만의 Note**에 필기해
두세요. 따로 노트를 준비할 필요 없이
대표Q 학습 Note 한 권으로 충분합니다.

Step3

대표Q 학습 Note에는 대표Q 문제 & 풀이, 나만의 Note, 나의 풀이
까지 알아야 할 모든 내용이 담겨 있습니다. **대표Q 학습 Note**가
나만의 수학 노하우가 담긴 훌륭한 친구가 될 거예요. 평소 수학을
공부할 때, 시험 기간에 빠르게 내용을 훑어보고 싶을 때, 모의고사
보기 직전 등 다양하게 활용해 보세요.

^{대표}**Q1** 합의 법칙

주사위 두 개를 동시에 던질 때, 다음 물음에 답하시오.

(1) 두 눈의 수의 합이 6의 배수인 경우의 수를 구하시오.

(2) 두 눈의 수의 차가 1 이하인 경우의 수를 구하시오.

대표 Q1 풀이

(1) 두 눈의 수의 합이 6의 배수인 경우는 6, 12일 때이다.

　(i) 두 눈의 수의 합이 6인 경우

　　$(1, 5), (2, 4), (3, 3), (4, 2), (5, 1)$의 5개

　(ii) 두 눈의 수의 합이 12인 경우

　　$(6, 6)$의 1개

　(i), (ii)에서 두 눈의 수의 합이 6의 배수인 경우의 수는

　$5+1=\mathbf{6}$

(2) 두 눈의 수의 차가 1 이하인 경우는 1, 0일 때이다.

　(i) 두 눈의 수의 차가 1인 경우

　　$(1, 2), (2, 3), (3, 4), (4, 5), (5, 6),$

　　$(6, 5), (5, 4), (4, 3), (3, 2), (2, 1)$의 10개

　(ii) 두 눈의 수의 차가 0인 경우

　　$(1, 1), (2, 2), (3, 3), (4, 4), (5, 5), (6, 6)$

　　의 6개

　(i), (ii)에서 두 눈의 수의 차가 1 이하인 경우의 수는

　$10+6=\mathbf{16}$

😊 **나만의 Note**

1-1 나의 풀이

1-2 나의 풀이

곱의 법칙

지점 A, B, C 사이에 그림과 같은 길이 있을 때, 다음 물음에 답하시오.
(단, 같은 지점을 두 번 이상 지나지 않는다.)

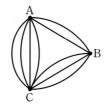

(1) A에서 B를 거쳐 C로 가는 경우의 수를 구하시오.
(2) A에서 B, C를 한 번씩 거쳐 다시 A로 돌아오는 경우의 수를 구하시오.

대표 Q2 풀이

(1) A → B → C로 가는 경우의 수는 $2 \times 3 = 6$
(2) (i) A → B → C → A인 경우
　　$2 \times 3 \times 4 = 24$(가지)
　(ii) A → C → B → A인 경우
　　$4 \times 3 \times 2 = 24$(가지)
　(i), (ii)에서 경우의 수는 $24 + 24 = 48$

나만의 Note

2-1 나의 풀이

2-2 나의 풀이

대표 Q3 색칠하는 문제

그림과 같이 분할된 영역을 5개의 색으로 칠하려고 한다. 칠하는 방법의 수를 구하시오.

(단, 같은 색은 여러 번 쓸 수 있지만, 이웃한 부분은 다른 색으로 칠한다.)

(1)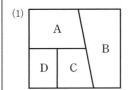

(2)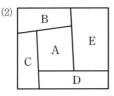

대표 Q3 풀이

(1) A에 칠할 수 있는 색은 5가지

　B에 칠할 수 있는 색은 A의 색을 뺀 4가지

　C에 칠할 수 있는 색은 A, B의 색을 뺀 3가지

　D에 칠할 수 있는 색은 A, C의 색을 뺀 3가지

　∴ $5 \times 4 \times 3 \times 3 = 180$

(2) B는 C, E와는 이웃하지만, D와는 이웃하지 않으므로 B와 D에 같은 색을 칠하는 경우와 다른 색을 칠하는 경우로 나누어 구한다.

　(ⅰ) B와 D에 같은 색을 칠하는 경우

　　A에 칠할 수 있는 색은 5가지

　　B에 칠할 수 있는 색은 A의 색을 뺀 4가지

　　C에 칠할 수 있는 색은 A, B의 색을 뺀 3가지

　　D에 칠할 수 있는 색은 B의 색과 같으므로 1가지

　　E에 칠할 수 있는 색은 A, B(또는 D)의 색을 뺀 3가지

　　∴ $5 \times 4 \times 3 \times 1 \times 3 = 180$

　(ⅱ) B와 D에 다른 색을 칠하는 경우

　　A에 칠할 수 있는 색은 5가지

　　B에 칠할 수 있는 색은 A의 색을 뺀 4가지

　　C에 칠할 수 있는 색은 A, B의 색을 뺀 3가지

　　D에 칠할 수 있는 색은 A, B, C의 색을 뺀 2가지

　　E에 칠할 수 있는 색은 A, B, D의 색을 뺀 2가지

　　∴ $5 \times 4 \times 3 \times 2 \times 2 = 240$

　(ⅰ), (ⅱ)에서 칠하는 방법의 수는

　$180 + 240 = 420$

3-1 나의 풀이

3-2 나의 풀이

대표 Q4 수형도를 이용하는 문제

다음 물음에 답하시오.

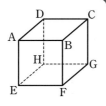

(1) 그림과 같은 정육면체에서 꼭짓점 A를 출발하여 꼭짓점 E까지 모서리를 따라가는 경우의 수를 구하시오. (단, 한 번 지나간 꼭짓점은 다시 지나지 않는다.)

(2) 1, 2, 3, 4가 하나씩 적힌 카드 4장을 일렬로 나열하여 네 자리 자연수 $a_1a_2a_3a_4$를 만들 때, $a_1\neq1$, $a_2\neq2$, $a_3\neq3$, $a_4\neq4$를 만족시키는 자연수의 개수를 구하시오.

대표 Q4 풀이

(1) (i) A−E인 경우는 1가지

(ii) A−B로 시작하는 경우는 다음과 같이 7가지

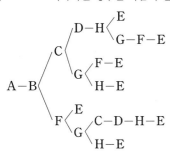

(iii) A−D로 시작하는 경우는 A−B로 시작하는 경우와 그 경우의 수가 같으므로 7가지

(i)∼(iii)에서 경우의 수는 1+7+7=**15**

(2) $a_1=$2, 3, 4인 경우의 수형도를 그려 보면 다음과 같다.

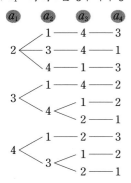

따라서 네 자리 자연수의 개수는 **9**이다.

4-1 나의 풀이

4-2 나의 풀이

Q1 조건이 있는 자연수

0, 1, 2, 3, 4가 하나씩 적힌 카드 5장에서 3장을 뽑아 세 자리 자연수를 만들 때, 다음 물음에 답하시오.
(1) 만들 수 있는 자연수의 개수를 구하시오.
(2) 만들 수 있는 짝수의 개수를 구하시오.
(3) 만들 수 있는 3의 배수의 개수를 구하시오.

대표 01 풀이

(1) 백의 자리에는 0이 올 수 없으므로 백의 자리에는
1, 2, 3, 4의 4개의 숫자가 올 수 있다.
각각에 대하여 십의 자리, 일의 자리에는 백의 자리
숫자를 뺀 4개의 숫자 중 2개를 뽑아 나열하면 되므
로 세 자리 자연수의 개수는
$4 \times {}_4P_2 = 4 \times (4 \times 3) = \textbf{48}$

(2) 짝수는 일의 자리 숫자가 0, 2, 4이다.
  (i) 일의 자리 숫자가 0인 경우
    백의 자리, 십의 자리에는 1, 2, 3, 4의 4개의 숫
    자 중 2개를 뽑아 나열하면 되므로 경우의 수는
    ${}_4P_2 = 4 \times 3 = 12$
  (ii) 일의 자리 숫자가 2인 경우
    백의 자리에는 2, 0을 뺀 1, 3, 4의 3개의 숫자가
    올 수 있고, 십의 자리에는 백의 자리와 일의 자리
    에 온 숫자를 뺀 3개의 숫자가 올 수 있으므로 경
    우의 수는 $3 \times 3 = 9$
  (iii) 일의 자리 숫자가 4인 경우
    일의 자리 숫자가 2일 때와 같으므로 경우의 수는 9
  (i)~(iii)에서 짝수의 개수는 $12 + 9 + 9 = \textbf{30}$

(3) 3의 배수는 각 자리 숫자의 합이 3의 배수이다. 각 자
리 숫자의 합이 3의 배수인 경우는
$(0, 1, 2), (0, 2, 4), (1, 2, 3), (2, 3, 4)$
이므로 이를 나열하는 경우만 생각하면 된다.
  (i) $(0, 1, 2)$ 또는 $(0, 2, 4)$인 경우
    백의 자리에는 0이 올 수 없으므로 경우의 수는
    $2 \times 2 \times 1 = 4$ $\therefore 2 \times 4 = 8$
  (ii) $(1, 2, 3)$ 또는 $(2, 3, 4)$인 경우
    3장을 나열하는 경우의 수이므로 $3! = 6$
    $\therefore 2 \times 6 = 12$
  (i), (ii)에서 3의 배수의 개수는 $8 + 12 = \textbf{20}$

1-1 나의 풀이

대표 Q2 이웃하거나 이웃하지 않는 순열

A, B, C, D, E, F, G가 하나씩 적힌 카드 7장을 일렬로 나열할 때, 다음 물음에 답하시오.

(1) A, B, C가 이웃하는 경우의 수를 구하시오.

(2) A, B, C가 이웃하지 않는 경우의 수를 구하시오.

대표 Q2 풀이

(1) A, B, C 카드 3장을 한 묶음으로 보고, D, E, F, G 카드 4장과 합하여 5장을 일렬로 나열하는 경우의 수는 5!

묶음 안의 A, B, C 카드 3장을 일렬로 나열하는 경우의 수는 3!

따라서 경우의 수는

$$5! \times 3! = (5 \times 4 \times 3 \times 2 \times 1) \times (3 \times 2 \times 1)$$
$$= 120 \times 6 = \mathbf{720}$$

(2) D, E, F, G 카드 4장을 일렬로 나열하는 경우의 수는 4!

A, B, C 카드는 D, E, F, G 카드 사이사이와 양 끝의 자리 5곳 중 3곳에 한 장씩 나열하면 되므로 경우의 수는 $_5P_3$

따라서 경우의 수는

$$4! \times {}_5P_3 = (4 \times 3 \times 2 \times 1) \times (5 \times 4 \times 3)$$
$$= 24 \times 60 = \mathbf{1440}$$

😊 나만의 Note

2-1 나의 풀이

2-2 나의 풀이

대표 Q3 원순열

A를 포함하는 남자 3명과 B를 포함하는 여자 3명이 원탁에 둘러앉을 때, 다음 물음에 답하시오.

(1) 남자와 여자가 교대로 앉는 경우의 수를 구하시오.

(2) A, B가 이웃하는 경우의 수를 구하시오.

(3) A, B가 마주 보는 경우의 수를 구하시오.

대표 Q3 풀이

(1) 남자 3명이 원탁에 둘러앉는 경우의 수는

$(3-1)!=2$

남자 사이사이에 여자 3명이 앉아야 하므로 경우의 수는 $3!=6$

따라서 경우의 수는

$2\times6=\mathbf{12}$

(2) A, B를 한 묶음으로 생각하여 5명이 원탁에 둘러앉는 경우의 수는 $(5-1)!=24$

묶음 안에서 A, B의 위치를 바꾸는 경우의 수는 2

따라서 경우의 수는 $24\times2=\mathbf{48}$

(3) A의 위치가 정해지면 마주 보는 B의 위치가 정해진다. 따라서 나머지 4명이 4자리에 앉으면 되므로

$4!=\mathbf{24}$

나만의 Note

3-1 나의 풀이

3-2 나의 풀이

대표 Q4 다각형 모양의 탁자에 둘러앉는 경우의 수

그림과 같은 정사각형과 직사각형 모양의 탁자에 8명이 둘러앉는 경우의 수를 구하시오.
(단, 회전하여 일치하는 것은 같은 것으로 본다.)

(1)

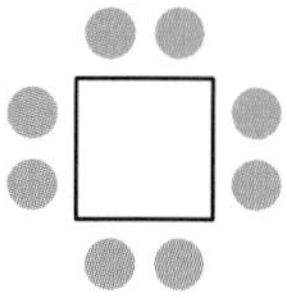

(2)

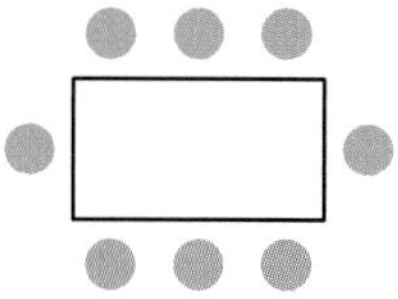

대표 Q4 풀이

(1) 특정한 한 명이 **1**에 앉을 때,
나머지 7명이 앉는 경우의 수는
$7! = 5040$
2에 앉을 때도 마찬가지이므로
경우의 수는 $7! = 5040$
∴ $5040 \times 2 = \mathbf{10080}$

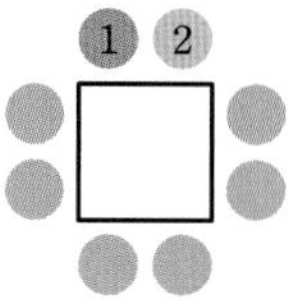

(2) 특정한 한 명이 **1**에 앉을
때, 나머지 7명이 앉는 경우
의 수는 $7! = 5040$
2, **3**, **4**에 앉을 때도 마
찬가지이므로 경우의 수는
$5040 \times 4 = \mathbf{20160}$

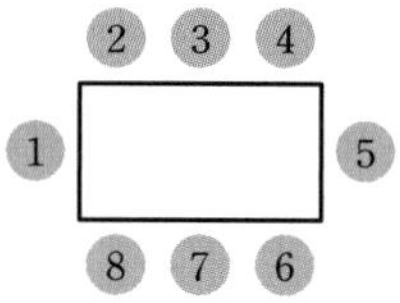

😊 나만의 Note

4-1 나의 풀이

4-2 나의 풀이

대표 Q5 숫자가 중복가능한 자연수의 개수

0, 1, 2, 3, 4, 5에서 중복을 허용하여 4개를 뽑아 네 자리 자연수를 만들 때, 다음 물음에 답하시오.

(1) 만들 수 있는 자연수의 개수를 구하시오.

(2) 만들 수 있는 짝수의 개수를 구하시오.

대표 Q5 풀이

(1) 천의 자리에는 0을 뺀 5개가 올 수 있다.

각각에 대하여 백의 자리, 십의 자리, 일의 자리에 올 수 있는 숫자의 개수는 6개에서 중복을 허용하여 3개를 뽑는 순열의 수이므로 $_6\Pi_3=6^3=216$

따라서 네 자리 자연수의 개수는 $5\times216=\mathbf{1080}$

(2) 짝수는 일의 자리에 0, 2, 4가 올 수 있고,

각각에 대하여 천의 자리에는 0을 뺀 5개가 올 수 있다.

또 백의 자리, 십의 자리에 올 수 있는 숫자의 개수는 6개에서 중복을 허용하여 2개를 뽑는 순열의 수이므로 $_6\Pi_2=6^2=36$

따라서 네 자리 짝수의 개수는 $5\times36\times3=\mathbf{540}$

나만의 Note

5-1 나의 풀이

대표 Q6 중복순열

다음 물음에 답하시오.

(1) 편지 4통을 우체통 2곳에 넣는 경우의 수를 구하시오.

(2) 연필 5자루를 2명에게 나누어 주는 경우의 수를 구하시오.

(단, 각각은 적어도 한 자루씩 받는다.)

(3) 남자 4명과 여자 2명이 세 모임에 나누어 가입하는 경우의 수를 구하시오.

(단, 여자 두 명은 같은 모임에 가입한다.)

대표 Q6 풀이

(1) 우체통을 A, B라 하면

각 편지는 A 또는 B에 넣을 수 있다.

따라서 경우의 수는 $2 \times 2 \times 2 \times 2 = 16$

(2) 두 명을 A, B라 할 때,

각 연필을 A 또는 B에게 주는 경우의 수는 $2^5 = 32$

한 명이 다 받는 경우의 수를 빼면

$32 - 2 = 30$

(3) 여자 2명을 한 사람처럼 생각하고

5명이 세 모임에 가입하는 경우의 수이므로

$3 \times 3 \times 3 \times 3 \times 3 = 243$

나만의 Note

6-1 나의 풀이

6-2 나의 풀이

대표 Q7 같은 숫자가 있는 자연수의 개수

다음 물음에 답하시오.

(1) 0, 1, 1, 1, 2, 2가 하나씩 적힌 카드 6장을 이용하여 만들 수 있는 여섯 자리 자연수의 개수를 구하시오.

(2) 1, 1, 1, 2, 2, 3이 하나씩 적힌 카드 6장에서 4장을 뽑아 만들 수 있는 네 자리 자연수의 개수를 구하시오.

대표 Q7 풀이

(1) (i) 맨 앞자리 숫자가 1인 경우

나머지 자리는 0, 1, 1, 2, 2를 일렬로 나열하면

되므로 $\dfrac{5!}{2! \times 2!} = 30$

(ii) 맨 앞자리 숫자가 2인 경우

나머지 자리는 0, 1, 1, 1, 2를 일렬로 나열하면

되므로 $\dfrac{5!}{3!} = 20$

(i), (ii)에서 $30 + 20 = \mathbf{50}$

(2) (i) 1, 1, 1, 2를 뽑는 경우의 수는 $\dfrac{4!}{3!} = 4$

1, 1, 1, 3을 뽑는 경우의 수는 $\dfrac{4!}{3!} = 4$

(ii) 1, 1, 2, 2를 뽑는 경우의 수는 $\dfrac{4!}{2! \times 2!} = 6$

(iii) 1, 1, 2, 3을 뽑는 경우의 수는 $\dfrac{4!}{2!} = 12$

(iv) 1, 2, 2, 3을 뽑는 경우의 수는 $\dfrac{4!}{2!} = 12$

(i)~(iv)에서 $4 + 4 + 6 + 12 + 12 = \mathbf{38}$

나만의 Note

7-1 나의 풀이

7-2 나의 풀이

대표 Q8 같은 것이 있고, 순서가 있는 순열

football의 8개 문자를 일렬로 나열할 때, 다음 물음에 답하시오.

(1) o, o가 이웃하는 경우의 수를 구하시오.

(2) 양 끝에 모음이 오는 경우의 수를 구하시오.

(3) f가 b보다 앞에 오는 경우의 수를 구하시오.

대표 Q8 풀이

(1) o, o를 하나의 문자 O로 생각하고

O, f, t, b, a, l, l을 일렬로 나열하는 경우의 수와 같

으므로 $\dfrac{7!}{2!}=$ **2520**

(2) (i) 양 끝이 (o, o)인 경우

f, t, b, a, l, l을 일렬로 나열하는 경우의 수이므로

$\dfrac{6!}{2!}=360$

(ii) 양 끝이 (o, a)인 경우

f, o, t, b, l, l을 일렬로 나열하는 경우의 수이므로

$\dfrac{6!}{2!}=360$

(iii) 양 끝이 (a, o)인 경우

(ii)의 경우의 수와 같으므로 360

(i)~(iii)에서 $360+360+360=$ **1080**

(3) f와 b는 순서가 정해졌으므로 f와 b를 f_1로 생각한다.

곧, f_1, f_1, o, o, t, a, l, l을 일렬로 나열한 다음 앞

의 f_1에 f, 뒤의 f_1에 b를 쓰는 경우의 수와 같다.

$\therefore \dfrac{8!}{2!\times 2!\times 2!}=$ **5040**

😊 나만의 Note

8-1 나의 풀이

8-2 나의 풀이

8-3 나의 풀이

대표 Q9 최단 거리의 개수

그림과 같은 도로망이 있다. 다음 경우의 수를 구하시오.

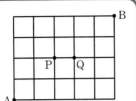

(1) A 지점에서 B 지점까지 최단 거리로 가는 경우의 수

(2) A 지점에서 P 지점을 거쳐 B 지점까지 최단 거리로 가는 경우의 수

(3) A 지점에서 도로 PQ를 거치지 않고 B 지점까지 최단 거리로 가는 경우의 수

대표 Q9 풀이

(1) 오른쪽으로 한 칸 움직이는 것을 a,
위로 한 칸 움직이는 것을 b라 하자.

A 지점에서 B 지점까지 최단 거리로 가는 경우의 수는

$a, a, a, a, a, b, b, b, b$

를 일렬로 나열하는 경우의 수와 같다.

$\therefore \dfrac{9!}{5! \times 4!} = 126$

(2) A 지점에서 P 지점까지 최단 거리로 가는 경우의 수는

$\dfrac{4!}{2! \times 2!} = 6$

P 지점에서 B 지점까지 최단 거리로 가는 경우의 수는

$\dfrac{5!}{3! \times 2!} = 10$

$\therefore 6 \times 10 = 60$

(3) A 지점에서 P 지점까지 최단 거리로 가는 경우의 수는

$\dfrac{4!}{2! \times 2!} = 6$

Q 지점에서 B 지점까지 최단 거리로 가는 경우의 수는

$\dfrac{4!}{2! \times 2!} = 6$

A 지점에서 도로 PQ를 거쳐 B 지점까지 최단 거리로 가는 경우의 수는 $6 \times 6 = 36$

$\therefore 126 - 36 = 90$

나만의 Note

9-1 나의 풀이

Q1 뽑고 나열하는 문제

A를 포함한 남학생 3명과 B를 포함한 여학생 6명으로 구성된 모둠에서 4명을 뽑을 때, 다음 물음에 답하시오.

(1) 4명을 일렬로 세우는 경우의 수를 구하시오.

(2) A와 B는 반드시 뽑아 4명을 일렬로 세우는 경우의 수를 구하시오.

(3) 남학생 2명과 여학생 2명을 뽑아 일렬로 세우는 경우의 수를 구하시오.

(4) 남학생 1명과 여학생 3명을 뽑고 여학생이 양 끝에 오도록 일렬로 세우는 경우의 수를 구하시오.

대표 Q1 풀이

(1) 전체 9명 중 4명을 뽑는 경우의 수는 $_9C_4$
뽑은 4명을 일렬로 세우는 경우의 수는 $4!$

$$\therefore {}_9C_4 \times 4! = \frac{9 \times 8 \times 7 \times 6}{4!} \times 4! = 3024$$

(2) A와 B를 이미 뽑았다고 생각하고, A와 B를 제외한 7명 중 2명을 뽑는 경우의 수는 $_7C_2$
뽑은 4명을 일렬로 세우는 경우의 수는 $4!$

$$\therefore {}_7C_2 \times 4! = \frac{7 \times 6}{2 \times 1} \times 24 = 504$$

(3) 남학생 2명을 뽑는 경우의 수는 $_3C_2$
여학생 2명을 뽑는 경우의 수는 $_6C_2$
뽑은 4명을 일렬로 세우는 경우의 수는 $4!$

$$\therefore {}_3C_2 \times {}_6C_2 \times 4! = \frac{3 \times 2}{2 \times 1} \times \frac{6 \times 5}{2 \times 1} \times 24 = 1080$$

(4) 남학생 1명과 여학생 3명을 뽑는 경우의 수는
$_3C_1 \times {}_6C_3$
뽑은 여학생 3명 중 2명을 양 끝에 세우는 경우의 수는
$_3P_2$
나머지 2명을 세우는 경우의 수는 $2!$

$$\therefore {}_3C_1 \times {}_6C_3 \times {}_3P_2 \times 2!$$
$$= 3 \times \frac{6 \times 5 \times 4}{3 \times 2 \times 1} \times (3 \times 2) \times 2 = 720$$

나만의 Note

1-1 나의 풀이

Q2 조를 나누는 문제

서로 다른 꽃 7송이를 세 묶음으로 나눌 때, 다음 물음에 답하시오.

(1) 2송이, 2송이, 3송이 세 묶음으로 나누는 경우의 수를 구하시오.

(2) 2송이, 2송이, 3송이 세 묶음으로 나눈 다음, 세 명에게 나누어 주는 경우의 수를 구하시오.

대표 Q2 풀이

(1) 서로 다른 꽃 7송이를 2송이, 2송이, 3송이로 나누는 경우의 수는

$${}_7C_2 \times {}_5C_2 \times {}_3C_3 \times \frac{1}{2!}$$

$$= \frac{7 \times 6}{2 \times 1} \times \frac{5 \times 4}{2 \times 1} \times 1 \times \frac{1}{2 \times 1} = 105$$

(2) 세 묶음으로 나눈 꽃을 세 명에게 나누어 주는 경우의 수는

$$105 \times 3! = 105 \times 6 = 630$$

나만의 Note

2-1 나의 풀이

Q3 치역과 공역이 같은 함수의 개수

집합 $X=\{1, 2, 3, 4\}$에서 집합 $Y=\{5, 6, 7\}$로 정의된 함수 f 중에서 치역이 Y인 함수의 개수를 구하시오.

날선 03 풀이

1, 2, 3, 4를 세 묶음으로 나누면 각 묶음의 원소는 2개, 1개, 1개이므로 경우의 수는

$$_4C_2 \times _2C_1 \times _1C_1 \times \frac{1}{2!} = 6$$

세 묶음에 Y의 원소 5, 6, 7을 대응시켜야 하므로

$$6 \times 3! = 36$$

나만의 Note

3-1 나의 풀이

대표 Q4 다른 것, 같은 것을 나누는 문제

다음 물음에 답하시오.

(1) 같은 모양의 공 6개를 세 명에게 나누어 주는 방법의 수를 구하시오.

   (단, 공을 받지 못하는 사람이 있을 수도 있다.)

(2) 같은 모양의 공 3개를 그림과 같은 모양의 상자 6칸에 나누어 넣는 방법의 수를 구하시오.

   (단, 한 칸에 공을 여러 개 넣어도 된다.)

대표 Q4 풀이

(1) 세 명을 A, B, C라 할 때, A, B, C에서 중복을 허용하여 6번 뽑고 순서를 생각하지 않으므로

   $$_3H_6 = {_8C_6} = {_8C_2} = 28$$

(2) 6개의 칸에서 중복을 허용하여 3개 선택하면 되므로

   $$_6H_3 = {_8C_3} = 56$$

나만의 Note

4-1 나의 풀이

4-2 나의 풀이

대표 Q5 정수해 문제

방정식 $x+y+z=10$에 대하여 다음 물음에 답하시오.

(1) 음이 아닌 정수해 (x, y, z)의 개수를 구하시오.

(2) 양의 정수해 (x, y, z)의 개수를 구하시오.

대표 Q5 풀이

(1) x, y, z를 중복을 허용하여 순서를 생각하지 않고 10번 뽑는 경우의 수이므로

$$_3H_{10}={}_{12}C_{10}={}_{12}C_2=\mathbf{66}$$

(2) x, y, z를 중복을 허용하여 순서를 생각하지 않고 7번 뽑은 다음 x, y, z를 한 번씩 더 뽑는 경우의 수와 같다.

$$\therefore {}_3H_7={}_9C_7={}_9C_2=\mathbf{36}$$

😊 나만의 Note

5-1 나의 풀이

5-2 나의 풀이

대표
Q6 순서가 있는 함수의 개수

집합 $X=\{1, 2, 3, 4\}$에서 집합
$Y=\{1, 2, 3, 4, 5, 6\}$으로 정의된 함수 f가 있다.
다음 물음에 답하시오.

(1) $x_1 \neq x_2$이면 $f(x_1) \neq f(x_2)$를 만족시키는
함수 f의 개수를 구하시오.

(2) $x_1 < x_2$이면 $f(x_1) < f(x_2)$를 만족시키는
함수 f의 개수를 구하시오.

(3) $x_1 < x_2$이면 $f(x_1) \leq f(x_2)$를 만족시키는
함수 f의 개수를 구하시오.

대표 Q6 풀이

(1) X의 원소 1이 가능한 함숫값은 6개,
2가 가능한 함숫값은 $f(1)$을 뺀 5개,
3이 가능한 함숫값은 $f(1)$, $f(2)$를 뺀 4개,
4가 가능한 함숫값은 $f(1)$, $f(2)$, $f(3)$을 뺀 3개
이므로
$6 \times 5 \times 4 \times 3 = \mathbf{360}$

(2) Y에서 원소 4개를 뽑으면
$f(1) < f(2) < f(3) < f(4)$
인 경우는 한 가지이므로 함수의 개수는
$_6C_4 = _6C_2 = \mathbf{15}$

(3) Y에서 중복을 허용하여 원소 4개를 뽑으면
$f(1) \leq f(2) \leq f(3) \leq f(4)$
인 경우는 한 가지이므로 함수의 개수는
$_6H_4 = _9C_4 = \mathbf{126}$

나만의 Note

6-1 나의 풀이

6-2 나의 풀이

Q1 $(a+b)^n$의 전개식

다음 물음에 답하시오.

(1) $(2x-3y)^6$의 전개식에서 x^4y^2의 계수를 구하시오.

(2) $\left(3x^2+\dfrac{1}{x}\right)^7$의 전개식에서 $\dfrac{1}{x}$의 계수를 구하시오.

(3) $\left(ax+\dfrac{1}{2x}\right)^8$의 전개식에서 x^2의 계수가 -7일 때, 실수 a의 값을 구하시오.

대표 Q1 풀이

(1) $(2x-3y)^6$의 전개식의 일반항은

$$_6C_r(2x)^r(-3y)^{6-r}={}_6C_r2^r(-3)^{6-r}x^ry^{6-r}$$

x^4y^2항은 $r=4$, $6-r=2$일 때이므로 $r=4$

따라서 x^4y^2의 계수는 $_6C_4\times2^4\times(-3)^2=\mathbf{2160}$

(2) $\left(3x^2+\dfrac{1}{x}\right)^7$의 전개식의 일반항은

$$_7C_r(3x^2)^r\left(\dfrac{1}{x}\right)^{7-r}={}_7C_r3^rx^{2r}\times\dfrac{1}{x^{7-r}}$$

$$={}_7C_r3^rx^{3r-7}$$

$\dfrac{1}{x}=x^{-1}$이므로 $3r-7=-1$에서 $r=2$

따라서 $\dfrac{1}{x}$의 계수는 $_7C_2\times3^2=\mathbf{189}$

(3) $\left(ax+\dfrac{1}{2x}\right)^8$의 전개식의 일반항은

$$_8C_r(ax)^r\left(\dfrac{1}{2x}\right)^{8-r}={}_8C_r\times\dfrac{a^r}{2^{8-r}}\times x^r\times\dfrac{1}{x^{8-r}}$$

$$={}_8C_r\times\dfrac{a^r}{2^{8-r}}\times x^{2r-8}$$

x^2항은 $2r-8=2$에서 $r=5$이고 계수가 -7이므로

$$_8C_5\times\dfrac{a^5}{2^3}=-7,\ 7a^5=-7,\ a^5=-1$$

a는 실수이므로 $a=\mathbf{-1}$

나만의 Note

1-1 나의 풀이

1-2 나의 풀이

대표 Q2 $(a+b)^m(c+d)^n$의 전개식

다음 물음에 답하시오.

(1) $(x^2-4)\left(2x+\dfrac{1}{x}\right)^4$의 전개식에서 상수항을 구하시오.

(2) $(2x+1)^4(x^2-2)^3$의 전개식에서 x^2의 계수를 구하시오.

대표 Q2 풀이

(1) x^2-4에 $\left(2x+\dfrac{1}{x}\right)^4$의 $\dfrac{1}{x^2}$항 또는 상수항을 곱하면

상수항이 나온다.

$\left(2x+\dfrac{1}{x}\right)^4$의 전개식의 일반항은

$$_4\mathrm{C}_r(2x)^r\left(\dfrac{1}{x}\right)^{4-r}={}_4\mathrm{C}_r\,2^r x^r\times\dfrac{1}{x^{4-r}}$$
$$={}_4\mathrm{C}_r\,2^r x^{2r-4}\quad\cdots\ \bigcirc$$

이므로 $r=2$인 경우는 상수항, $r=1$인 경우는 $\dfrac{1}{x^2}$이다.

(ⅰ) $r=2$일 때,

$\bigcirc$은 $_4\mathrm{C}_2\,2^2 x^{2\times2-4}=24$이므로 상수항은

$-4\times24=-96$

(ⅱ) $r=1$일 때,

$\bigcirc$은 $_4\mathrm{C}_1\,2^1 x^{2\times1-4}=8\times\dfrac{1}{x^2}$이므로 상수항은

$x^2\times\dfrac{8}{x^2}=8$

(ⅰ), (ⅱ)에서 상수항은 $-96+8=\mathbf{-88}$

(2) $(x^2-2)^3$의 전개식에서 x항이 없으므로

(ⅰ) $(2x+1)^4$의 상수항과 $(x^2-2)^3$의 x^2항을 곱하면

$1\times{}_3\mathrm{C}_1 x^2(-2)^{3-1}=12x^2$

(ⅱ) $(2x+1)^4$의 x^2항과 $(x^2-2)^3$의 상수항을 곱하면

$_4\mathrm{C}_2(2x)^2\times1^{4-2}\times(-2)^3=-192x^2$

(ⅰ), (ⅱ)에서 x^2의 계수는 $12-192=\mathbf{-180}$

나만의 Note

2-1 나의 풀이

2-2 나의 풀이

대표 Q3 이항계수의 합

다음 물음에 답하시오.

(1) $1000 < {}_nC_1 + {}_nC_2 + {}_nC_3 + \cdots + {}_nC_n < 2000$일 때, 자연수 n의 값을 구하시오.

(2) ${}_{20}C_1 + {}_{20}C_3 + {}_{20}C_5 + {}_{20}C_7 + \cdots + {}_{20}C_{19}$의 값을 구하시오.

(3) ${}_{10}C_0 - {}_{10}C_1 \times 2 + {}_{10}C_2 \times 2^2 - {}_{10}C_3 \times 2^3 + \cdots + {}_{10}C_{10} \times 2^{10}$의 값을 구하시오.

대표 Q3 풀이

(1) ㉠에 $x=1$을 대입하면

$2^n = {}_nC_0 + {}_nC_1 + {}_nC_2 + {}_nC_3 + \cdots + {}_nC_n$ ⋯ ㉡

${}_nC_0 = 1$이므로 조건에서 $1000 < 2^n - 1 < 2000$

$2^{10} = 1024$이므로 자연수 n의 값은 **10**

(2) ㉠에 $x=-1$을 대입하면

$0 = {}_nC_0 - {}_nC_1 + {}_nC_2 - {}_nC_3 + \cdots + (-1)^n {}_nC_n$ ⋯ ㉢

㉡$-$㉢을 하면

$2^n = 2({}_nC_1 + {}_nC_3 + {}_nC_5 + \cdots + {}_nC_{n-1})$

$\therefore {}_nC_1 + {}_nC_3 + {}_nC_5 + \cdots + {}_nC_{n-1} = 2^{n-1}$

$n=20$을 대입하면

${}_{20}C_1 + {}_{20}C_3 + {}_{20}C_5 + {}_{20}C_7 + \cdots + {}_{20}C_{19} = \mathbf{2^{19}}$

(3) ㉠에 $x=-2$를 대입하면

$(1-2)^n = {}_nC_0 + {}_nC_1(-2) + {}_nC_2(-2)^2 + {}_nC_3(-2)^3 + \cdots + {}_nC_n(-2)^n$

$n=10$을 대입하면

$(1-2)^{10}$

$= {}_{10}C_0 - {}_{10}C_1 \times 2 + {}_{10}C_2 \times 2^2 - {}_{10}C_3 \times 2^3 + \cdots + {}_{10}C_{10} \times 2^{10}$

$\therefore {}_{10}C_0 - {}_{10}C_1 \times 2 + {}_{10}C_2 \times 2^2 - {}_{10}C_3 \times 2^3 + \cdots + {}_{10}C_{10} \times 2^{10}$

$= (-1)^{10} = \mathbf{1}$

나만의 Note

3-1 나의 풀이

3-2 나의 풀이

대표 Q4 파스칼의 삼각형

파스칼의 삼각형을 이용하여

$$_2C_0 + _3C_1 + _4C_2 + _5C_3 + \cdots + _{10}C_8$$

의 값을 구하시오.

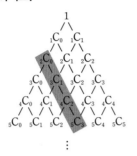

대표 Q4 풀이

$_2C_0 = _3C_0$이므로

$_2C_0 + _3C_1 + _4C_2 + _5C_3 + \cdots + _{10}C_8$

$= (_3C_0 + _3C_1) + _4C_2 + _5C_3 + \cdots + _{10}C_8$

$= (_4C_1 + _4C_2) + _5C_3 + \cdots + _{10}C_8$

$= (_5C_2 + _5C_3) + _6C_4 + \cdots + _{10}C_8$

$\qquad \vdots$

$= _{10}C_7 + _{10}C_8$

$= _{11}C_8 = _{11}C_3 = \mathbf{165}$

나만의 Note

4-1 나의 풀이

대표 **Q1** 동전이나 주사위를 던지는 확률

다음 사건이 일어날 확률을 구하시오.
(1) 동전 3개를 동시에 던질 때, 앞면이 2개 나온다.
(2) 주사위 2개를 동시에 던질 때, 나오는 두 눈의 수의 차가 4 이상이다.

대표 **Q1** 풀이

전체 경우의 수는 $2^3 = 8$

앞면이 2개 나오는 경우는

(앞, 앞, 뒤), (앞, 뒤, 앞), (뒤, 앞, 앞)의 3개

따라서 확률은 $\dfrac{3}{8}$

(2) 전체 경우의 수는 $6 \times 6 = 36$

(i) 두 눈의 수의 차가 4인 경우는

$(1, 5)$, $(2, 6)$, $(5, 1)$, $(6, 2)$의 4개

(ii) 두 눈의 수의 차가 5인 경우는

$(1, 6)$, $(6, 1)$의 2개

(i), (ii)에서 두 눈의 수의 차가 4 이상인 경우는

$4 + 2 = 6$(개)

따라서 확률은 $\dfrac{6}{36} = \dfrac{1}{6}$

나만의 **Note**

1-1 나의 풀이

1-2 나의 풀이

대표 Q2 나열하는 경우의 확률

A, B를 포함한 학생 6명이 있다. 다음 사건이 일어날 확률을 구하시오.

(1) 6명을 일렬로 세울 때, A와 B는 이웃한다.

(2) 6명을 일렬로 세울 때, A와 B 사이에 2명이 있다.

(3) 6명이 원탁에 둘러앉을 때, A와 B가 마주 본다.

대표 Q2 풀이

(1) 6명을 일렬로 세우는 경우의 수는 6!

A와 B를 묶어 한 사람으로 보고 5명을 일렬로 세우는 경우의 수는 5!

묶음 안에서 A와 B가 자리를 바꾸는 경우의 수는 2

곧, A와 B가 이웃하는 경우의 수는 $5! \times 2$

따라서 확률은 $\dfrac{5! \times 2}{6!} = \dfrac{1}{3}$

(2) 6명을 일렬로 세우는 경우의 수는 6!

A와 B 사이에 세우는 2명을 고르는 경우의 수는 $_4P_2$

A○○B를 묶어 한 사람으로 보고 3명을 일렬로 세우는 경우의 수는 3!

A와 B가 자리를 바꾸는 경우의 수는 2

곧, A와 B 사이에 2명이 있는 경우의 수는

$_4P_2 \times 3! \times 2$

따라서 확률은 $\dfrac{_4P_2 \times 3! \times 2}{6!} = \dfrac{1}{5}$

(3) 6명이 원탁에 둘러앉는 경우의 수는 $(6-1)! = 5!$

A의 자리를 결정하면 B의 자리는 마주 보는 자리로 정해지므로 4명이 남은 4개의 자리에 한 사람씩 앉는 경우의 수는 4!

따라서 확률은 $\dfrac{4!}{5!} = \dfrac{1}{5}$

나만의 Note

2-1 나의 풀이

2-2 나의 풀이

Q3 주머니에서 구슬을 뽑는 경우의 확률

주머니에 크기가 같은 흰 구슬 5개, 검은 구슬 3개, 파란 구슬 2개가 들어 있다. 이 주머니에서 임의로 구슬 3개를 꺼낼 때, 다음 사건이 일어날 확률을 구하시오.

(1) 흰 구슬 2개, 검은 구슬 1개가 나온다.

(2) 색이 모두 다른 구슬이 나온다.

(3) 색이 모두 같은 구슬이 나온다.

대표 Q3 풀이

구슬 10개 중에서 3개를 뽑는 경우의 수는 $_{10}C_3$

(1) 흰 구슬 5개 중에서 2개, 검은 구슬 3개 중에서 1개를 뽑는 경우의 수는 $_5C_2 \times _3C_1$

따라서 확률은

$$\frac{_5C_2 \times _3C_1}{_{10}C_3} = \frac{10 \times 3}{120} = \frac{1}{4}$$

(2) 흰 구슬 5개 중에서 1개, 검은 구슬 3개 중에서 1개, 파란 구슬 2개 중에서 1개를 뽑는 경우의 수는

$_5C_1 \times _3C_1 \times _2C_1$

따라서 확률은

$$\frac{_5C_1 \times _3C_1 \times _2C_1}{_{10}C_3} = \frac{5 \times 3 \times 2}{120} = \frac{1}{4}$$

(3) 흰 구슬 5개 중에서 3개를 뽑는 경우의 수는 $_5C_3$

검은 구슬 3개 중에서 3개를 뽑는 경우의 수는 $_3C_3$

색이 모두 같은 구슬이 나오는 경우의 수는 $_5C_3 + _3C_3$

따라서 확률은

$$\frac{_5C_3 + _3C_3}{_{10}C_3} = \frac{10 + 1}{120} = \frac{11}{120}$$

나만의 Note

3-1 나의 풀이

3-2 나의 풀이

Q4 통계적 확률

당첨 제비를 포함한 제비 6개가 들어 있는 상자가 있다. 재성이네 반 학생 30명이 한 명씩 제비를 2개 뽑을 때, 20명이 당첨 제비를 하나도 뽑지 못하였다. 이 상자에 들어 있는 당첨 제비의 개수를 구하시오.
(단, 뽑은 제비는 다시 상자에 넣는다.)

대표 Q4 풀이

당첨 제비의 개수를 n이라 하면 제비 6개 중에서 2개를 뽑을 때 당첨이 아닌 제비 2개를 뽑을 확률은

$$\frac{_{6-n}C_2}{_6C_2} = \frac{(6-n)(5-n)}{30}$$

임의로 제비 2개를 뽑을 때, 2개 모두 당첨 제비가 아닐 확률이 $\frac{20}{30} = \frac{2}{3}$이므로

$$\frac{(6-n)(5-n)}{30} = \frac{2}{3}, \ n^2 - 11n + 10 = 0$$

$$(n-10)(n-1) = 0$$

$0 \le n \le 6$이므로 $n = 1$

😊 **나만의 Note**

4-1 나의 풀이

4-2 나의 풀이

교육과정 외

Q5 기하적 확률

그림과 같이 반지름의 길이가 1인 원 모양의 과녁을 힘껏 돌린 다음 화살을 한 발 쏘아 맞출 때, 다음 물음에 답하시오.
(단, 1부터 12까지의 수는 원주를 12등분하는 점이고, 화살은 과녁을 벗어나지 않는다.)

(1) 화살이 원의 중심 O와 2, 6을 연결하는 부채꼴 안에 있을 확률을 구하시오.

(2) 화살이 원의 중심 O와 6, a $(a>6)$를 연결하는 부채꼴 안에 있을 확률이 과녁의 색칠한 부분에 있을 확률의 3배일 때, a의 값을 구하시오.

대표 Q5 풀이

(1) 과녁 전체의 넓이는 π
부채꼴 AOB의 넓이는
$$\pi \times \frac{4}{12} = \frac{\pi}{3}$$
따라서 확률은
$$\frac{\frac{\pi}{3}}{\pi} = \frac{1}{3}$$

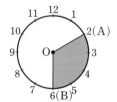

(2) 부채꼴 COD의 넓이가 초록색 부분의 넓이의 3배이므로
$$a-6=3 \qquad \therefore a=9$$

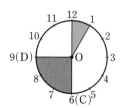

나만의 Note

5-1 나의 풀이

5-2 나의 풀이

대표 **Q6** 확률의 덧셈정리

1부터 40까지의 자연수가 하나씩 적힌 카드 40장이 들어 있는 상자가 있다. 다음 사건이 일어날 확률을 구하시오.

(1) 임의로 카드 한 장을 뽑을 때, 카드에 적힌 수가 3의 배수 또는 4의 배수이다.

(2) 임의로 카드 2장을 뽑을 때, 카드에 적힌 수의 합이 짝수이다.

대표 **Q6** 풀이

(1) 카드 한 장을 뽑을 때, 3의 배수가 나오는 사건을 A, 4의 배수가 나오는 사건을 B라 하면

$$P(A)=\frac{13}{40},\ P(B)=\frac{10}{40}$$

$A\cap B$는 3과 4의 공배수, 곧 12의 배수가 나오는 사건이므로

$$P(A\cap B)=\frac{3}{40}$$

$$\therefore\ P(A\cup B)=P(A)+P(B)-P(A\cap B)$$

$$=\frac{13}{40}+\frac{10}{40}-\frac{3}{40}=\frac{20}{40}=\frac{1}{2}$$

(2) 카드 2장을 뽑을 때, 2장에 적힌 수가 모두 홀수인 사건을 C, 짝수인 사건을 D라 하면

$$P(C)=\frac{{}_{20}C_2}{{}_{40}C_2}=\frac{19}{78}$$

$$P(D)=\frac{{}_{20}C_2}{{}_{40}C_2}=\frac{19}{78}$$

사건 C, D는 배반사건이므로 확률은

$$P(C\cup D)=P(C)+P(D)=\frac{19}{78}+\frac{19}{78}=\frac{19}{39}$$

나만의 **Note**

6-1 나의 풀이

6-2 나의 풀이

6-3 나의 풀이

Q7 여사건의 확률

주사위를 세 번 던질 때, 다음 사건이 일어날 확률
을 구하시오.

(1) 적어도 두 눈의 수가 같다.

(2) 나온 눈의 수의 곱이 짝수이다.

대표 Q7 풀이

(1) 적어도 두 눈의 수가 같은 사건을 A라 하면
A^C는 세 눈의 수가 모두 다른 사건이다.

$$P(A^C) = \frac{6 \times 5 \times 4}{6^3} = \frac{5}{9}$$

$$\therefore P(A) = 1 - P(A^C) = \frac{4}{9}$$

(2) 세 수의 곱이 짝수인 사건을 B라 하면
B^C는 세 수의 곱이 홀수인 사건이다.
따라서 B^C이면 세 수가 모두 홀수이므로

$$P(B^C) = \frac{3^3}{6^3} = \frac{1}{8}$$

$$\therefore P(B) = 1 - P(B^C) = \frac{7}{8}$$

😊 **나만의 Note**

7-1 나의 풀이

7-2 나의 풀이

대표 **Q1** 조건부확률

주사위 두 개를 동시에 던질 때, 다음 물음에 답하시오.

(1) 두 눈의 수의 합이 3의 배수일 때, 두 눈의 수의 곱이 홀수일 확률을 구하시오.

(2) 두 눈의 수의 곱이 홀수일 때, 두 눈의 수의 합이 3의 배수일 확률을 구하시오.

대표 **Q1** 풀이

주사위 두 개를 동시에 던질 때, 표본공간 S는 표와 같다.

	1	2	3	4	5	6
1	(1, 1)	(1, 2)	(1, 3)	(1, 4)	(1, 5)	(1, 6)
2	(2, 1)	(2, 2)	(2, 3)	(2, 4)	(2, 5)	(2, 6)
3	(3, 1)	(3, 2)	(3, 3)	(3, 4)	(3, 5)	(3, 6)
4	(4, 1)	(4, 2)	(4, 3)	(4, 4)	(4, 5)	(4, 6)
5	(5, 1)	(5, 2)	(5, 3)	(5, 4)	(5, 5)	(5, 6)
6	(6, 1)	(6, 2)	(6, 3)	(6, 4)	(6, 5)	(6, 6)

두 눈의 수의 합이 3의 배수인 사건을 A, 두 눈의 수의 곱이 홀수인 사건을 B라 하면

$n(A)=12$, $n(B)=9$, $n(A \cap B)=3$

(1) $\mathrm{P}(B \mid A)=\dfrac{n(A \cap B)}{n(A)}=\dfrac{3}{12}=\dfrac{1}{4}$

(2) $\mathrm{P}(A \mid B)=\dfrac{n(A \cap B)}{n(B)}=\dfrac{3}{9}=\dfrac{1}{3}$

😊 나만의 **N**ote

1-1 나의 풀이

1-2 나의 풀이

Q2 개수를 구하는 확률

어떤 제품은 A 공장에서 80 %, B 공장에서 20 %가 생산되고, A 공장과 B 공장에서 생산된 제품의 불량률은 각각 1 %, 1.5 %라 한다. 임의로 선택한 제품 한 개가 불량품일 때, 그 제품이 B 공장에서 생산된 제품일 확률을 구하시오.

대표 Q2 풀이

제품을 1000개라 하면 A 공장 제품은 800개, B 공장 제품은 200개이므로 A, B 공장의 정상 제품과 불량품의 개수는 표와 같다.

	A 공장	B 공장	합계
정상 제품	800×0.99	200×0.985	
불량품	800×0.01	200×0.015	
합계	800	200	1000

불량품의 개수는 $800 \times 0.01 + 200 \times 0.015 = 11$
불량품 중 B 공장 제품의 개수는 $200 \times 0.015 = 3$
따라서 구하는 확률은 $\dfrac{3}{11}$

나만의 Note

2-1 나의 풀이

대표 Q3 조건부확률의 계산

두 사건 A, B에 대하여 다음 물음에 답하시오.

(1) $\mathrm{P}(A)=\dfrac{1}{2}$, $\mathrm{P}(B)=\dfrac{2}{3}$, $\mathrm{P}(A\cup B)=\dfrac{3}{4}$일 때, $\mathrm{P}(B\,|\,A)$를 구하시오.

(2) $\mathrm{P}(A)=\dfrac{1}{2}$, $\mathrm{P}(A\,|\,B)=\dfrac{1}{4}$, $\mathrm{P}(A\cup B)=\dfrac{4}{5}$일 때, $\mathrm{P}(B\,|\,A^{c})$를 구하시오.

대표 Q3 풀이

(1) $\mathrm{P}(A\cup B)=\mathrm{P}(A)+\mathrm{P}(B)-\mathrm{P}(A\cap B)$이므로

$\dfrac{3}{4}=\dfrac{1}{2}+\dfrac{2}{3}-\mathrm{P}(A\cap B)$ $\therefore \mathrm{P}(A\cap B)=\dfrac{5}{12}$

$\therefore \mathrm{P}(B\,|\,A)=\dfrac{\mathrm{P}(A\cap B)}{\mathrm{P}(A)}=\dfrac{\dfrac{5}{12}}{\dfrac{1}{2}}=\dfrac{5}{6}$

(2) $\mathrm{P}(A\,|\,B)=\dfrac{\mathrm{P}(A\cap B)}{\mathrm{P}(B)}=\dfrac{1}{4}$

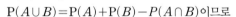

이므로

$P(A\cap B)=x$라 하면

$\mathrm{P}(B)=4x$, $\mathrm{P}(B\cap A^{c})=3x$

$\mathrm{P}(A\cup B)=\mathrm{P}(A)+\mathrm{P}(B)-P(A\cap B)$이므로

$\dfrac{4}{5}=\dfrac{1}{2}+4x-x$

$\therefore x=\dfrac{1}{10}$

$\therefore \mathrm{P}(B\,|\,A^{c})=\dfrac{\mathrm{P}(B\cap A^{c})}{\mathrm{P}(A^{c})}=\dfrac{\mathrm{P}(B\cap A^{c})}{1-\mathrm{P}(A)}$

$=\dfrac{\dfrac{3}{10}}{1-\dfrac{1}{2}}=\dfrac{\dfrac{3}{10}}{\dfrac{1}{2}}=\dfrac{3}{5}$

 나만의 Note

3-1 나의 풀이

3-2 나의 풀이

Q4 당첨 제비를 뽑을 확률

당첨 제비 3개를 포함한 제비 10개가 들어 있는 주머니에서 A와 B가 차례로 제비를 한 개씩 뽑을 때, 다음 확률을 구하시오. (단, 뽑은 제비는 다시 넣지 않는다.)

(1) A와 B가 모두 당첨 제비를 뽑는다.

(2) A는 당첨 제비를 뽑지 않고 B는 당첨 제비를 뽑는다.

대표 Q4 풀이

(1) A가 당첨 제비를 뽑을 확률은 $\dfrac{3}{10}$,

A가 당첨 제비를 뽑았을 때, 남은 제비 9장 중 당첨 제비는 2장이므로 B가 당첨 제비를 뽑을 확률은 $\dfrac{2}{9}$

$\therefore \dfrac{3}{10} \times \dfrac{2}{9} = \dfrac{1}{15}$

(2) A가 당첨 제비를 뽑지 않을 확률은 $\dfrac{7}{10}$,

A가 당첨 제비를 뽑지 않았을 때, 남은 제비 9장 중 당첨 제비는 3장이므로 B가 당첨 제비를 뽑을 확률은 $\dfrac{3}{9}$

$\therefore \dfrac{7}{10} \times \dfrac{3}{9} = \dfrac{7}{30}$

나만의 Note

4-1 나의 풀이

4-2 나의 풀이

대표 Q5 경우를 나누는 확률(1)

어느 축구팀인 A팀의 경기가 비가 오는 날 매진될 확률이 $\frac{1}{10}$이고, 비가 오지 않는 날 매진될 확률이 $\frac{2}{3}$이다. 내일 비가 올 확률이 $\frac{1}{4}$일 때, A팀의 경기가 매진될 확률을 구하시오.

대표 Q5 풀이

(i) 내일 비가 오고, 매진될 확률은

$$\frac{1}{4} \times \frac{1}{10} = \frac{1}{40}$$

(ii) 내일 비가 오지 않고, 매진될 확률은

$$\frac{3}{4} \times \frac{2}{3} = \frac{1}{2}$$

(i), (ii)는 배반사건이므로 확률은

$$\frac{1}{40} + \frac{1}{2} = \frac{21}{40}$$

나만의 Note

5-1 나의 풀이

Q6 경우를 나누는 확률 (2)

주머니 A에는 1, 2, 3, 4, 5가 하나씩 적힌 카드 5장이 들어 있고, 주머니 B에는 1, 2, 3, 4, 5, 6이 하나씩 적힌 카드 6장이 들어 있다. 주사위를 한 번 던져 나온 눈의 수가 3의 배수이면 주머니 A에서 임의로 카드 한 장을 꺼내고, 3의 배수가 아니면 주머니 B에서 임의로 카드 한 장을 꺼낸다. 카드에 적힌 수가 짝수일 때, 이 카드가 주머니 A에서 꺼낸 카드일 확률을 구하시오.

대표 Q6 풀이

짝수가 적힌 카드를 꺼내는 사건을 E,

주머니 A에서 꺼내는 사건을 A,

주머니 B에서 꺼내는 사건을 B라 하자.

(i) 주머니 A에서 짝수가 적힌 카드를 꺼낼 확률은

$$P(A \cap E) = \frac{2}{6} \times \frac{2}{5} = \frac{2}{15}$$

(ii) 주머니 B에서 짝수가 적힌 카드를 꺼낼 확률은

$$P(B \cap E) = \frac{4}{6} \times \frac{3}{6} = \frac{1}{3}$$

(i), (ii)는 배반사건이므로 짝수가 적힌 카드를 꺼낼 확률은

$$P(E) = P(A \cap E) + P(B \cap E) = \frac{2}{15} + \frac{1}{3} = \frac{7}{15}$$

$$\therefore P(A|E) = \frac{P(A \cap E)}{P(E)} = \frac{\frac{2}{15}}{\frac{7}{15}} = \frac{2}{7}$$

나만의 Note

6-1 나의 풀이

6-2 나의 풀이

대표 Q1 독립과 종속

1부터 20까지의 자연수가 각각 적힌 카드 20장에서 임의로 한 장을 뽑을 때, 홀수가 나오는 사건을 A, 5의 배수가 나오는 사건을 B, 15보다 큰 수가 나오는 사건을 C라 하자. 다음 두 사건이 독립인지 종속인지 말하시오.

(1) A와 B (2) B^C와 C
(3) A와 $B \cap C$

대표 Q1 풀이

$A = \{1, 3, 5, 7, 9, 11, 13, 15, 17, 19\}$,
$B = \{5, 10, 15, 20\}$, $C = \{16, 17, 18, 19, 20\}$
이므로 $P(A) = \dfrac{10}{20} = \dfrac{1}{2}$, $P(B) = \dfrac{4}{20} = \dfrac{1}{5}$,

$P(C) = \dfrac{5}{20} = \dfrac{1}{4}$

(1) $A \cap B = \{5, 15\}$이므로 $P(A \cap B) = \dfrac{2}{20} = \dfrac{1}{10}$

$P(A \cap B) = P(A)P(B)$이므로 A와 B는 **독립**이다.

(2) $B \cap C = \{20\}$이므로 $P(B \cap C) = \dfrac{1}{20}$

$P(B \cap C) = P(B)P(C)$이므로 B와 C는 **독립**이다.
따라서 B^C와 C는 **독립**이다.

(3) $A \cap (B \cap C) = \varnothing$이므로 $P(A \cap (B \cap C)) = 0$
$P(A \cap (B \cap C)) \neq P(A)P(B \cap C)$이므로
A와 $B \cap C$는 **종속**이다.

😊 **나만의 Note**

1-1 나의 풀이

1-2 나의 풀이

Q2 독립사건의 확률

클레이 사격 선수 A, B, C가 총을 한 발씩 쏘아 날 아오르는 원반을 맞힐 확률은 각각 $\frac{1}{2}$, $\frac{2}{3}$, $\frac{3}{4}$이다. 세 사람이 총을 한 발씩 쏠 때, 다음을 구하시오.

(1) 세 명 모두 원반을 맞힐 확률

(2) 두 명만 원반을 맞힐 확률

(3) 적어도 한 명이 원반을 맞힐 확률

대표 Q2 풀이

A, B, C가 총을 각각 한 발씩 쏠 때 원반을 맞히는 사건을 각각 A, B, C라 하면 A, B, C는 독립이고

$$P(A)=\frac{1}{2}, P(B)=\frac{2}{3}, P(C)=\frac{3}{4}$$

(1) 세 사람이 모두 원반을 맞힐 확률은

$$P(A \cap B \cap C)=P(A)P(B)P(C)$$
$$=\frac{1}{2}\times\frac{2}{3}\times\frac{3}{4}=\mathbf{\frac{1}{4}}$$

(2) (i) A, B가 원반을 맞히고, C가 맞히지 못할 확률은

$$P(A \cap B \cap C^C)=P(A)P(B)P(C^C)$$
$$=\frac{1}{2}\times\frac{2}{3}\times\frac{1}{4}=\frac{1}{12}$$

(ii) A, C가 원반을 맞히고, B가 맞히지 못할 확률은

$$P(A \cap B^C \cap C)=P(A)P(B^C)P(C)$$
$$=\frac{1}{2}\times\frac{1}{3}\times\frac{3}{4}=\frac{1}{8}$$

(iii) B, C가 원반을 맞히고, A가 맞히지 못할 확률은

$$P(A^C \cap B \cap C)=P(A^C)P(B)P(C)$$
$$=\frac{1}{2}\times\frac{2}{3}\times\frac{3}{4}=\frac{1}{4}$$

(i)~(iii)에서 확률은

$$\frac{1}{12}+\frac{1}{8}+\frac{1}{4}=\mathbf{\frac{11}{24}}$$

(3) 적어도 한 명이 원반을 맞히는 사건은 한 명도 원반을 맞히지 못하는 사건의 여사건이다.

한 명도 원반을 맞히지 못할 확률은

$$P(A^C \cap B^C \cap C^C)=P(A^C)P(B^C)P(C^C)$$
$$=\frac{1}{2}\times\frac{1}{3}\times\frac{1}{4}=\frac{1}{24}$$

따라서 확률은 $1-\frac{1}{24}=\mathbf{\frac{23}{24}}$

2-1 나의 풀이

Q3 경우를 나누는 문제

7개의 팀이 있는 어느 축구 클럽에서 오른쪽과 같이 토너먼트 방식으로 축구 시합을 하려고 한다. 1팀이 부전승으로 결정되어 있을 때, 2팀이 1팀과 시합을 할 확률을 구하시오. (단, 비기는 경우는 없고, 각 팀이 이길 확률은 같다.)

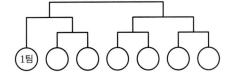

날선 Q3 풀이

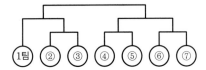

(ⅰ) 2팀이 ② 또는 ③의 자리에 있으면 한 경기를 이기고 준결승에서 1팀과 시합할 수 있으므로 확률은

$$\frac{2}{6} \times \frac{1}{2} = \frac{1}{6}$$

(ⅱ) 2팀이 ④, ⑤, ⑥, ⑦의 자리에 있으면 두 경기를 이기고 1팀이 준결승에서 이겨야 결승에서 1팀과 시합할 수 있으므로 확률은

$$\frac{4}{6} \times \frac{1}{2} \times \frac{1}{2} \times \frac{1}{2} = \frac{1}{12}$$

(ⅰ), (ⅱ)에서 확률은 $\frac{1}{6} + \frac{1}{12} = \dfrac{1}{4}$

나만의 Note

3-1 나의 풀이

3-2 나의 풀이

Q4 독립시행의 확률

주사위 한 개를 5번 던질 때, 다음을 구하시오.

(1) 3의 배수의 눈이 2번 나올 확률

(2) 3의 배수의 눈이 4번 이상 나올 확률

(3) 3의 배수의 눈이 적어도 2번 나올 확률

대표 Q4 풀이

(1) 주사위를 한 번 던질 때, 3의 배수의 눈이 나올 확률은 $\frac{2}{6}=\frac{1}{3}$이므로 5번 던질 때, 3의 배수의 눈이 2번 나올 확률은

$$_5C_2\left(\frac{1}{3}\right)^2\left(\frac{2}{3}\right)^3=\frac{80}{243}$$

(2) (i) 3의 배수가 4번 나올 확률은

$$_5C_4\left(\frac{1}{3}\right)^4\left(\frac{2}{3}\right)^1=\frac{10}{243}$$

(ii) 3의 배수가 5번 나올 확률은

$$_5C_5\left(\frac{1}{3}\right)^5\left(\frac{2}{3}\right)^0=\frac{1}{243}$$

(i), (ii)에서 확률은

$$\frac{10}{243}+\frac{1}{243}=\frac{11}{243}$$

(3) 3의 배수의 눈이 적어도 2번 나오는 사건은 3의 배수의 눈이 1번 이하로 나오는 사건의 여사건이므로

(i) 3의 배수가 0번 나올 확률은

$$_5C_0\left(\frac{1}{3}\right)^0\left(\frac{2}{3}\right)^5=\frac{32}{243}$$

(ii) 3의 배수가 1번 나올 확률은

$$_5C_1\left(\frac{1}{3}\right)^1\left(\frac{2}{3}\right)^4=\frac{80}{243}$$

(i), (ii)에서 3의 배수가 1번 이하로 나올 확률은

$$\frac{32}{243}+\frac{80}{243}=\frac{112}{243}$$

따라서 확률은

$$1-\frac{112}{243}=\frac{131}{243}$$

나만의 Note

4-1 나의 풀이

4-2 나의 풀이

대표 Q5 경우를 나누는 독립시행의 확률

야구팀 A와 B가 5번 경기하여 3번을 먼저 이기면 우승하는 결승전을 하게 되었다. A팀이 이길 확률은 $\dfrac{2}{3}$이고 무승부는 없다고 할 때, 다음을 구하시오.

(1) A팀이 4번째 경기에서 우승할 확률
(2) A팀이 우승할 확률
(3) A팀이 우승했을 때, 4번째 경기를 이겨서 우승했을 확률

대표 Q5 풀이

(1) 3번째 경기까지 2번 이기고 4번째 경기를 이길 확률이므로

$$_3C_2\left(\dfrac{2}{3}\right)^2\left(\dfrac{1}{3}\right)^1\times\dfrac{2}{3}=\dfrac{8}{27}$$

(2) (i) 3번째 경기에서 우승하는 경우

A팀이 첫 번째, 두 번째, 세 번째 경기를 모두 이기는 경우이므로 확률은

$$_3C_3\left(\dfrac{2}{3}\right)^3\left(\dfrac{1}{3}\right)^0=\dfrac{8}{27}$$

(ii) 4번째 경기에서 우승하는 경우

확률은 (1)에서 구한 $\dfrac{8}{27}$

(iii) 5번째 경기에서 우승하는 경우

A팀이 4번째 경기까지 2번 이기고 5번째 경기를 이기는 경우이므로 확률은

$$_4C_2\left(\dfrac{2}{3}\right)^2\left(\dfrac{1}{3}\right)^2\times\dfrac{2}{3}=\dfrac{16}{81}$$

(i)~(iii)에서 확률은

$$\dfrac{8}{27}+\dfrac{8}{27}+\dfrac{16}{81}=\dfrac{64}{81}$$

(3) 사건 (2)가 일어났을 때의 사건 (1)의 조건부확률이므로

$$\dfrac{\dfrac{8}{27}}{\dfrac{64}{81}}=\dfrac{3}{8}$$

나만의 Note

5-1 나의 풀이

5-2 나의 풀이

대표 Q1 확률분포의 성질

확률변수 X의 확률질량함수가
$$P(X=x)=kx \ (x=1, 2, 3, 4, 5)$$
일 때, 다음 물음에 답하시오.

(1) k의 값을 구하고, 확률분포를 표로 나타내시오.

(2) $P(1 \leq X \leq 2)$를 구하시오.

대표 Q1 풀이

(1) $P(X=x)=kx$에 $x=1, 2, 3, 4, 5$를 대입하면

X	1	2	3	4	5	합계
$P(X=x)$	k	$2k$	$3k$	$4k$	$5k$	1

확률의 합이 1이므로

$$k+2k+3k+4k+5k=1 \qquad \therefore \boldsymbol{k=\frac{1}{15}}$$

확률분포를 표로 나타내면

X	1	2	3	4	5	합계
$P(X=x)$	$\dfrac{1}{15}$	$\dfrac{2}{15}$	$\dfrac{3}{15}$	$\dfrac{4}{15}$	$\dfrac{5}{15}$	1

(2) $P(1 \leq X \leq 2) = P(X=1) + P(X=2)$
$$= \frac{1}{15} + \frac{2}{15} = \boldsymbol{\frac{1}{5}}$$

나만의 Note

1-1 나의 풀이

1-2 나의 풀이

Q2 확률분포 구하기

남학생 3명, 여학생 3명으로 이루어진 소모임에서 임의로 3명의 학생을 뽑을 때, 뽑은 여학생의 수를 확률변수 X라 하자. 다음 물음에 답하시오.

(1) X의 확률분포를 표로 나타내시오.

(2) $P(X \le 1)$을 구하시오.

대표 Q2 풀이

(1) 가능한 X의 값은 0, 1, 2, 3이다.

$X=0$일 때, 여자 3명 중 0명, 남자 3명 중 3명을 뽑는 경우이므로

$$P(X=0) = \frac{{}_3C_0 \times {}_3C_3}{{}_6C_3} = \frac{1}{20}$$

$X=1$일 때, 여자 3명 중 1명, 남자 3명 중 2명을 뽑는 경우이므로

$$P(X=1) = \frac{{}_3C_1 \times {}_3C_2}{{}_6C_3} = \frac{9}{20}$$

$X=2$일 때, 여자 3명 중 2명, 남자 3명 중 1명을 뽑는 경우이므로

$$P(X=2) = \frac{{}_3C_2 \times {}_3C_1}{{}_6C_3} = \frac{9}{20}$$

$X=3$일 때, 여자 3명 중 3명, 남자 3명 중 0명을 뽑는 경우이므로

$$P(X=3) = \frac{{}_3C_3 \times {}_3C_0}{{}_6C_3} = \frac{1}{20}$$

확률분포를 표로 나타내면

X	0	1	2	3	합계
$P(X=x)$	$\frac{1}{20}$	$\frac{9}{20}$	$\frac{9}{20}$	$\frac{1}{20}$	1

(2) $X \le 1$이면 $X=0$ 또는 $X=1$이므로

$$P(X \le 1) = P(X=0) + P(X=1)$$
$$= \frac{1}{20} + \frac{9}{20} = \frac{1}{2}$$

나만의 Note

2-1 나의 풀이

Q3 확률분포가 주어진 평균과 표준편차

확률변수 X의 확률분포가 표와 같고

$E(X)=\dfrac{3}{4}$일 때, 다음을 구하시오.

X	-1	0	1	2	합계
$P(X=x)$	a	$\dfrac{1}{8}$	b	$\dfrac{1}{8}$	1

(1) a, b의 값　　　　(2) $V(X)$

(3) $Y=4X-5$라 할 때, $E(Y)$와 $V(Y)$

대표 Q7 풀이

(1) 확률의 합은 1이므로

$a+\dfrac{1}{8}+b+\dfrac{1}{8}=1$　　$\therefore a+b=\dfrac{3}{4}$

또 평균이 $\dfrac{3}{4}$이므로

$-1\times a+0\times\dfrac{1}{8}+1\times b+2\times\dfrac{1}{8}=\dfrac{3}{4}$

$\therefore -a+b=\dfrac{1}{2}$

두 식을 연립하여 풀면 $a=\dfrac{1}{8}$, $b=\dfrac{5}{8}$

(2) $V(X)=(-1)^2\times\dfrac{1}{8}+0^2\times\dfrac{1}{8}+1^2\times\dfrac{5}{8}+2^2\times\dfrac{1}{8}$

$\qquad\qquad-\left(\dfrac{3}{4}\right)^2$

$\qquad=\dfrac{11}{16}$

(3) $E(Y)=E(4X-5)=4E(X)-5$

$\qquad\quad=4\times\dfrac{3}{4}-5=-2$

$V(Y)=V(4X-5)=4^2V(X)=16\times\dfrac{11}{16}=11$

나만의 Note

3-1 나의 풀이

3-2 나의 풀이

Q4 확률분포를 구하는 평균, 표준편차

주머니에 1, 2, 3, 4, 5가 각각 적힌 카드가 5장 들어 있다. 이 중 2장을 뽑을 때, 카드에 적힌 작은 수를 확률변수 X라 하자. 다음 물음에 답하시오.

(1) X의 확률분포를 표로 나타내시오.

(2) $E(X)$와 $V(X)$를 구하시오.

대표 Q4 풀이

(1) 가능한 X의 값은 1, 2, 3, 4이다.

$X=1$일 때, 가능한 경우는

$(1, 2), (1, 3), (1, 4), (1, 5)$이므로

$$P(X=1)=\frac{4}{{}_5C_2}=\frac{2}{5}$$

$X=2$일 때, 가능한 경우는

$(2, 3), (2, 4), (2, 5)$이므로

$$P(X=2)=\frac{3}{{}_5C_2}=\frac{3}{10}$$

$X=3$일 때, 가능한 경우는 $(3, 4), (3, 5)$이므로

$$P(X=3)=\frac{2}{{}_5C_2}=\frac{1}{5}$$

$X=4$일 때, 가능한 경우는 $(4, 5)$이므로

$$P(X=4)=\frac{1}{{}_5C_2}=\frac{1}{10}$$

확률변수 X의 확률분포를 표로 나타내면

X	1	2	3	4	합계
$P(X=x)$	$\frac{2}{5}$	$\frac{3}{10}$	$\frac{1}{5}$	$\frac{1}{10}$	1

(2) $$E(X)=1\times\frac{2}{5}+2\times\frac{3}{10}+3\times\frac{1}{5}+4\times\frac{1}{10}=2$$

$$V(X)=1^2\times\frac{2}{5}+2^2\times\frac{3}{10}+3^2\times\frac{1}{5}+4^2\times\frac{1}{10}-2^2$$

$$=1$$

나만의 Note

4-1 나의 풀이

Q5 이항분포의 평균과 표준편차 (1)

1, 2, 3, 4, 5가 각각 적힌 카드가 5장 들어 있는 주머니에서 3장을 뽑아 수를 확인하고 다시 넣는 시행을 한다. 이 시행을 25회 반복할 때, 카드에 적힌 두 수의 합이 나머지 한 수와 같은 사건이 일어나는 횟수를 확률변수 X라 하자. 다음 물음에 답하시오.

(1) 한 번 시행에서 두 수의 합이 나머지 한 수와 같을 확률 p를 구하시오.

(2) $\mathrm{E}(X)$, $\mathrm{V}(X)$를 구하시오.

(3) $\mathrm{E}(X^2)$을 구하시오.

대표 05 풀이

(1) 두 수의 합이 나머지 한 수인 경우는

$(1, 2, 3)$, $(1, 3, 4)$, $(1, 4, 5)$, $(2, 3, 5)$

따라서 확률은 $\dfrac{4}{{}_5\mathrm{C}_3}=\dfrac{2}{5}$

(2) X는 이항분포 $\mathrm{B}\left(25, \dfrac{2}{5}\right)$를 따르므로

$$\mathrm{E}(X)=25\times\dfrac{2}{5}=\mathbf{10}$$

$$\mathrm{V}(X)=25\times\dfrac{2}{5}\times\dfrac{3}{5}=\mathbf{6}$$

(3) $\mathrm{V}(X)=\mathrm{E}(X^2)-\{\mathrm{E}(X)\}^2$이므로

$\mathrm{E}(X^2)=10^2+6=\mathbf{106}$

나만의 Note

5-1 나의 풀이

5-2 나의 풀이

대표 **Q6** 이항분포의 평균과 표준편차 (2)

다음 물음에 답하시오.

(1) 확률변수 X가 이항분포 $B(10, p)$를 따른다.

$P(X=0)=\dfrac{1}{5}P(X=1)$일 때, $E(X)$를 구하

시오.

(2) 확률변수 X가 이항분포 $B(n, p)$를 따른다.

$E(2X-1)=7$, $V(2X-1)=12$일 때, n과 p

의 값을 구하시오.

대표 **Q6** 풀이

(1) $P(X=0)={}_{10}C_0 p^0 q^{10}$, $P(X=1)={}_{10}C_1 p^1 q^9$이므로
조건에서

$${}_{10}C_0 p^0 q^{10}=\frac{1}{5}\times {}_{10}C_1 p^1 q^9,\ q^{10}=2pq^9,\ q=2p$$

$q=1-p$이므로 $1-p=2p$, $p=\dfrac{1}{3}$

따라서 X가 이항분포 $B\left(10, \dfrac{1}{3}\right)$을 따르므로

$$E(X)=10\times\frac{1}{3}=\boldsymbol{\frac{10}{3}}$$

(2) $E(2X-1)=7$에서 $2E(X)-1=7$

$E(X)=4$이므로 $np=4$ ⋯ ㉠

$V(2X-1)=12$에서 $4V(X)=12$

$V(X)=3$이므로 $npq=3$ ⋯ ㉡

㉠, ㉡에서

$q=\dfrac{3}{4}$, $\boldsymbol{p=1-q=\dfrac{1}{4}}$, $\boldsymbol{n=16}$

😊 나만의 **Note**

6-1 나의 풀이

Q1 확률밀도함수의 성질

$0 \le X \le 2$에서 정의된 연속확률변수 X의 확률밀도 함수가

$$f(x) = \begin{cases} kx & (0 \le x \le 1) \\ k(2-x) & (1 \le x \le 2) \end{cases}$$

일 때, 다음 물음에 답하시오.

(1) k의 값을 구하시오.

(2) $P\left(0 \le X \le \dfrac{1}{2}\right)$을 구하시오.

대표 Q1 풀이

(1) $y=f(x)$의 그래프는 그림과 같고, 색칠한 부분의 넓이가 1이므로

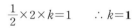

$$\frac{1}{2} \times 2 \times k = 1 \qquad \therefore k = 1$$

(2) $P\left(0 \le X \le \dfrac{1}{2}\right)$은 그림에서 색칠한 부분의 넓이와 같으므로

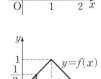

$$P\left(0 \le X \le \frac{1}{2}\right) = \frac{1}{2} \times \frac{1}{2} \times \frac{1}{2}$$
$$= \frac{1}{8}$$

 나만의 Note

1-1 나의 풀이

1-2 나의 풀이

^{대표}**Q2** 정규분포의 확률

확률변수 X가 정규분포 $N(70, 5^2)$을 따를 때, 오른쪽 표준정규분포표를 이용하여 다음 물음에 답하시오.

z	$P(0 \leq Z \leq z)$
0.5	0.1915
1.0	0.3413
1.5	0.4332
2.0	0.4772

(1) $P(65 \leq X \leq 80)$을 구하시오.

(2) $P(X \leq 75)$를 구하시오.

(3) $P(X \geq a) = 0.3085$일 때, a의 값을 구하시오.

대표 **Q2** 풀이

$Z = \dfrac{X-m}{\sigma} = \dfrac{X-70}{5}$으로 표준화하면 확률변수 Z는

표준정규분포 $N(0, 1)$을 따른다.

(1) $X = 65$일 때 $Z = -1$, $X = 80$일 때 $Z = 2$이므로

$$
\begin{aligned}
P(65 \leq X \leq 80) &= P(-1 \leq Z \leq 2) \\
&= P(-1 \leq Z \leq 0) + P(0 \leq Z \leq 2) \\
&= P(0 \leq Z \leq 1) + P(0 \leq Z \leq 2) \\
&= 0.3413 + 0.4772 = \mathbf{0.8185}
\end{aligned}
$$

(2) $X = 75$일 때 $Z = 1$이므로

$$
\begin{aligned}
P(X \leq 75) &= P(Z \leq 1) \\
&= 0.5 + P(0 \leq Z \leq 1) \\
&= 0.5 + 0.3413 = \mathbf{0.8413}
\end{aligned}
$$

(3) $P(X \geq a) = P\left(Z \geq \dfrac{a-70}{5}\right)$

이므로 초록색 부분의 넓이가 0.3085이다.

$P\left(0 \leq Z \leq \dfrac{a-70}{5}\right)$

$= 0.5 - 0.3085 = 0.1915$

표준정규분포표에서

$\dfrac{a-70}{5} = 0.5$ $\quad \therefore a = \mathbf{72.5}$

나만의 **Note**

2-1 나의 풀이

2-2 나의 풀이

대표 Q3 정규분포의 활용 (1)

어떤 공장에서 생산하는 과자 무게는 평균이 18 g, 표준편차가 0.2 g 인 정규분포를 따른다고 한다. 오른쪽 표준정규분포표를 이용하여 다음 물음에 답하시오.

z	$P(0 \le Z \le z)$
0.5	0.1915
1.0	0.3413
1.5	0.4332
2.0	0.4772
2.5	0.4938

(1) 과자 무게가 17.8 g 이상이고 18.4 g 이하일 확률을 구하시오.

(2) 과자 무게가 17.5 g 이하이면 불량품으로 판정할 때, 임의로 뽑은 과자 10000개 중 불량품으로 예상되는 과자의 개수를 구하시오.

대표 Q3 풀이

과자 무게를 확률변수 X라 하면 X는 정규분포 $N(18, 0.2^2)$을 따르므로

$Z = \dfrac{X - 18}{0.2}$로 표준화하면 확률변수 Z는 표준정규분포 $N(0, 1)$을 따른다.

(1) $X = 17.8$일 때 $Z = -1$, $X = 18.4$일 때 $Z = 2$이므로
$P(17.8 \le X \le 18.4)$
$= P(-1 \le Z \le 2)$
$= P(-1 \le Z \le 0) + P(0 \le Z \le 2)$
$= 0.3413 + 0.4772 = \mathbf{0.8185}$

(2) $X = 17.5$일 때 $Z = -2.5$이므로
$P(X \le 17.5) = P(Z \le -2.5)$
$= 0.5 - P(-2.5 \le Z \le 0)$
$= 0.5 - 0.4938 = 0.0062$
따라서 불량품으로 예상되는 과자의 개수는
$10000 \times 0.0062 = \mathbf{62}$

나만의 Note

3-1 나의 풀이

3-2 나의 풀이

대표 Q4 정규분포의 활용 (2)

어느 대학의 입학 시험에 1000명이 응시하였고, 응시생의 점수는 평균이 156점, 표준편차가 20점인 정규분포를 따른다고 한다. 시험 점수가 높은 순으로 200명이 합격할 때, 오른쪽 표준정규분포표를 이용하여 다음 물음에 답하시오.

z	$P(0 \leq Z \leq z)$
0.84	0.30
0.96	0.33
1.08	0.36
1.20	0.38
1.50	0.43

(1) 점수가 180점인 학생은 몇 등이라 할 수 있는지 구하시오.

(2) 입학 시험에 합격하기 위한 최저 점수를 구하시오.

대표 Q4 풀이

응시생의 점수를 확률변수 X라 하면 X는 정규분포 $N(156, 20^2)$을 따르므로

$Z = \dfrac{X - 156}{20}$으로 표준화하면 확률변수 Z는 표준정규분포 $N(0, 1)$을 따른다.

(1) $X = 180$일 때 $Z = 1.2$이므로

$$\begin{aligned} P(X \geq 180) &= P(Z \geq 1.2) \\ &= 0.5 - P(0 \leq Z \leq 1.2) \\ &= 0.5 - 0.38 = 0.12 \end{aligned}$$

따라서 180점 이상인 학생 수는

$1000 \times 0.12 = 120$

이므로 180점을 받은 학생은 **120등**이라 할 수 있다.

(2) 합격률이 $\dfrac{200}{1000} = 0.2$이므로 합격 최저 점수를 a라 하면

$P(X \geq a) = 0.2$

곧, $P\left(Z \geq \dfrac{a - 156}{20}\right) = 0.2$이므로

$P\left(0 \leq Z \leq \dfrac{a - 156}{20}\right) = 0.3$

주어진 표준정규분포표에서 $\dfrac{a - 156}{20} = 0.84$

$\therefore a = \mathbf{172.8}$ (점)

4-1 나의 풀이

Q5 정규분포의 성질

확률변수 X, Y는 각각 정규분포 $N(m, \sigma_1^2)$, $N(m, \sigma_2^2)$을 따른다. X, Y의 확률밀도함수가 각각 $f(x)$, $g(x)$이고 $P(X \geq 2m) = P(Y \geq 3m)$일 때, 보기에서 옳은 것만을 있는 대로 고른 것은? (단, $m \neq 0$)

┌─ 보기 ├─
ㄱ. $\sigma_2 = 2\sigma_1$ ㄴ. $f(m) > g(m)$
ㄷ. $P(X \leq 0) + P(Y \geq 0) = 1$

① ㄱ ② ㄴ ③ ㄱ, ㄴ
④ ㄴ, ㄷ ⑤ ㄱ, ㄴ, ㄷ

날선 Q5 풀이

ㄱ. X, Y를 각각 표준화하면

$$P(X \geq 2m) = P\left(Z \geq \frac{m}{\sigma_1}\right)$$

$$P(Y \geq 3m) = P\left(Z \geq \frac{2m}{\sigma_2}\right)$$

이므로 조건에서 $\dfrac{m}{\sigma_1} = \dfrac{2m}{\sigma_2}$

$m \neq 0$이므로 $\sigma_2 = 2\sigma_1$ (참)

ㄴ. 평균이 m이므로 두 곡선 $f(x)$, $g(x)$는 그림과 같이 직선 $x = m$에 대칭이다.

ㄱ에서 $\sigma_1 < \sigma_2$이므로 곡선 $g(x)$는 $f(x)$보다 높이는 낮아지고 옆으로 퍼진 모양이다. 따라서 그림에서 $f(m) > g(m)$ (참)

ㄷ. X, Y를 각각 표준화하면

$$P(X \leq 0) = P\left(Z \leq -\frac{m}{\sigma_1}\right)$$

$$P(Y \geq 0) = P\left(Z \geq -\frac{m}{\sigma_2}\right)$$

$\sigma_1 < \sigma_2$에서 $-\dfrac{m}{\sigma_1} < -\dfrac{m}{\sigma_2}$

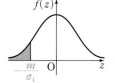 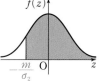

그림에서 색칠한 두 부분의 넓이의 합은 1보다 작다. (거짓)

따라서 옳은 것은 ③ ㄱ, ㄴ이다.

5-1 나의 풀이

대표 Q6 이항분포를 정규분포로 근사하여 풀기

어느 해운회사의 데이터에 의하면 A 코스 유람선을 예약한 고객이 10명 중 8명의 비율로 승선한다고 한다. 정원이 340명인 여객선의 예약 고객

z	$P(0 \leq Z \leq z)$
0.5	0.19
1.0	0.34
1.5	0.43
2.0	0.48
2.5	0.49

이 400명일 때, 오른쪽 표준정규분포표를 이용하여 다음 물음에 답하시오.

(1) 승선하는 사람이 312명 이하일 확률을 구하시오.

(2) 정원을 초과하지 않을 확률을 구하시오.

대표 Q6 풀이

(1) 예약한 고객이 승선할 확률은 $\dfrac{8}{10} = \dfrac{4}{5}$이므로

예약한 고객 중 승선하는 사람 수를 확률변수 X라 하면 X는 이항분포 $B\left(400, \dfrac{4}{5}\right)$를 따른다.

$E(X) = 400 \times \dfrac{4}{5} = 320$

$V(X) = 400 \times \dfrac{4}{5} \times \dfrac{1}{5} = 64$

따라서 $n = 400$은 충분히 크므로 X는 근사적으로 정규분포 $N(320, 8^2)$을 따른다.

$Z = \dfrac{X - 320}{8}$으로 표준화하면 확률변수 Z는 표준정규분포 $N(0, 1)$을 따르므로

$P(X \leq 312) = P\left(Z \leq \dfrac{312 - 320}{8}\right)$

$\qquad\qquad\quad = P(Z \leq -1)$

$\qquad\qquad\quad = 0.5 - P(-1 \leq Z \leq 0)$

$\qquad\qquad\quad = 0.5 - 0.34 = \mathbf{0.16}$

(2) 정원이 340명이므로 정원을 초과하지 않을 확률은

$P(X \leq 340) = P\left(Z \leq \dfrac{340 - 320}{8}\right)$

$\qquad\qquad\quad = P(Z \leq 2.5)$

$\qquad\qquad\quad = 0.5 + P(0 \leq Z \leq 2.5)$

$\qquad\qquad\quad = 0.5 + 0.49 = \mathbf{0.99}$

6-1 나의 풀이

6-2 나의 풀이

정규분포에서 이항분포의 확률 구하기

어느 과수원에서 수확하는 사과의 무게는 평균이 400 g, 표준편차가 50 g인 정규분포를 따른다고 한다. 이 사과 중

z	$P(0 \le Z \le z)$
0.64	0.24
0.84	0.30
1.00	0.34
2.00	0.48

무게가 442 g 이상인 것을 '특대' 등급으로 정한다. 이 과수원에서 수확한 사과 100개를 임의로 선택할 때, '특대' 등급 상품이 24개 이상일 확률을 오른쪽 표준정규분포표를 이용하여 구하시오.

대표 Q7 풀이

(i) 사과가 '특대' 등급일 확률

사과의 무게를 확률변수 X라 하면 X는 정규분포 $N(400, 50^2)$을 따른다.

$Z = \dfrac{X-400}{50}$으로 표준화하면 확률변수 Z는 표준정규분포 $N(0, 1)$을 따르므로

$$P(X \ge 442) = P\left(Z \ge \dfrac{442-400}{50}\right)$$
$$= P(Z \ge 0.84)$$
$$= 0.5 - P(0 \le Z \le 0.84)$$
$$= 0.5 - 0.3 = 0.2$$

(ii) 100개 중 '특대' 등급 상품이 24개 이상일 확률

100개 중 '특대' 등급 상품의 개수를 확률변수 Y라 하면 Y는 이항분포 $B(100, 0.2)$를 따르므로

$E(Y) = 100 \times 0.2 = 20$

$V(Y) = 100 \times 0.2 \times 0.8 = 16$

따라서 $n = 100$은 충분히 크므로 Y는 근사적으로 정규분포 $N(20, 4^2)$을 따른다.

$Z = \dfrac{Y-20}{4}$으로 표준화하면 확률변수 Z는 표준정규분포 $N(0, 1)$을 따르므로

$$P(Y \ge 24) = P\left(Z \ge \dfrac{24-20}{4}\right)$$
$$= P(Z \ge 1)$$
$$= 0.5 - P(0 \le Z \le 1)$$
$$= 0.5 - 0.34 = \mathbf{0.16}$$

7-1 나의 풀이

대표 Q1 표본평균의 평균, 분산, 표준편차

주머니에 1, 3, 5, 7이 하나씩 적힌 공 4개가 들어 있다. 공을 한 개 꺼내고 적힌 수를 확인한 다음 다시 넣는 시행을 두 번 했을 때 나온 두 수의 평균을 $\overline{X}$라 하자. $E(\overline{X})$와 $V(\overline{X})$를 구하시오.

대표 01 풀이

주머니에서 공을 한 개 꺼낼 때, 공에 적힌 수를 확률변수 X라 하면

X	1	3	5	7	합계
$P(X=x)$	$\dfrac{1}{4}$	$\dfrac{1}{4}$	$\dfrac{1}{4}$	$\dfrac{1}{4}$	1

모평균을 m, 모분산을 σ^2이라 하면

$$m=E(X)=1\times\dfrac{1}{4}+3\times\dfrac{1}{4}+5\times\dfrac{1}{4}+7\times\dfrac{1}{4}=4$$

$$\sigma^2=V(X)=1^2\times\dfrac{1}{4}+3^2\times\dfrac{1}{4}+5^2\times\dfrac{1}{4}+7^2\times\dfrac{1}{4}-4^2=5$$

$\overline{X}$는 크기가 2인 표본의 표본평균이므로

$$E(\overline{X})=m=4, \ V(\overline{X})=\dfrac{\sigma^2}{n}=\dfrac{5}{2}$$

나만의 Note

1-1 나의 풀이

대표 Q2 표본평균의 분포와 확률

어느 생수 회사에서 생산하는 생수 1병의 무게는 평균이 500 g, 표준편차가 10 g인 정규분포를 따른다고 한다. 오른쪽 표준정규분포표를 이용하여 다음 물음에 답하시오.

z	$P(0 \le Z \le z)$
0.5	0.1915
1.0	0.3413
1.5	0.4332
2.0	0.4772
2.5	0.4938

(1) 이 회사에서 생산된 생수 중 16병을 임의추출하여 측정한 무게의 평균이 497.5 g 이상 505 g 이하일 확률을 구하시오.

(2) 생수 4병을 한 세트로 판매할 때, 임의추출한 한 세트의 무게가 2030 g 이상일 확률을 구하시오.

대표 Q2 풀이

(1) 모집단은 정규분포 $N(500, 10^2)$을 따르고 표본의 크기 $n=16$이므로 표본평균 $\overline{X}$는 정규분포

$N\left(500, \dfrac{10^2}{16}\right)$, 곧 $N(500, 2.5^2)$을 따른다.

$Z=\dfrac{\overline{X}-500}{2.5}$으로 표준화하면 확률변수 Z는 표준정규분포 $N(0, 1)$을 따르므로

$P(497.5 \le \overline{X} \le 505)$

$=P\left(\dfrac{497.5-500}{2.5} \le Z \le \dfrac{505-500}{2.5}\right)$

$=P(-1 \le Z \le 2)$

$=P(0 \le Z \le 1)+P(0 \le Z \le 2)$

$=0.3413+0.4772=\mathbf{0.8185}$

(2) 생수 4병이 한 세트이므로 크기가 4인 표본이라 생각하면 무게가 2030 g인 세트는 평균이 $\dfrac{2030}{4}=507.5\,(g)$

인 표본이라 생각할 수 있다.

한 세트 무게의 평균을 $\overline{Y}$라 하면 표본평균 $\overline{Y}$는 정규분포 $N\left(500, \dfrac{10^2}{4}\right)$, 곧 $N(500, 5^2)$을 따른다.

$Z=\dfrac{\overline{Y}-500}{5}$으로 표준화하면 확률변수 Z는 표준정규분포 $N(0, 1)$을 따르므로

$P(\overline{Y} \ge 507.5)=P\left(Z \ge \dfrac{507.5-500}{5}\right)$

$=P(Z \ge 1.5)$

$=0.5-P(0 \le Z \le 1.5)$

$=0.5-0.4332$

$=\mathbf{0.0668}$

2-1 나의 풀이

대표 Q3 표본평균의 확률과 표본의 크기

어느 공장에서 생산되는	z	$P(0 \leq Z \leq z)$
	1.0	0.3413
	1.5	0.4332
	2.0	0.4772
	2.5	0.4938

어느 공장에서 생산되는 건전지의 수명은 평균이 m시간, 표준편차가 3시간인 정규분포를 따른다고 한다. 이 공장에서 생산된 건전지 n개를 임의추출할 때, 추출된 건전지 수명의 표본평균을 $\overline{X}$라 하면
$$P(m-0.5 \leq \overline{X} \leq m+0.5) = 0.8664$$
이다. n의 값을 오른쪽 표준정규분포표를 이용하여 구하시오.

대표 Q3 풀이

모집단은 정규분포 $N(m, 3^2)$을 따르고 표본의 크기가 n이므로 표본평균 $\overline{X}$는 정규분포 $N\left(m, \dfrac{3^2}{n}\right)$을 따른다.

$Z = \dfrac{\overline{X}-m}{\dfrac{3}{\sqrt{n}}}$으로 표준화하면 확률변수 Z는 표준정규분포 $N(0, 1)$을 따르므로

$P(m-0.5 \leq \overline{X} \leq m+0.5)$

$= P\left(\dfrac{m-0.5-m}{\dfrac{3}{\sqrt{n}}} \leq Z \leq \dfrac{m+0.5-m}{\dfrac{3}{\sqrt{n}}}\right)$

$= P\left(-\dfrac{0.5}{\dfrac{3}{\sqrt{n}}} \leq Z \leq \dfrac{0.5}{\dfrac{3}{\sqrt{n}}}\right)$

$= 2P\left(0 \leq Z \leq \dfrac{0.5}{\dfrac{3}{\sqrt{n}}}\right) = 0.8664$

$\therefore P\left(0 \leq Z \leq \dfrac{0.5}{\dfrac{3}{\sqrt{n}}}\right) = 0.4332$

표준정규분포표에서

$\dfrac{0.5}{\dfrac{3}{\sqrt{n}}} = 1.5$, $\dfrac{\sqrt{n}}{6} = 1.5$ $\therefore n = 81$

😊 **나만의 Note**

3-1 나의 풀이

Q4 모평균의 추정

전국연합학력평가를 본 고등학교 2학년 전체 학생 중 1600명을 임의추출하여 가채점 하였더니 수학 영역 점수의 평균이 62점, 표준편차가 16점이었다. 다음 물음에 답하시오. (단, Z가 표준정규분포를 따르는 확률변수일 때, $P(|Z| \leq 1.96) = 0.95$, $P(|Z| \leq 2.58) = 0.99$로 계산한다.)

(1) 신뢰도 95 %로 전체 학생의 수학 영역 점수의 평균 m을 추정하시오.

(2) 신뢰도 99 %로 전체 학생의 수학 영역 점수의 평균 m을 추정하시오.

대표 Q4 풀이

표본의 크기 $n = 1600$, 표본평균 $\overline{x} = 62$, n이 충분히 크므로 모표준편차 σ 대신 표본표준편차 $S = 16$을 이용하면

(1) 모평균 m의 신뢰도 95 %의 신뢰구간은

$$62 - 1.96 \times \frac{16}{\sqrt{1600}} \leq m \leq 62 + 1.96 \times \frac{16}{\sqrt{1600}}$$

$$\therefore \mathbf{61.216 \leq m \leq 62.784}$$

(2) 모평균 m의 신뢰도 99 %의 신뢰구간은

$$62 - 2.58 \times \frac{16}{\sqrt{1600}} \leq m \leq 62 + 2.58 \times \frac{16}{\sqrt{1600}}$$

$$\therefore \mathbf{60.968 \leq m \leq 63.032}$$

😊 나만의 Note

4-1 나의 풀이

4-2 나의 풀이

Q5 신뢰구간의 길이

평균이 m, 표준편차가 σ인 정규분포를 따르는 모집단에서 크기가 n인 표본을 임의추출하였다. 다음 물음에 답하시오. (단, Z가 표준정규분포를 따르는 확률변수일 때, $P(|Z| \leq 1.96) = 0.95$, $P(|Z| \leq 2.58) = 0.99$로 계산한다.)

(1) 신뢰도 95 %의 신뢰구간이 $100.4 \leq m \leq 139.6$일 때, 신뢰도 99 %의 신뢰구간을 구하시오.

(2) $\sigma = 50$이고 신뢰도 99 %의 신뢰구간의 길이가 10.32 이하일 때, n의 최솟값을 구하시오.

대표 Q5 풀이

(1) 표본평균을 $\overline{x}$라 하면 신뢰도 95 %의 신뢰구간은

$$\overline{x} - 1.96 \times \frac{\sigma}{\sqrt{n}} \leq m \leq \overline{x} + 1.96 \times \frac{\sigma}{\sqrt{n}} \text{이고}$$

$100.4 \leq m \leq 139.6$에서

$$\overline{x} - 1.96 \times \frac{\sigma}{\sqrt{n}} = 100.4 \quad \cdots \ \bigcirc$$

$$\overline{x} + 1.96 \times \frac{\sigma}{\sqrt{n}} = 139.6 \quad \cdots \ \bigcirc\bigcirc$$

$\bigcirc\bigcirc - \bigcirc$을 하면

$$2 \times 1.96 \times \frac{\sigma}{\sqrt{n}} = 39.2 \quad \therefore \frac{\sigma}{\sqrt{n}} = 10$$

$\bigcirc$에 대입하면 $\overline{x} = 120$

따라서 신뢰도 99 %의 신뢰구간은

$120 - 2.58 \times 10 \leq m \leq 120 + 2.58 \times 10$

$\therefore \mathbf{94.2 \leq m \leq 145.8}$

(2) $\sigma = 50$이므로 신뢰도 99 %의 신뢰구간은

$$\overline{x} - 2.58 \times \frac{50}{\sqrt{n}} \leq m \leq \overline{x} + 2.58 \times \frac{50}{\sqrt{n}} \text{이고}$$

신뢰구간의 길이가 10.32 이하가 되려면

$$2 \times 2.58 \times \frac{50}{\sqrt{n}} \leq 10.32$$

$$\frac{258}{\sqrt{n}} \leq 10.32, \ \sqrt{n} \geq 25 \quad \therefore n \geq 625$$

따라서 n의 최솟값은 **625**이다.

5-1 나의 풀이

5-2 나의 풀이

대표 Q6 신뢰구간의 성질

정규분포를 따르는 모집단에서 표본을 임의추출하여 모평균을 추정하려고 한다. 보기에서 옳은 것만을 있는 대로 고른 것은?

┤ 보기 ├

ㄱ. 표본평균 $\overline{X}$의 분산은 표본의 크기에 반비례한다.

ㄴ. 신뢰구간의 길이는 모평균에 정비례한다.

ㄷ. 신뢰도가 일정할 때, 표본의 크기가 작을수록 신뢰구간의 길이는 짧아진다.

① ㄱ   ② ㄱ, ㄴ   ③ ㄱ, ㄷ

④ ㄴ, ㄷ   ⑤ ㄱ, ㄴ, ㄷ

대표 Q6 풀이

모평균을 m, 모표준편차를 σ, 표본의 크기를 n이라 하면

ㄱ. 표본평균 $\overline{X}$의 분산은 $\dfrac{\sigma^2}{n}$이므로 표본의 크기 n에 반비례한다. (참)

ㄴ. 신뢰도 95 %의 신뢰구간의 길이는

$2 \times 1.96 \dfrac{\sigma}{\sqrt{n}}$이므로 모평균과 무관하다. (거짓)

ㄷ. 신뢰도 95 %의 신뢰구간의 길이는

$2 \times 1.96 \dfrac{\sigma}{\sqrt{n}}$이므로 표본의 크기 n이 작아지면 신뢰구간의 길이는 길어진다. (거짓)

따라서 옳은 것은 ① ㄱ이다.

나만의 Note

6-1 나의 풀이

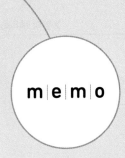

문제를 푸는 건 내가 무엇을 알고 무엇을 모르는지 확인하는 단계입니다.

문제를 다 풀고 정답만 채점한 후에 책을 덮어버리면 성적이 절대 오르지 않아요.

확실히 맞은 문제, 잘 못 이해해서 틀린 문제, 풀이 과정을 몰라서 틀린 문제를 구분하여 표시해 두고,

틀린 문제는 나의 오답 Note 를 이용하여 틀린 이유와 내가 몰랐던 개념을 정리해 두세요.

" 나의 오답 Note 는 이렇게 작성하세요. "

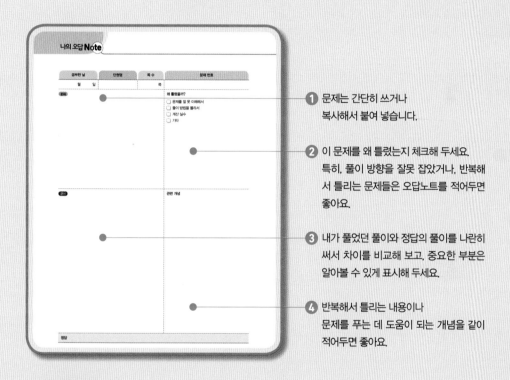

1 문제는 간단히 쓰거나
복사해서 붙여 넣습니다.

2 이 문제를 왜 틀렸는지 체크해 두세요.
특히, 풀이 방향을 잘못 잡았거나, 반복해
서 틀리는 문제들은 오답노트를 적어두면
좋아요.

3 내가 풀었던 풀이와 정답의 풀이를 나란히
써서 차이를 비교해 보고, 중요한 부분은
알아볼 수 있게 표시해 두세요.

4 반복해서 틀리는 내용이나
문제를 푸는 데 도움이 되는 개념을 같이
적어두면 좋아요

마지막으로!

오답노트를 만들기만 하고 다시 보지 않으면 아무 의미가 없어요!

다시 문제를 정확히 맞을 때까지 반복해서 풀어 보세요.

학습자료

나의 오답 Note 한글파일은 동아출판 홈페이지
(http://www.bookdonga.com)에서 다운로드 받을 수 있습니다.

공부한 날	단원명	쪽 수	문제 번호
월 일		쪽	

문제

왜 틀렸을까?

☐ 문제를 잘 못 이해해서
☐ 풀이 방법을 몰라서
☐ 계산 실수
☐ 기타

풀이

관련 개념

정답

공부한 날	단원명	쪽 수	문제 번호
월 일		쪽	

문제

왜 틀렸을까?

☐ 문제를 잘 못 이해해서
☐ 풀이 방법을 몰라서
☐ 계산 실수
☐ 기타

풀이

관련 개념

정답

공부한 날	단원명	쪽 수	문제 번호
월 일		쪽	

문제

왜 틀렸을까?

☐ 문제를 잘 못 이해해서

☐ 풀이 방법을 몰라서

☐ 계산 실수

☐ 기타

풀이

관련 개념

정답

공부한 날	단원명	쪽 수	문제 번호
월 일		쪽	

문제

왜 틀렸을까?

☐ 문제를 잘 못 이해해서
☐ 풀이 방법을 몰라서
☐ 계산 실수
☐ 기타

풀이

관련 개념

정답

공부한 날	단원명	쪽 수	문제 번호
월 일		쪽	

문제

왜 틀렸을까?

☐ 문제를 잘 못 이해해서
☐ 풀이 방법을 몰라서
☐ 계산 실수
☐ 기타

풀이

관련 개념

정답

공부한 날	단원명	쪽 수	문제 번호
월 일		쪽	

문제

풀이

왜 틀렸을까?

☐ 문제를 잘 못 이해해서
☐ 풀이 방법을 몰라서
☐ 계산 실수
☐ 기타

관련 개념

정답

공부한 날	단원명	쪽 수	문제 번호
월 일		쪽	

문제

왜 틀렸을까?

☐ 문제를 잘 못 이해해서
☐ 풀이 방법을 몰라서
☐ 계산 실수
☐ 기타

풀이

관련 개념

정답

낯선개념
학습 Note

필수개념으로 꽉 채운 개념기본서

낯선개념
확률과 통계

정답 및 풀이

동아출판

낯선개념

정답 및 풀이 사용 설명서

1. 풀이를 보기 전에 최대한 고민하고, 그래도 해결되지 않을 때 풀이를 보세요.
2. 풀이의 전략이 있는 문제는 전략 부분에서 힌트를 얻어 다시 풀어 보세요.
3. 다른 풀이 , 참고 는 다양한 사고력을 키워주므로 꼭 읽어 보세요.

* 대표Q & 낯선Q 문제의 풀이는 [낯선개념 학습 Note]에서도 확인할 수 있습니다.

1 경우의 수

대표 01

(1) 두 눈의 수의 합이 6의 배수인 경우는 6, 12일 때이다.

  (i) 두 눈의 수의 합이 6인 경우

    $(1, 5)$, $(2, 4)$, $(3, 3)$, $(4, 2)$, $(5, 1)$의 5개

  (ii) 두 눈의 수의 합이 12인 경우

    $(6, 6)$의 1개

  (i), (ii)에서 두 눈의 수의 합이 6의 배수인 경우의 수는

  $5 + 1 = 6$

(2) 두 눈의 수의 차가 1 이하인 경우는 1, 0일 때이다.

  (i) 두 눈의 수의 차가 1인 경우

    $(1, 2)$, $(2, 3)$, $(3, 4)$, $(4, 5)$, $(5, 6)$,

    $(6, 5)$, $(5, 4)$, $(4, 3)$, $(3, 2)$, $(2, 1)$의 10개

  (ii) 두 눈의 수의 차가 0인 경우

    $(1, 1)$, $(2, 2)$, $(3, 3)$, $(4, 4)$, $(5, 5)$, $(6, 6)$

    의 6개

  (i), (ii)에서 두 눈의 수의 차가 1 이하인 경우의 수는

  $10 + 6 = 16$

답 (1) 6   (2) 16

1-1

(1) 두 눈의 수의 합이 3의 배수인 경우는 3, 6, 9, 12일 때이다.

  (i) 두 눈의 수의 합이 3인 경우

    $(1, 2)$, $(2, 1)$의 2개

  (ii) 두 눈의 수의 합이 6인 경우

    $(1, 5)$, $(2, 4)$, $(3, 3)$, $(4, 2)$, $(5, 1)$의 5개

  (iii) 두 눈의 수의 합이 9인 경우

    $(3, 6)$, $(4, 5)$, $(5, 4)$, $(6, 3)$의 4개

  (iv) 두 눈의 수의 합이 12인 경우

    $(6, 6)$의 1개

  (i)~(iv)에서 두 눈의 수의 합이 3의 배수인 경우의 수는

  $2 + 5 + 4 + 1 = 12$

(2) 두 눈의 수의 차가 3 이상인 경우는 3, 4, 5일 때이다.

  (i) 두 눈의 수의 차가 3인 경우

    $(1, 4)$, $(2, 5)$, $(3, 6)$, $(4, 1)$, $(5, 2)$, $(6, 3)$의

    6개

  (ii) 두 눈의 수의 차가 4인 경우

    $(1, 5)$, $(2, 6)$, $(5, 1)$, $(6, 2)$의 4개

  (iii) 두 눈의 수의 차가 5인 경우

    $(1, 6)$, $(6, 1)$의 2개

  (i)~(iii)에서 두 눈의 수의 차가 3 이상인 경우의 수는

  $6 + 4 + 2 = 12$

답 (1) 12   (2) 12

1-2

(1) 방정식을 만족시키는 순서쌍 (x, y)는

  $(7, 1)$, $(4, 2)$, $(1, 3)$의 3개이다.

(2) 방정식을 만족시키는 순서쌍 (x, z)는

  (i) $y = 1$일 때, $2x + z = 12$이므로

    $(1, 10)$, $(2, 8)$, $(3, 6)$, $(4, 4)$, $(5, 2)$의 5개

  (ii) $y = 2$일 때, $2x + z = 9$이므로

    $(1, 7)$, $(2, 5)$, $(3, 3)$, $(4, 1)$의 4개

  (iii) $y = 3$일 때, $2x + z = 6$이므로

    $(1, 4)$, $(2, 2)$의 2개

  (iv) $y = 4$일 때, $2x + z = 3$이므로

    $(1, 1)$의 1개

  (i)~(iv)에서 방정식을 만족시키는 순서쌍의 개수는

  $5 + 4 + 2 + 1 = 12$

답 (1) 3   (2) 12

참고   방정식을 만족시키는 순서쌍의 개수를 구할 때에는 방정식에서 계수가 가장 큰 문자의 값을 먼저 정하고 그 값을 기준으로 나머지 문자의 값의 경우를 나누면 편하다.

대표 02

(1) $A \rightarrow B \rightarrow C$로 가는 경우의 수는 $2 \times 3 = 6$

(2) (i) $A \rightarrow B \rightarrow C \rightarrow A$인 경우

    $2 \times 3 \times 4 = 24$(가지)

  (ii) $A \rightarrow C \rightarrow B \rightarrow A$인 경우

    $4 \times 3 \times 2 = 24$(가지)

  (i), (ii)에서 경우의 수는 $24 + 24 = 48$

답 (1) 6   (2) 48

2-1

(1) 배편을 이용하여 A에서 B로 가는 경우는 4가지

  항공편을 이용하여 A에서 B로 가는 경우는 2가지

  두 경우는 동시에 일어나지 않으므로 경우의 수는

  $4 + 2 = 6$

(2) A에서 B까지 배편을 이용하여 가는 경우는 4가지

B에서 A까지 항공편을 이용하여 돌아오는 경우는
2가지

따라서 경우의 수는

$4 \times 2 = 8$

(3) (i) A → B → A를 배편만 이용하는 경우

$4 \times 4 = 16$(가지)

(ii) A → B → A를 항공편만 이용하는 경우

$2 \times 2 = 4$(가지)

(i), (ii)에서 경우의 수는

$16 + 4 = 20$

답 (1) 6 (2) 8 (3) 20

2-2

(1) $(x+y)(a+b+c)$를 전개하면 x, y에 a, b, c를 각각 곱해 서로 다른 항이 만들어지므로 항의 개수는

$2 \times 3 = 6$

(2) a, b, c에 d, e, f, g를 각각 곱하면 항이 만들어지고, 그것에 다시 x, y를 각각 곱하면 서로 다른 항이 만들어지므로 항의 개수는

$3 \times 4 \times 2 = 24$

답 (1) 6 (2) 24

대표 03

(1) A에 칠할 수 있는 색은 5가지

B에 칠할 수 있는 색은 A의 색을 뺀 4가지

C에 칠할 수 있는 색은 A, B의 색을 뺀 3가지

D에 칠할 수 있는 색은 A, C의 색을 뺀 3가지

따라서 칠하는 방법의 수는

$5 \times 4 \times 3 \times 3 = 180$

(2) B는 C, E와는 이웃하지만, D와는 이웃하지 않으므로 B와 D에 같은 색을 칠하는 경우와 다른 색을 칠하는 경우로 나누어 구한다.

(i) B와 D에 같은 색을 칠하는 경우

A에 칠할 수 있는 색은 5가지

B에 칠할 수 있는 색은 A의 색을 뺀 4가지

C에 칠할 수 있는 색은 A, B의 색을 뺀 3가지

D에 칠할 수 있는 색은 B의 색과 같으므로 1가지

E에 칠할 수 있는 색은 A, B(또는 D)의 색을 뺀 3가지

따라서 칠하는 방법의 수는

$5 \times 4 \times 3 \times 1 \times 3 = 180$

(ii) B와 D에 다른 색을 칠하는 경우

A에 칠할 수 있는 색은 5가지

B에 칠할 수 있는 색은 A의 색을 뺀 4가지

C에 칠할 수 있는 색은 A, B의 색을 뺀 3가지

D에 칠할 수 있는 색은 A, B, C의 색을 뺀 2가지

E에 칠할 수 있는 색은 A, B, D의 색을 뺀 2가지

따라서 칠하는 방법의 수는

$5 \times 4 \times 3 \times 2 \times 2 = 240$

(i), (ii)에서 칠하는 방법의 수는

$180 + 240 = 420$

답 (1) 180 (2) 420

3-1

가장 많은 영역과 이웃한 영역부터 칠한다.

A에 칠할 수 있는 색은 5가지

B에 칠할 수 있는 색은 A의 색을 뺀 4가지

C에 칠할 수 있는 색은 A, B의 색을 뺀 3가지

D에 칠할 수 있는 색은 A, C의 색을 뺀 3가지

E에 칠할 수 있는 색은 A, D의 색을 뺀 3가지

따라서 칠하는 방법의 수는

$5 \times 4 \times 3 \times 3 \times 3 = 540$

답 540

3-2

A는 B, D와는 이웃하지만, C와는 이웃하지 않으므로 A와 C에 같은 색을 칠하는 경우와 다른 색을 칠하는 경우로 나누어 구한다.

(i) A와 C에 같은 색을 칠하는 경우

A에 칠할 수 있는 색은 5가지

B에 칠할 수 있는 색은 A의 색을 뺀 4가지

C에 칠할 수 있는 색은 A의 색과 같으므로 1가지

D에 칠할 수 있는 색은 A(또는 C)의 색을 뺀 4가지

따라서 칠하는 방법의 수는

$5 \times 4 \times 1 \times 4 = 80$

(ii) A와 C에 다른 색을 칠하는 경우

A에 칠할 수 있는 색은 5가지

B에 칠할 수 있는 색은 A의 색을 뺀 4가지

C에 칠할 수 있는 색은 A, B의 색을 뺀 3가지

D에 칠할 수 있는 색은 A, C의 색을 뺀 3가지

따라서 칠하는 방법의 수는

$5 \times 4 \times 3 \times 3 = 180$

(i), (ii)에서 칠하는 방법의 수는

80＋180＝260

답 260

대표 04

(1) 꼭짓점 A에서 모서리 하나로 연결 가능한 꼭짓점은
B, D, E이다.

　(i) A－E인 경우는 1가지

　(ii) A－B로 시작하는 경우는 다음과 같이 7가지

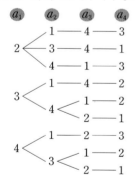

　(iii) A－D로 시작하는 경우는 A－B로 시작하는 경
　　　우와 그 경우의 수가 같으므로 7가지

　(i)~(iii)에서 경우의 수는

　1＋7＋7＝15

(2) $a_1＝2$, 3, 4인 경우의 수형도를 그려 보면 다음과 같다.

| a_1 | a_2 | a_3 | a_4 |

2 ┌ 1 ── 4 ── 3
　├ 3 ── 4 ── 1
　└ 4 ── 1 ── 3

3 ┌ 1 ── 4 ── 2
　└ 4 ┌ 1 ── 2
　　　 └ 2 ── 1

4 ┌ 1 ── 2 ── 3
　└ 3 ┌ 1 ── 2
　　　 └ 2 ── 1

따라서 네 자리 자연수의 개수는 9이다.

답 (1) 15　(2) 9

참고 (2) a_1이 3, 4인 경우는 $a_1＝2$인 경우와 개수가 같으므
　　　로 3×3＝9로 구할 수 있다.

4-1

(1) A에서 B, D, E 중 한 곳으로 갈 수 있다.
　수형도를 그려 보면 다음과 같다.

따라서 최단 거리로 가는 경우의 수는 6이다.

(2) A에서 H를 지나 G로 가는 경우를 수형도로 그려 보
면 다음과 같다.

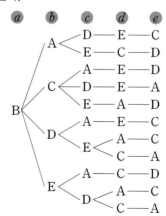

따라서 경우의 수는 12이다.

답 (1) 6　(2) 12

4-2

다섯 학생 A, B, C, D, E의 답안지를 각각 a, b, c, d,
e라 하고 a를 B가 채점하는 수형도를 그려 보면 다음과
같다.

| a | b | c | d | e |

B ┌ A ┌ D ── E ── C
　│　 └ E ── C ── D
　├ C ┌ A ── E ── D
　│　 ├ D ── E ── A
　│　 └ E ── A ── D
　├ D ┌ A ── E ── C
　│　 └ E ┌ A ── C
　│　　　 └ C ── A
　└ E ┌ A ── C ── D
　　　 └ D ┌ A ── C
　　　　　 └ C ── A

a를 C, D, E가 채점하는 경우도 a를 B가 채점하는 경우와 같으므로 경우의 수는 $4 \times 11 = 44$

답 44

연습과 실전 1 경우의 수
13쪽 ~ 14쪽

01 ④	02 ②	03 53	04 ②	05 ⑤
06 24	07 $a=47$, $b=31$	08 ③	09 18	
10 36				

01

(i) 두 눈의 수의 합이 5인 경우

 $(1, 4)$, $(2, 3)$, $(3, 2)$, $(4, 1)$의 4개

(ii) 두 눈의 수의 합이 9인 경우

 $(3, 6)$, $(4, 5)$, $(5, 4)$, $(6, 3)$의 4개

(i), (ii)에서 두 눈의 수의 합이 5 또는 9인 경우의 수는

$4 + 4 = 8$

답 ④

02

$3x + 6y \leq 20$에서 $x + 2y \leq \dfrac{20}{3}$이고 x, y가 자연수이므로 부등식을 만족시키는 순서쌍 (x, y)는

$x + 2y = 3$인 경우 $(1, 1)$의 1개

$x + 2y = 4$인 경우 $(2, 1)$의 1개

$x + 2y = 5$인 경우 $(1, 2)$, $(3, 1)$의 2개

$x + 2y = 6$인 경우 $(2, 2)$, $(4, 1)$의 2개

따라서 부등식을 만족시키는 순서쌍 (x, y)의 개수는

$1 + 1 + 2 + 2 = 6$

답 ②

03

3의 배수의 집합을 A, 5의 배수의 집합을 B라 하면

$n(A) = 33$, $n(B) = 20$

3과 5의 배수, 즉 15의 배수는 6개이므로

$n(A \cap B) = 6$

$\therefore n(A \cup B)$

 $= n(A) + n(B) - n(A \cap B)$

 $= 33 + 20 - 6 = 47$

따라서 3과 5로 나누어떨어지지 않는 자연수의 개수는

$100 - 47 = 53$

답 53

04

$2^3 \times 9^k = 2^3 \times 3^{2k}$이므로

양의 약수의 개수는

$(3+1) \times (2k+1) = 44$

$2k + 1 = 11$ $\therefore k = 5$

답 ②

05

$(a+b+c)(p+q+r)$를 전개하면 a, b, c에 p, q, r를 각각 곱해 서로 다른 항이 만들어지므로 항의 개수는

$3 \times 3 = 9$

$(a+b)(s+t)$를 전개하면 a, b에 s, t를 각각 곱해 서로 다른 항이 만들어지므로 항의 개수는

$2 \times 2 = 4$

이때 두 식을 각각 전개했을 때 동류항이 없으므로 다항식의 항의 개수는

$9 + 4 = 13$

답 ⑤

06 전략 B, C 중 한 도시만 지날 때와 B, C를 모두 지날 때로 나누어 생각한다.

(i) A → B → D인 경우

 $2 \times 1 = 2$(가지)

(ii) A → B → C → D인 경우

 $2 \times 2 \times 3 = 12$(가지)

(iii) A → C → D인 경우

 $2 \times 3 = 6$(가지)

(iv) A → C → B → D인 경우

 $2 \times 2 \times 1 = 4$(가지)

(i)~(iv)에서 경우의 수는

$2 + 12 + 6 + 4 = 24$

답 24

07 전략 지불할 수 있는 금액의 수는 금액이 중복되면 큰 단위의 화폐를 작은 단위의 화폐로 바꾸어 화폐를 하나로 통일시킨다고 생각한다.

(i) 1000원짜리 지폐를 지불하는 방법은

 0장, 1장, 2장 ➡ 3가지

500원짜리 동전을 지불하는 방법은

0개, 1개, 2개, 3개 ➡ 4가지

100원짜리 동전을 지불하는 방법은

0개, 1개, 2개, 3개 ➡ 4가지

그런데 0원을 지불하는 경우를 빼야 하므로

$a=3\times4\times4-1=47$

(ii) 지불할 수 있는 금액의 수는 1000원짜리 지폐 2장을 500원짜리 동전 4개로 생각하면 500원짜리 동전 7개, 100원짜리 동전 3개로 지불하는 방법의 수와 같다.

500원짜리 동전을 지불하는 방법은

0개, 1개, ⋯, 7개 ➡ 8가지

100원짜리 동전을 지불하는 방법은

0개, 1개, 2개, 3개 ➡ 4가지

그런데 0원을 지불하는 경우를 빼야 하므로

$b=8\times4-1=31$

(i), (ii)에서 $a=47$, $b=31$

다른 풀이

지불할 수 있는 최소 금액은 100원, 최대 금액은 3800원이다.

그런데 100원짜리 동전이 3개이므로 400원 또는 900원으로 끝나는 금액은 제외해야 한다.

400원으로 끝나는 금액이 4가지, 900원으로 끝나는 금액이 3가지이므로

$b=38-4-3=31$

🖪 $a=47$, $b=31$

08 전략 자릿수에 0을 1개 포함하는 경우와 2개 포함하는 경우로 나눈다.

(i) 0을 한 개만 포함하는 경우

□0, □□0, □0□ 꼴이고 각 □ 안에는 1부터 9까지 들어갈 수 있으므로

$9+9\times9+9\times9=171$

(ii) 0을 두 개 포함하는 경우

□00 꼴이고 □ 안에는 1부터 9까지 들어갈 수 있으므로 9

(i), (ii)에서 자릿수에 0을 포함한 자연수의 개수는

$171+9=180$

🖪 ③

09 전략 수형도를 이용하여 경우의 수를 구한다.

1□□□1 꼴의 자연수를 같은 숫자가 이웃하지 않도록

수형도로 나타내면 다음과 같다.

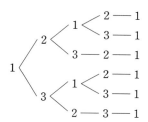

만의 자리와 일의 자리가 2, 3인 경우도 마찬가지이므로

$3\times6=18$

🖪 18

10 전략 제목의 글꼴은 머리말과 인적사항의 글꼴과 겹치므로 머리말의 글꼴 → 인적사항의 글꼴 → 제목의 글꼴로 선택하는 경우의 수를 생각한다.

머리말의 글꼴과 인적사항의 글꼴은 겹치지 않으므로 머리말과 인적사항의 글꼴을 선택하는 경우의 수는

$3\times3=9$

제목의 글꼴에는 머리말의 글꼴과 인적사항의 글꼴이 모두 있으므로 제목의 글꼴을 선택하는 경우의 수는 머리말과 인적사항의 글꼴을 제외해야 하므로

$6-2=4$

따라서 글꼴이 모두 다른 경우의 수는

$9\times4=36$

🖪 36

2 순열

1

🖹 (1) $_5P_4$　(2) $_8P_2$

2

(1) $_4P_3 = 4 \times 3 \times 2 = 24$

(2) $_9P_2 = 9 \times 8 = 72$

🖹 (1) 24　(2) 72

3

(1) $_5P_0 = 1$

(2) $_6P_6 = 6! = 6 \times 5 \times 4 \times 3 \times 2 \times 1 = 720$

🖹 (1) 1　(2) 720

4

(1) $_4P_2 = 4 \times 3 = 12$

(2) $_4P_4 = 4! = 4 \times 3 \times 2 \times 1 = 24$

🖹 (1) 12　(2) 24

대표 01

(1) 백의 자리에는 0이 올 수 없으므로 백의 자리에는
1, 2, 3, 4의 4개의 숫자가 올 수 있다.

각각에 대하여 십의 자리, 일의 자리에는 백의 자리
숫자를 뺀 4개의 숫자 중 2개를 뽑아 나열하면 되므
로 세 자리 자연수의 개수는

$4 \times _4P_2 = 4 \times (4 \times 3) = 48$

(2) 짝수는 일의 자리 숫자가 0, 2, 4이다.

(i) 일의 자리 숫자가 0인 경우

백의 자리, 십의 자리에는 1, 2, 3, 4의 4개의 숫
자 중 2개를 뽑아 나열하면 되므로 경우의 수는

$_4P_2 = 4 \times 3 = 12$

(ii) 일의 자리 숫자가 2인 경우

백의 자리에는 2, 0을 뺀 1, 3, 4의 3개의 숫자가

올 수 있고, 십의 자리에는 백의 자리와 일의 자리
에 온 숫자를 뺀 3개의 숫자가 올 수 있으므로 경
우의 수는 $3 \times 3 = 9$

(iii) 일의 자리 숫자가 4인 경우

일의 자리 숫자가 2일 때와 같으므로 경우의 수는 9

(i)~(iii)에서 짝수의 개수는

$12 + 9 + 9 = 30$

(3) 3의 배수는 각 자리 숫자의 합이 3의 배수이다. 각 자
리 숫자의 합이 3의 배수인 경우는

$(0, 1, 2), (0, 2, 4), (1, 2, 3), (2, 3, 4)$

이므로 이를 나열하는 경우만 생각하면 된다.

(i) $(0, 1, 2)$ 또는 $(0, 2, 4)$인 경우

백의 자리에는 0이 올 수 없으므로 경우의 수는

$2 \times 2 \times 1 = 4$

∴ $2 \times 4 = 8$

(ii) $(1, 2, 3)$ 또는 $(2, 3, 4)$인 경우

3장을 나열하는 경우의 수이므로 $3! = 6$

∴ $2 \times 6 = 12$

(i), (ii)에서 3의 배수의 개수는

$8 + 12 = 20$

🖹 (1) 48　(2) 30　(3) 20

참고 ① 2의 배수 : 일의 자리 숫자가 0 또는 2의 배수인 수

② 3의 배수 : 각 자리 숫자의 합이 3의 배수인 수

③ 4의 배수 : 끝의 두 자리 수가 00 또는 4의 배수인 수

④ 5의 배수 : 일의 자리 숫자가 0 또는 5인 수

⑤ 9의 배수 : 각 자리 숫자의 합이 9의 배수인 수

1-1

(1) 천의 자리에는 0을 뺀 5개의 숫자가 올 수 있다.

백의 자리, 십의 자리, 일의 자리에는 천의 자리에 온
숫자를 뺀 5개의 숫자 중 3개를 뽑아 나열하면 되므
로 네 자리 자연수의 개수는

$5 \times _5P_3 = 5 \times (5 \times 4 \times 3) = 300$

(2) 홀수는 일의 자리 숫자가 1, 3, 5이다.

(i) 일의 자리 숫자가 1인 경우

천의 자리에는 1, 0을 뺀 2, 3, 4, 5의 4개의 숫자
가 올 수 있고, 백의 자리에는 천의 자리와 일의
자리에 온 숫자를 뺀 4개의 숫자가 올 수 있다. 또
십의 자리에는 남은 3개의 숫자가 올 수 있으므로
경우의 수는

$4 \times 4 \times 3 = 48$

(ii) 일의 자리 숫자가 3인 경우

　일의 자리 숫자가 1일 때와 같으므로 경우의 수는
　48

(iii) 일의 자리 숫자가 5인 경우

　일의 자리 숫자가 1일 때와 같으므로 경우의 수는
　48

(i)~(iii)에서 홀수의 개수는

$48 \times 3 = 144$

(3) 5의 배수는 일의 자리 숫자가 0 또는 5이다.

(i) 일의 자리 숫자가 0인 경우

　천의 자리, 백의 자리, 십의 자리에는 1, 2, 3, 4, 5의 5개의 숫자 중 3개를 뽑아 나열하면 되므로 경우의 수는

　$_5P_3 = 5 \times 4 \times 3 = 60$

(ii) 일의 자리 숫자가 5인 경우

　천의 자리에는 5, 0을 뺀 1, 2, 3, 4의 4개의 숫자가 올 수 있고, 백의 자리에는 천의 자리와 일의 자리에 온 숫자를 뺀 4개의 숫자가 올 수 있다. 또 십의 자리에는 남은 3개의 숫자가 올 수 있으므로 경우의 수는

　$4 \times 4 \times 3 = 48$

(i), (ii)에서 5의 배수의 개수는

$60 + 48 = 108$

🔲 (1) 300　(2) 144　(3) 108

대표 02

(1) A, B, C 카드 3장을 한 묶음으로 보고, D, E, F, G 카드 4장과 합하여 5장을 일렬로 나열하는 경우의 수는 5!

묶음 안의 A, B, C 카드 3장을 일렬로 나열하는 경우의 수는 3!

따라서 경우의 수는

$5! \times 3! = (5 \times 4 \times 3 \times 2 \times 1) \times (3 \times 2 \times 1)$
$= 120 \times 6 = 720$

(2) D, E, F, G 카드 4장을 일렬로 나열하는 경우의 수는 4!

A, B, C 카드는 D, E, F, G 카드 사이사이와 양 끝의 자리 5곳 중 3곳에 한 장씩 나열하면 되므로 경우의 수는 $_5P_3$

따라서 경우의 수는

$4! \times _5P_3 = (4 \times 3 \times 2 \times 1) \times (5 \times 4 \times 3)$
$= 24 \times 60 = 1440$

🔲 (1) 720　(2) 1440

2-1

(1) 3의 배수인 3, 6을 한 묶음으로 보고, 1, 2, 4, 5와 합하여 5장을 일렬로 나열하는 경우의 수는 5!

묶음 안의 3의 배수 카드 2장을 일렬로 나열하는 경우의 수는 2!

따라서 경우의 수는

$5! \times 2! = (5 \times 4 \times 3 \times 2 \times 1) \times (2 \times 1)$
$= 120 \times 2 = 240$

(2) 2의 배수가 아닌 1, 3, 5를 일렬로 나열하는 경우의 수는 3!

$\vee 1 \vee 3 \vee 5 \vee$

2의 배수인 2, 4, 6은 1, 3, 5 사이사이와 양 끝의 자리 4곳 중 3곳에 한 장씩 나열하면 되므로 경우의 수는 $_4P_3$

따라서 경우의 수는

$3! \times _4P_3 = (3 \times 2 \times 1) \times (4 \times 3 \times 2)$
$= 6 \times 24 = 144$

🔲 (1) 240　(2) 144

2-2

(1) 세 쌍의 부부를 각각 한 묶음으로 보고 3명이 일렬로 서 있는 경우의 수는 3!

각 묶음 안의 부부가 서로 위치를 바꾸는 경우의 수는 $2 \times 2 \times 2$

따라서 경우의 수는

$3! \times (2 \times 2 \times 2) = (3 \times 2 \times 1) \times 8 = 6 \times 8 = 48$

(2) 세 쌍의 부부를 각각 한 묶음으로 보고 3명이 일렬로 서 있는 경우의 수는 3!

각각에 대하여 '남여남여남여' 또는 '여남여남여남'이 가능하므로

$3! \times 2 = (3 \times 2 \times 1) \times 2 = 6 \times 2 = 12$

다른 풀이

'남여남여남여' 또는 '여남여남여남'이어야 한다. 이때 남편 3명을 먼저 세우면 부인의 위치는 자동으로 정해지므로 3!

∴ $2 \times 3! = 2 \times (3 \times 2 \times 1) = 2 \times 6 = 12$

🔲 (1) 48　(2) 12

5

$(5-1)!=4\times3\times2\times1=24$

답 24

대표 03

(1) 남자 3명이 원탁에 둘러앉는 경우의 수는

$(3-1)!=2$

남자 사이사이에 여자 3명이 앉아야 하므로 경우의

수는 $3!=6$

따라서 경우의 수는

$2\times6=12$

(2) A, B를 한 묶음으로 생각하여 5명이 원탁에 둘러앉

는 경우의 수는 $(5-1)!=24$

묶음 안에서 A, B의 위치를 바꾸는 경우의 수는 2

따라서 경우의 수는 $24\times2=48$

(3) A의 위치가 정해지면 마주 보는 B의 위치가 정해진

다. 따라서 나머지 4명이 4자리에 앉으면 되므로

$4!=24$

답 (1) 12 (2) 48 (3) 24

3-1

1학년 학생 4명이 앉는 경우의 수

는 $(4-1)!=6$

1학년 학생 사이사이에 2학년 학생

4명이 앉는 경우의 수는 $4!=24$

따라서 경우의 수는 $6\times24=144$

답 144

3-2

(1) 여학생 3명을 한 묶음으로 생각하여 5명이 원탁에 둘

러앉는 경우의 수는 $(5-1)!=24$

묶음 안에서 여학생 3명의 위치를 바꾸는 경우의 수

는 $3!=6$

따라서 경우의 수는 $24\times6=144$

(2) 남학생 4명이 원탁에 둘러앉는 경우의 수는

$(4-1)!=6$

여학생 3명은 남학생 사이사이의 4개 자리에 앉아야

하므로 경우의 수는

$_4P_3=4\times3\times2=24$

따라서 경우의 수는 $6\times24=144$

답 (1) 144 (2) 144

주의 (2) 남학생 4명과 여학생 3명이 원탁에 둘러앉을 때, 남
학생과 여학생이 교대로 앉을 수 없다는 것에 주의
한다.

대표 04

(1) 특정한 한 명이 ❶에 앉을 때,

나머지 7명이 앉는 경우의 수는

$7!=5040$

❷에 앉을 때도 마찬가지이므로

경우의 수는 $7!=5040$

∴ $5040\times2=10080$

(2) 특정한 한 명이 ❶에 앉을

때, 나머지 7명이 앉는 경우

의 수는 $7!=5040$

❷, ❸, ❹에 앉을 때도 마

찬가지이므로 경우의 수는

$5040\times4=20160$

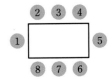

답 (1) 10080 (2) 20160

4-1

특정한 한 명이 ❶에 앉을 때,

나머지 5명이 앉는 경우의 수는

$5!=120$

❷에 앉을 때도 마찬가지이므로

경우의 수는

$5!=120$

∴ $120\times2=240$

답 240

4-2

①에 칠하는 색을 정하는 경우의 수는 4

②, ③, ④에 나머지 3가지 색을 정하

는 것은 원순열의 수와 같으므로

$(3-1)!=2$

따라서 경우의 수는 $4\times2=8$

답 8

개념 Check 23쪽~24쪽

6

(1) $_6\Pi_2 = 6^2 = 36$

(2) $_3\Pi_5 = 3^5 = 243$

답 (1) 36 (2) 243

7

세 자리 자연수를 만들면

백의 자리에는 1, 2, 3, 4, 5

십의 자리에도 1, 2, 3, 4, 5

일의 자리에도 1, 2, 3, 4, 5

가 가능하므로 세 자리 자연수의 개수는

$_5\Pi_3 = 5^3 = 125$

답 125

8

(1) a, a, a, b, b에서 a가 3개, b가 2개이므로 경우의 수는

$$\frac{5!}{3! \times 2!} = 10$$

(2) a, a, b, b, b, c, c, d에서 a가 2개, b가 3개, c가 2개이므로 경우의 수는

$$\frac{8!}{2! \times 3! \times 2!} = 1680$$

답 (1) 10 (2) 1680

대표Q 25쪽~29쪽

대표 05

(1) 천의 자리에는 0을 뺀 5개가 올 수 있다.

각각에 대하여 백의 자리, 십의 자리, 일의 자리에 올 수 있는 숫자의 개수는 6개에서 중복을 허용하여 3개를 뽑는 순열의 수이므로 $_6\Pi_3 = 6^3 = 216$

따라서 네 자리 자연수의 개수는 $5 \times 216 = 1080$

(2) 짝수는 일의 자리에 0, 2, 4가 올 수 있고,

각각에 대하여 천의 자리에는 0을 뺀 5개가 올 수 있다.

또 백의 자리, 십의 자리에 올 수 있는 숫자의 개수는 6개에서 중복을 허용하여 2개를 뽑는 순열의 수이므로 $_6\Pi_2 = 6^2 = 36$

따라서 네 자리 짝수의 개수는 $5 \times 36 \times 3 = 540$

답 (1) 1080 (2) 540

5-1

(1) 백의 자리에는 0을 뺀 6개가 올 수 있다.

각각에 대하여 십의 자리에 올 수 있는 숫자는 백의 자리 숫자를 뺀 6개,

일의 자리에 올 수 있는 숫자는 백의 자리와 십의 자리의 숫자를 뺀 5개이다.

따라서 자연수의 개수는 $6 \times 6 \times 5 = 180$

(2) 백의 자리에는 0을 뺀 6개가 올 수 있다.

각각에 대하여 십의 자리, 일의 자리에 올 수 있는 숫자의 개수는 7개에서 중복을 허용하여 2개를 뽑는 순열의 수이므로 $_7\Pi_2 = 7^2 = 49$

따라서 자연수의 개수는 $6 \times 49 = 294$

(3) 320보다 작은 세 자리 자연수는 1□□, 2□□, 30□, 31□의 꼴이다.

(i) 1□□ 꼴인 경우

십의 자리에 올 수 있는 숫자는 1을 뺀 6개,

일의 자리에 올 수 있는 숫자는 십의 자리 숫자와 1을 뺀 5개이므로 개수는 $6 \times 5 = 30$

(ii) 2□□ 꼴인 경우

(i)과 마찬가지로 $6 \times 5 = 30$

(iii) 30□, 31□ 꼴인 경우

백의 자리와 십의 자리 숫자를 뺀 5개씩이다.

(i)~(iii)에서 자연수의 개수는

$30 + 30 + 5 + 5 = 70$

(4) (i) 1□□ 꼴인 경우

십의 자리, 일의 자리에 올 수 있는 숫자의 개수는 7개에서 중복을 허용하여 2개를 뽑는 순열의 수이므로 $_7\Pi_2 = 7^2 = 49$

(ii) 2□□ 꼴인 경우

(i)과 마찬가지로 $_7\Pi_2 = 7^2 = 49$

(iii) 30□, 31□ 꼴인 경우

각각 7개씩이다.

(i)~(iii)에서 자연수의 개수는

$49 + 49 + 7 + 7 = 112$

답 (1) 180 (2) 294 (3) 70 (4) 112

대표 06

(1) 우체통을 A, B라 하면

각 편지는 A 또는 B에 넣을 수 있다.

따라서 경우의 수는 $2 \times 2 \times 2 \times 2 = 16$

(2) 두 명을 A, B라 할 때,

각 연필을 A 또는 B에게 주는 경우의 수는 $2^5=32$

한 명이 다 받는 경우의 수를 빼면

$32-2=30$

(3) 여자 2명을 한 사람처럼 생각하고

5명이 세 모임에 가입하는 경우의 수이므로

$3\times3\times3\times3\times3=243$

답 (1) 16 (2) 30 (3) 243

참고 (1) 서로 다른 2개에서 중복을 허용하여 4개를 뽑아 나

열하는 순열과 같으므로 $_2\Pi_4=2^4$이라 해도 된다.

6-1

(1) 집합 X의 각 원소는 집합 Y의 원소 5 또는 6에 대응

시킬 수 있다.

따라서 함수의 개수는 $2\times2\times2\times2\times2\times2=64$

(2) 전체 함수의 개수에서 치역이 {5} 또는 {6}인 함수의

개수를 빼면 된다.

X에서 Y로 정의된 함수의 개수는 64

치역이 {5}인 함수의 개수는 1

치역이 {6}인 함수의 개수는 1

이므로 치역이 Y인 함수의 개수는 $64-1-1=62$

답 (1) 64 (2) 62

6-2

각 관광객은 201호 또는 202호 또는 203호를 선택할 수

있으므로 경우의 수는 $3\times3\times3\times3\times3=243$

A, B가 같은 방에 투숙하는 경우는 A, B를 한 사람처

럼 생각하고 4명이 세 방을 선택하는 경우이므로

$3\times3\times3\times3=81$

따라서 A, B가 서로 다른 방에 투숙하는 경우의 수는

$243-81=162$

답 162

대표 07

(1) (i) 맨 앞자리 숫자가 1인 경우

나머지 자리는 0, 1, 1, 2, 2를 일렬로 나열하면

되므로 $\dfrac{5!}{2!\times2!}=30$

(ii) 맨 앞자리 숫자가 2인 경우

나머지 자리는 0, 1, 1, 1, 2를 일렬로 나열하면

되므로 $\dfrac{5!}{3!}=20$

(i), (ii)에서 $30+20=50$

(2) (i) 1, 1, 1, 2를 뽑는 경우의 수는 $\dfrac{4!}{3!}=4$

1, 1, 1, 3을 뽑는 경우의 수는 $\dfrac{4!}{3!}=4$

(ii) 1, 1, 2, 2를 뽑는 경우의 수는 $\dfrac{4!}{2!\times2!}=6$

(iii) 1, 1, 2, 3을 뽑는 경우의 수는 $\dfrac{4!}{2!}=12$

(iv) 1, 2, 2, 3을 뽑는 경우의 수는 $\dfrac{4!}{2!}=12$

(i)~(iv)에서 $4+4+6+12+12=38$

답 (1) 50 (2) 38

7-1

(i) 1, 3, 3, 5, 5를 뽑는 경우의 수는 $\dfrac{5!}{2!\times2!}=30$

(ii) 1, 3, 5, 5, 5를 뽑는 경우의 수는 $\dfrac{5!}{3!}=20$

(iii) 3, 3, 5, 5, 5를 뽑는 경우의 수는 $\dfrac{5!}{2!\times3!}=10$

(i)~(iii)에서 $30+20+10=60$

답 60

7-2

(i) 맨 앞자리 숫자가 1인 경우

일의 자리가 0이면 0, 1, 4, 4, 4를 일렬로 나열하면

되므로 $\dfrac{5!}{3!}=20$

일의 자리가 4이면 0, 0, 1, 4, 4를 일렬로 나열하면

되므로 $\dfrac{5!}{2!\times2!}=30$

(ii) 맨 앞자리 숫자가 4인 경우

일의 자리가 0이면 0, 1, 1, 4, 4를 일렬로 나열하면

되므로 $\dfrac{5!}{2!\times2!}=30$

일의 자리가 4이면 0, 0, 1, 1, 4를 일렬로 나열하면

되므로 $\dfrac{5!}{2!\times2!}=30$

(i), (ii)에서 $20+30+30+30=110$

답 110

대표 08

(1) o, o를 하나의 문자 O로 생각하고

O, f, t, b, a, l, l을 일렬로 나열하는 경우의 수와 같

으므로 $\dfrac{7!}{2!}=2520$

(2) (i) 양 끝이 (o, o)인 경우

　　f, t, b, a, l, l을 일렬로 나열하는 경우의 수이므로

　　$\dfrac{6!}{2!}=360$

　(ii) 양 끝이 (o, a)인 경우

　　f, o, t, b, l, l을 일렬로 나열하는 경우의 수이므로

　　$\dfrac{6!}{2!}=360$

　(iii) 양 끝이 (a, o)인 경우

　　(ii)의 경우의 수와 같으므로 360

　(i)～(iii)에서 $360+360+360=1080$

(3) f와 b는 순서가 정해졌으므로 f와 b를 f_1로 생각한다.
곧, f_1, f_1, o, o, t, a, l, l을 일렬로 나열한 다음 앞의 f_1에 f, 뒤의 f_1에 b를 쓰는 경우의 수와 같다.

$\therefore \dfrac{8!}{2!\times 2!\times 2!}=5040$

다른 풀이

8개 중 f와 b가 들어갈 자리를 2개 정하고 나머지 6개 문자를 나열하는 경우의 수와 같으므로

$_8C_2\times \dfrac{6!}{2!\times 2!}=28\times 180=5040$

　　　답 (1) 2520　(2) 1080　(3) 5040

8-1

a, a, e를 하나의 문자 X로 생각하고 X, c, b, b, g를 일렬로 나열하는 경우의 수와 같으므로

$\dfrac{5!}{2!}=60$

a, a, e가 자리를 바꾸는 경우의 수는 $\dfrac{3!}{2!}=3$이므로

$60\times 3=180$

　　　답 180

8-2

(i) 양 끝이 (o, o)인 경우

　　n, o, t, e, b, k를 일렬로 나열하는 경우의 수이므로

　　$6!=720$

(ii) 양 끝이 (o, e)인 경우

　　n, t, b, o, o, k를 일렬로 나열하는 경우의 수이므로

　　$\dfrac{6!}{2!}=360$

(iii) 양 끝이 (e, o)인 경우

　　(ii)의 경우의 수와 같으므로 360

(i)～(iii)에서 $720+360+360=1440$

　　　답 1440

8-3

i, e, y를 i_1, i_1, i_1로 생각하고 i_1, i_1, i_1, b, c, c, l을 일렬로 나열한 다음 첫 번째 i_1은 i, 두 번째 i_1은 e, 세 번째 i_1은 y로 바꾸는 경우의 수와 같다.

$\therefore \dfrac{7!}{3!\times 2!}=420$

　　　답 420

대표 09

(1) 오른쪽으로 한 칸 움직이는 것을 a,
위로 한 칸 움직이는 것을 b라 하자.
A 지점에서 B 지점까지 최단 거리로 가는 경우의 수는
a, a, a, a, b, b, b, b
를 일렬로 나열하는 경우의 수와 같다.

$\therefore \dfrac{9!}{5!\times 4!}=126$

(2) A 지점에서 P 지점까지 최단 거리로 가는 경우의 수는

$\dfrac{4!}{2!\times 2!}=6$

P 지점에서 B 지점까지 최단 거리로 가는 경우의 수는

$\dfrac{5!}{3!\times 2!}=10$

$\therefore 6\times 10=60$

(3) A 지점에서 P 지점까지 최단 거리로 가는 경우의 수는

$\dfrac{4!}{2!\times 2!}=6$

Q 지점에서 B 지점까지 최단 거리로 가는 경우의 수는

$\dfrac{4!}{2!\times 2!}=6$

A 지점에서 도로 PQ를 거쳐 B 지점까지 최단 거리로 가는 경우의 수는 $6\times 6=36$

$\therefore 126-36=90$

　　　답 (1) 126　(2) 60　(3) 90

9-1

(1) 오른쪽으로 한 칸 움직이는 것을 a,
위로 한 칸 움직이는 것을 b라 하자.
A 지점에서 B 지점까지 최단 거리로 가는 경우의 수는
a, a, a, a, b, b, b, b
를 일렬로 나열하는 경우의 수와 같다.

$$\therefore \frac{8!}{4! \times 4!} = 70$$

(2) 그림과 같이 P, Q를 잡으면 A 지점에서 도로 PQ를 거치지 않고 B 지점까지 최단 거리로 가는 경우의 수와 같다.

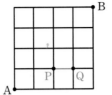

A 지점에서 P 지점까지 최단 거리로 가는 경우의 수는

$$\frac{3!}{2!} = 3$$

Q 지점에서 B 지점까지 최단 거리로 가는 경우의 수는

$$\frac{4!}{3!} = 4$$

A 지점에서 도로 PQ를 거쳐 B 지점까지 최단 거리로 가는 경우의 수는 $3 \times 4 = 12$

$$\therefore 70 - 12 = 58$$

(3) 그림과 같이 세 지점 P, Q, R를 잡으면 A 지점에서 B 지점까지 최단 거리로 가는 경우는
A → P → B 또는 A → Q → B 또는 A → R → B이다.

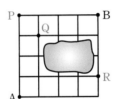

(i) A → P → B로 가는 경우의 수는
$$1 \times 1 = 1$$

(ii) A → Q → B로 가는 경우의 수는
$$\frac{4!}{3!} \times \frac{4!}{3!} = 4 \times 4 = 16$$

(iii) A → R → B로 가는 경우의 수는
$$\frac{5!}{4!} \times 1 = 5$$

(i)~(iii)에서 $1 + 16 + 5 = 22$

답 (1) 70　(2) 58　(3) 22

01

(1) ${}_n\mathrm{P}_3 = n(n-1)(n-2)$이므로
$$210 = 7 \times 6 \times 5 \qquad \therefore n = 7$$

(2) $2 \times {}_3\Pi_2 = 2 \times 3^2 = 18$
$$3 \times {}_n\mathrm{P}_2 = 3 \times n(n-1)$$
$$3n(n-1) = 18, \ n(n-1) = 6, \ n(n-1) = 3 \times 2$$
$$\therefore n = 3$$

다른 풀이

방정식을 풀어서 n을 구해도 된다.
$n(n-1) = 6$에서 $n^2 - n - 6 = 0$이므로
$(n-3)(n+2) = 0$
그런데 $n \geq 2$이므로 $n = 3$

답 (1) 7　(2) 3

02

(i) 만의 자리 숫자가 1인 다섯 자리 자연수는
$1\square\square\square\square$
$\square$에 2, 3, 4, 5를 나열하는 경우의 수이므로
$${}_4\mathrm{P}_4 = 4! = 24$$

(ii) 만의 자리 숫자가 2인 다섯 자리 자연수도 마찬가지이므로 경우의 수는 24

(iii) 만의 자리 숫자가 3일 때, 즉 $31\square\square\square$인 경우 $\square$에 2, 4, 5를 나열하는 경우의 수이므로 ${}_3\mathrm{P}_3 = 3! = 6$
$321\square\square$인 경우는 32145이다.

(i)~(iii)에서 32154보다 작은 자연수의 개수는
$$24 + 24 + 6 + 1 = 55$$

답 ④

03

$a = {}_6\mathrm{P}_6 = 6! = 720$
양 끝에 여자를 세우는 경우의 수는
먼저 양 끝에 여자 4명 중 2명을 뽑아 일렬로 세워야 하므로 ${}_4\mathrm{P}_2$이고 나머지 4명을 일렬로 세우면 되므로
$$b = {}_4\mathrm{P}_2 \times 4! = 12 \times 24 = 288$$
$$\therefore a - b = 720 - 288 = 432$$

답 ⑤

04

부모와 딸을 한 묶음으로 보고 4명이 일렬로 앉는 경우의 수는
$${}_4\mathrm{P}_4 = 4! = 24$$

이때 묶음 안에서 부모가 서로 자리를 바꾸는 경우는
2가지이므로 경우의 수는

$24 \times 2 = 48$

답 48

05

각 부부를 한 묶음으로 생각하면 4쌍의 부부가 원탁에
둘러앉는 경우의 수는

$(4-1)! = 3! = 6$

이때 묶음 안에서 부부가 서로 자리를 바꾸는 경우는
2가지씩 4쌍이므로

$2^4 = 16$

따라서 부부끼리 이웃하여 앉는 경우의 수는

$6 \times 16 = 96$

답 ④

06

둘 다 원탁이라 생각하면 원탁에 10명이 둘러앉는 경우
의 수는

$(10-1)! = 9!$

(1) 그림과 같이 특정한 한 명이
1에 앉는 경우와 **2**에 앉
는 경우, …, **5**에 앉는 경
우로 나누어 생각하면 한 명
을 고정시킬 수 있는 자리가
5개이므로

$5 \times 9!$

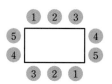

(2) 그림과 같이 특정한 한 명이
1에 앉는 경우와 **2**에 앉
는 경우로 나누어 생각하면
한 명을 고정시킬 수 있는
자리가 2개이므로

$2 \times 9!$

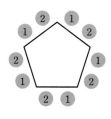

답 (1) 5 (2) 2

07

각 과일은 세 그릇 중 택하여 담을 수 있으므로 경우의
수는 $_3\Pi_5 = 3^5 = 243$

과일을 모두 한 그릇에 담는 경우 3가지를 **빼야** 하므로
경우의 수는

$243 - 3 = 240$

답 ⑤

08

4의 배수는 끝의 두 자리 수가 00 또는 4의 배수이어야
한다. 1, 2, 3, 4, 5로 만들 수 있는 4의 배수는
□□12, □□24, □□32, □□44, □□52이다.
천의 자리와 백의 자리에 1, 2, 3, 4, 5가 중복하여 올 수
있으므로 4의 배수의 개수는

$5 \times {}_5\Pi_2 = 5 \times 5^2 = 125$

답 ④

09

(i) 맨 앞자리가 1, 맨 뒷자리가 1인 경우
6개의 2, 2, 3, 3, 3, 3을 일렬로 나열하면 되므로

$\dfrac{6!}{2! \times 4!} = 15$

(ii) 맨 앞자리가 1, 맨 뒷자리가 2인 경우
6개의 1, 2, 3, 3, 3, 3을 일렬로 나열하면 되므로

$\dfrac{6!}{4!} = 30$

(i), (ii)에서 $15 + 30 = 45$

답 ③

10

A 지점에서 P 지점까지 최단 거리로 가는 경우의 수는

$2! = 2$

P 지점에서 Q 지점까지 최단 거리로 가는 경우의 수는

$2! = 2$

Q 지점에서 B 지점까지 최단 거리로 가는 경우의 수는

$\dfrac{4!}{2! \times 2!} = 6$

$\therefore 2 \times 2 \times 6 = 24$

답 24

11 **전략** 기준이 되는 영역을 칠하는 경우의 수를 구한 후 원
순열을 이용하여 구한다.

서로 다른 6가지 색으로 밑면을 칠하는 경우의 수는 6가지
옆면을 칠하는 경우의 수는 원순열과 같으므로

$(5-1)! = 4! = 24$

따라서 칠하는 경우의 수는

$6 \times 24 = 144$

답 144

12 (전략) 여학생 사이에는 1명 이상, 모두 다른 수로 남학생이 앉으므로 1명, 2명, 3명으로 나눈다.

먼저 여학생 A, B, C가 원탁에 둘러앉는 경우의 수는

$(3-1)!=2$

각 여학생 사이사이에 남학생 1명, 2명, 3명이 이웃하여 앉아야 하므로 남학생이 앉는 자리 수의 개수는 1, 2, 3을 배열하는 방법과 같다.

$\therefore 3!=6$

각 자리에 남학생이 앉는 방법은 여학생이 결정되어 있으므로 일렬로 나열하는 방법과 같다.

$\therefore 6!$

따라서 $2 \times 6 \times 6!=12 \times 6!$이므로 $n=12$

🅐 ②

13 (전략) 원의 내부와 원의 외부를 칠하는 경우를 나누어 생각한다.

원의 내부에 4개의 영역이 있으므로 8가지 색 중 4개를 칠하는 원순열의 수는

$\dfrac{_8P_4}{4}$

원의 내부에 색이 칠해진 상태에서 남은 4가지 색으로 원의 외부에 칠하는 경우의 수는 4!이므로

$\dfrac{_8P_4}{4} \times 4!=\dfrac{8!}{4}$

다른 풀이

회전을 생각하지 않고 8가지 색을 칠하는 경우의 수는

$8!$

회전하여 일치하는 것이 4개씩 있으므로

$\dfrac{8!}{4}$

🅐 ②

14 (전략) a가 두 번, 세 번, 네 번 나오는 경우를 모두 찾아 더한다.

a가 두 번 나오는 경우는 $aabb$, $aacc$, $aabc$의 배열이 므로

$2 \times \dfrac{4!}{2! \times 2!}+\dfrac{4!}{2!}=12+12=24$

a가 세 번 나오는 경우는 $aaab$, $aaac$의 배열이므로

$2 \times \dfrac{4!}{3!}=8$

a가 네 번 나오는 경우는 $aaaa$의 1가지

따라서 a가 두 번 이상 나오는 경우의 수는

$24+8+1=33$

🅐 33

15 (전략) 1을 네 번 이상 사용하면 반드시 1끼리는 서로 이웃하게 되므로 1은 세 번 이하로 사용한다.

(ⅰ) 1이 사용되지 않는 경우

맨 앞자리에는 무조건 2가 오고 나머지 네 자리에는 0과 2를 중복하여 나열하면 $_2\Pi_4=2^4=16$

(ⅱ) 1이 한 번 사용되는 경우

맨 앞자리에 1이 오고 나머지 네 자리에는 0과 2를 중복하여 나열하면 $_2\Pi_4=2^4=16$

맨 앞자리에 2가 오고 나머지 네 자리 중 한 자리가 1, 세 자리에 0과 2를 중복하여 나열하면

$4 \times _2\Pi_3=4 \times 2^3=32$

$\therefore 16+32=48$

(ⅲ) 1이 두 번 사용되는 경우

맨 앞자리에 1이 오는 경우는 1□1□□, 1□□1□, 1□□□1이므로 □에 0과 2를 중복하여 나열하면

$3 \times _2\Pi_3=3 \times 2^3=24$

맨 앞자리에 2가 오는 경우는 21□1□, 21□□1, 2□1□1이므로 □에 0과 2를 중복하여 나열하면

$3 \times _2\Pi_2=3 \times 2^2=12$

$\therefore 24+12=36$

(ⅳ) 1이 세 번 사용되는 경우

1□1□1이므로 □에 0과 2를 중복하여 나열하면

$_2\Pi_2=2^2=4$

(ⅰ)~(ⅳ)에서 $16+48+36+4=104$

🅐 104

16 (전략) (2) 모든 함수의 개수에서 $f(1) \times f(2) \times f(3) \neq 0$인 함수의 개수를 빼면 된다.

(1) 일대일함수이므로 0, 1, 2, 3 중 세 개를 뽑아 나열하는 경우와 같다.

$\therefore _4P_3=4 \times 3 \times 2=24$

(2) 모든 함수의 개수는 $_4\Pi_3=4^3=64$

$f(1) \times f(2) \times f(3) \neq 0$인 함수의 개수는 치역에 0이 없으므로 집합 X에서 X로 정의된 함수의 개수와 같다.

즉 $_3\Pi_3=3^3=27$

$\therefore 64-27=37$

🅐 (1) 24 (2) 37

17 (전략) (1) 이웃하는 같은 알파벳을 하나의 문자로 생각한다.

(1) 8개의 알파벳 중 n이 2개, e가 2개, t가 2개 있으므로 각각 한 문자로 생각하여 5개의 서로 다른 알파벳을 나열하는 경우의 수는

$$5! = 120$$

(2) e가 2개, t가 2개이므로 eett의 순서로 나열해야 하므로 이 4개의 알파벳을 A로 생각하면

i, n, n, r, A, A, A, A를 나열하는 경우의 수와 같다.

$$\therefore \frac{8!}{2! \times 4!} = 840$$

다른 풀이

8개 중 e, e, t, t가 들어갈 자리를 4개 정하고 나머지 4개 i, n, n, r를 나열하는 경우의 수와 같으므로

$${}_8C_4 \times \frac{4!}{2!} = 70 \times 12 = 840$$

답 (1) 120 (2) 840

18 (전략) 한 걸음에 두 단을 오르는 횟수를 기준으로 경우를 나누어 생각한다.

(ⅰ) 1단으로만 올라가는 경우의 수는 1

(ⅱ) 2단이 1번, 1단이 8번인 경우

$$\frac{9!}{8!} = 9$$

(ⅲ) 2단이 2번, 1단이 6번인 경우

$$\frac{8!}{2! \times 6!} = 28$$

(ⅳ) 2단이 3번, 1단이 4번인 경우

$$\frac{7!}{3! \times 4!} = 35$$

(ⅴ) 2단이 4번, 1단이 2번인 경우

$$\frac{6!}{4! \times 2!} = 15$$

(ⅵ) 2단으로만 올라가는 경우의 수는 1

(ⅰ)~(ⅵ)에서 1+9+28+35+15+1 = 89

답 89

19 (전략) 음료수는 세 종류이고 학생은 4명이므로 중복되는 종류가 있다.

세 종류의 음료수를 a, b, c라 하자. 6개의 음료수에서 4개를 선택하여 4명의 학생에게 나누어 주는 경우의 수는 a, a, b, b, c, c에서 4개를 택하는 순열의 수와 같다.

(ⅰ) 세 종류의 음료수를 모두 선택하는 경우는 $aabc$,

$abbc$, $abcc$이므로 이것을 나열하는 경우의 수는

$$3 \times \frac{4!}{2!} = 36$$

(ⅱ) 두 종류의 음료수를 선택하는 경우는 $aabb$, $aacc$, $bbcc$이므로 이것을 나열하는 경우의 수는

$$3 \times \frac{4!}{2! \times 2!} = 18$$

(ⅰ), (ⅱ)에서 36+18 = 54

답 54

20 (전략) 빨간 공과 노란 공을 나열한 다음, 공 사이에 파란 공 2개, 1개를 나누어 넣는다.

빨간 공 2개와 노란 공 2개를 일렬로 나열하는 경우의 수는 $\dfrac{4!}{2! \times 2!} = 6$

∨ ○ ∨ ○ ∨ ○ ∨ ○ ∨

나열된 공의 사이와 양 끝 5곳 중에서 2군데를 뽑아 한 곳에 파란 공 2개, 나머지 한 곳에 파란 공 1개를 넣는 경우의 수는 ${}_5P_2 = 20$

따라서 경우의 수는 6×20 = 120

답 ③

21 (전략) 보라꽃 화분 사이에 다른 꽃 화분을 1개, 2개, 3개씩 나열할 수 있다.

보라꽃 화분을 제외한 노란꽃 화분 3개, 파란꽃 화분 1개, 빨간꽃 화분 2개를 나열하는 경우의 수는

$$\frac{6!}{3! \times 2!} = 60$$

나열된 6개의 화분 사이와 앞뒤의 7개 자리에 보라꽃 화분 3개를 놓는 경우는 다음 3가지로 나눌 수 있다.

(ⅰ) 보라꽃 화분(∨) 사이에 다른 꽃 화분(○)이 1개씩 있는 경우의 수는

∨○∨○∨○○○○, ○∨○∨○∨○○○, …,

○○○○∨○∨○∨이므로 5

(ⅱ) 보라꽃 화분(∨) 사이에 다른 꽃 화분(○)이 2개씩 있는 경우의 수는

∨○○∨○○∨○○, ○∨○○∨○○∨○,

○○∨○○∨○○∨이므로 3

(ⅲ) 보라꽃 화분(∨) 사이에 다른 꽃 화분(○)이 3개씩 있는 경우의 수는

∨○○○∨○○○∨이므로 1

(ⅰ)~(ⅲ)에서 60×(5+3+1) = 540

답 ⑤

22 **전략** Q를 지나는 최단 경로 중 지나갈 수 없는 경로를 찾는다.

A → P로 가는 경우의 수는 $\dfrac{3!}{2!}=3$

P → B로 가는 경우의 수는 $\dfrac{6!}{3!\times 3!}=20$

P → Q → B로 최단 거리로 가는 경우 중에서 Q 지점에서 좌회전을 하는 경우의 수는 1이므로

$3\times(20-1)=57$

답 57

23 **전략** A 지점에서 B 지점으로 갈 때 지나지 않는 곳이 있는 경우 반드시 지나야 하는 지점을 적절히 정한다.

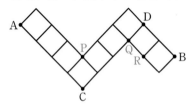

그림과 같이 P, Q, R를 잡으면

A 지점을 출발하여 C 지점과 D 지점을 모두 지나지 않으려면 A → P → Q → R → B로 가야 한다.

(ⅰ) A → P로 가는 경우의 수는 $\dfrac{4!}{3!}=4$

(ⅱ) P → Q로 가는 경우의 수는 $\dfrac{3!}{2!}=3$

(ⅲ) Q → R로 가는 경우의 수는 1

(ⅳ) R → B로 가는 경우의 수는 $2!=2$

(ⅰ)~(ⅳ)에서 $4\times3\times1\times2=24$

다른 풀이

직접 세어 구할 수도 있다.

C와 D 지점을 지나지 않도록 하는 경로를 그림과 같이 그린 후 각 꼭짓점에 도달하는 경우의 수를 써서 구한다.

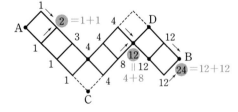

답 24

24 **전략** 같은 것이 있는 순열의 수를 이용한다.

4, 5, 6이 적힌 칸의 세 개의 공에 적힌 수의 합이 5이므로 ❶❷❷ 또는 ❶❶❷이다.

(ⅰ) 4, 5, 6이 적힌 칸에 ❶❷❷를 넣는 경우

$\dfrac{3!}{2!}=3$

나머지 5개의 칸에 ❶❶❶❷❷를 넣는 경우의 수는

$\dfrac{5!}{2!\times 2!}=30$

∴ $3\times30=90$

(ⅱ) 4, 5, 6이 적힌 칸에 ❶❶❷를 넣는 경우

(ⅰ)과 마찬가지이므로 경우의 수는 90

(ⅰ), (ⅱ)에서 $90+90=180$

답 180

3 조합

개념 Check 36쪽~37쪽

1

답 (1) $_7C_5$ (2) $_{10}C_3$

2

(1) $_3C_0 = 1$

(2) $_8C_2 = \dfrac{_8P_2}{2!} = \dfrac{8 \times 7}{2 \times 1} = 28$

(3) $_4C_3 = _4C_1 = 4$

(4) $_5C_5 = 1$

답 (1) 1 (2) 28 (3) 4 (4) 1

3

$_9C_2 = \dfrac{_9P_2}{2!} = \dfrac{9 \times 8}{2 \times 1} = 36$

답 36

4

$_7C_4 = _7C_3 = \dfrac{_7P_3}{3!} = \dfrac{7 \times 6 \times 5}{3 \times 2 \times 1} = 35$

답 35

대표Q 38쪽~40쪽

대표 01

(1) 전체 9명 중 4명을 뽑는 경우의 수는 $_9C_4$
   뽑은 4명을 일렬로 세우는 경우의 수는 4!

   ∴ $_9C_4 \times 4! = \dfrac{9 \times 8 \times 7 \times 6}{4!} \times 4! = 3024$

(2) A와 B를 이미 뽑았다고 생각하고, A와 B를 제외한
   7명 중 2명을 뽑는 경우의 수는 $_7C_2$
   뽑은 4명을 일렬로 세우는 경우의 수는 4!

   ∴ $_7C_2 \times 4! = \dfrac{7 \times 6}{2 \times 1} \times 24 = 504$

(3) 남학생 2명을 뽑는 경우의 수는 $_3C_2$
   여학생 2명을 뽑는 경우의 수는 $_6C_2$
   뽑은 4명을 일렬로 세우는 경우의 수는 4!

   ∴ $_3C_2 \times _6C_2 \times 4! = \dfrac{3 \times 2}{2 \times 1} \times \dfrac{6 \times 5}{2 \times 1} \times 24 = 1080$

(4) 남학생 1명과 여학생 3명을 뽑는 경우의 수는
   $_3C_1 \times _6C_3$
   뽑은 여학생 3명 중 2명을 양 끝에 세우는 경우의 수는
   $_3P_2$
   나머지 2명을 세우는 경우의 수는 2!

   ∴ $_3C_1 \times _6C_3 \times _3P_2 \times 2!$

   $= 3 \times \dfrac{6 \times 5 \times 4}{3 \times 2 \times 1} \times (3 \times 2) \times 2 = 720$

답 (1) 3024 (2) 504 (3) 1080 (4) 720

1-1

(1) 전체 8명 중 5명을 뽑는 경우의 수는 $_8C_5$
   뽑은 5명을 일렬로 세우는 경우의 수는 5!

   ∴ $_8C_5 \times 5! = \dfrac{8 \times 7 \times 6 \times 5 \times 4}{5!} \times 5! = 6720$

(2) A와 B를 이미 뽑았다고 생각하고, A와 B를 제외한
   6명 중 3명을 뽑는 경우의 수는 $_6C_3$
   뽑은 5명을 일렬로 세우는 경우의 수는 5!

   ∴ $_6C_3 \times 5! = \dfrac{6 \times 5 \times 4}{3 \times 2 \times 1} \times 120 = 2400$

(3) 의사 3명을 뽑는 경우의 수는 $_4C_3$
   간호사 2명을 뽑는 경우의 수는 $_4C_2$
   뽑은 5명을 일렬로 세우는 경우의 수는 5!

   ∴ $_4C_3 \times _4C_2 \times 5! = \dfrac{4 \times 3 \times 2}{3 \times 2 \times 1} \times \dfrac{4 \times 3}{2 \times 1} \times 120 = 2880$

(4) 의사 3명과 간호사 2명을 뽑는 경우의 수는
   $_4C_3 \times _4C_2$
   뽑은 의사 3명 중 2명을 양 끝에 세우는 경우의 수는 $_3P_2$
   나머지 3명을 일렬로 세우는 경우의 수는 3!

   ∴ $_4C_3 \times _4C_2 \times _3P_2 \times 3!$

   $= \dfrac{4 \times 3 \times 2}{3 \times 2 \times 1} \times \dfrac{4 \times 3}{2 \times 1} \times (3 \times 2) \times 6 = 864$

답 (1) 6720 (2) 2400 (3) 2880 (4) 864

대표 02

(1) 서로 다른 꽃 7송이를 1송이, 2송이, 3송이로 나누는
   경우의 수는

   $_7C_2 \times _5C_2 \times _3C_3 \times \dfrac{1}{2!}$

   $= \dfrac{7 \times 6}{2 \times 1} \times \dfrac{5 \times 4}{2 \times 1} \times 1 \times \dfrac{1}{2 \times 1} = 105$

(2) 세 묶음으로 나눈 꽃을 세 명에게 나누어 주는 경우의
   수는

$$105 \times 3! = 105 \times 6 = 630$$

답 (1) 105 (2) 630

2-1

(1) 학생 9명을 6명, 3명 두 개의 조로 나누는 경우의 수는

$$_9C_6 \times _3C_3 = _9C_3 \times _3C_3 = \frac{9 \times 8 \times 7}{3 \times 2 \times 1} \times 1 = 84$$

두 개의 조가 A, B 실험을 하나씩 나누어 하는 경우의 수는

$$84 \times 2! = 168$$

(2) 학생 9명을 3명, 3명, 3명 세 개의 조로 나누는 경우의 수는

$$_9C_3 \times _6C_3 \times _3C_3 \times \frac{1}{3!}$$

$$= \frac{9 \times 8 \times 7}{3 \times 2 \times 1} \times \frac{6 \times 5 \times 4}{3 \times 2 \times 1} \times 1 \times \frac{1}{3!} = 280$$

세 개의 조가 A, B, C 실험을 하나씩 나누어 하는 경우의 수는

$$280 \times 3! = 1680$$

답 (1) 84, 168 (2) 280, 1680

날선 03

1, 2, 3, 4를 세 묶음으로 나누면 각 묶음의 원소는 2개, 1개, 1개이므로 경우의 수는

$$_4C_2 \times _2C_1 \times _1C_1 \times \frac{1}{2!} = 6$$

세 묶음에 Y의 원소 5, 6, 7을 대응시켜야 하므로

$$6 \times 3! = 36$$

다른 풀이

전체 함수 f의 개수는 $_3\Pi_4 = 3^4 = 81$

(i) 치역이 {5}, {6}, {7}인 함수의 개수는 $1+1+1=3$

(ii) 치역이 {5, 6}인 함수의 개수는 X에서 {5, 6}으로 정의된 함수에서 치역이 5뿐인 경우와 6뿐인 경우를 빼야 하므로 $2^4 - 2 = 14$

치역이 {5, 7}, {6, 7}인 함수의 개수도 각각 14이다.

(i), (ii)에서 $81 - 3 - 14 \times 3 = 36$

답 36

3-1

(1) 1, 2, 3, 4, 5를 세 묶음으로 나누면 각 묶음의 원소는 3개, 1개, 1개 또는 2개, 2개, 1개이므로 경우의 수는

$$_5C_3 \times _2C_1 \times _1C_1 \times \frac{1}{2!} + _5C_2 \times _3C_2 \times _1C_1 \times \frac{1}{2!}$$

$$= 10 + 15 = 25$$

세 묶음에 Y의 원소 5, 6, 7을 대응시켜야 하므로

$$25 \times 3! = 150$$

(2) 치역이 {5, 6}인 경우

1, 2, 3, 4, 5를 두 묶음으로 나누면 각 묶음의 원소는 4개, 1개 또는 3개, 2개이므로 경우의 수는

$$_5C_4 \times _1C_1 + _5C_3 \times _2C_2 = 5 + 10 = 15$$

두 묶음에 Y의 원소 5, 6을 대응시켜야 하므로

$$15 \times 2! = 30$$

치역이 {5, 7}, {6, 7}인 경우의 수도 각각 30이므로

$$30 \times 3 = 90$$

답 (1) 150 (2) 90

개념 Check　　41쪽

5

$$_3H_5 = _{3+5-1}C_5 = _7C_5 = _7C_2 = \frac{7 \times 6}{2 \times 1} = 21$$

답 21

대표Q　　42쪽~44쪽

대표 04

(1) 세 명을 A, B, C라 할 때, A, B, C에서 중복을 허용하여 6번 뽑고 순서를 생각하지 않으므로

$$_3H_6 = _8C_6 = _8C_2 = 28$$

(2) 6개의 칸에서 중복을 허용하여 3개 선택하면 되므로

$$_6H_3 = _8C_3 = 56$$

답 (1) 28 (2) 56

4-1

(1) 네 명을 A, B, C, D라 할 때, A, B, C, D에서 중복을 허용하여 8번 뽑고 순서를 생각하지 않으므로

$$_4H_8 = _{11}C_8 = _{11}C_3 = 165$$

(2) 공책이 들어갈 가방 5개에서 중복을 허용하여 4개를 뽑으면 되므로

$$_5H_4 = _8C_4 = 70$$

답 (1) 165 (2) 70

4-2

(1) 첫 번째 연필을 받을 사람을 정하는 경우의 수가 3,
두 번째 연필을 받을 사람을 정하는 경우의 수가 3,
$\vdots$
다섯 번째 연필을 받을 사람을 정하는 경우의 수가 3
이므로 $3^5 = 243$

(2) 세 명을 A, B, C라 할 때, A, B, C에서 중복을 허용하여 5번 뽑고 순서를 생각하지 않으므로
$_3H_5 = {}_7C_5 = {}_7C_2 = 21$

🔑 (1) 243 (2) 21

대표 05

(1) x, y, z를 중복을 허용하여 순서를 생각하지 않고 10번 뽑는 경우의 수이므로
$_3H_{10} = {}_{12}C_{10} = {}_{12}C_2 = 66$

(2) x, y, z를 중복을 허용하여 순서를 생각하지 않고 7번 뽑은 다음 x, y, z를 한 번씩 더 뽑는 경우의 수와 같다.
$\therefore {}_3H_7 = {}_9C_7 = {}_9C_2 = 36$

다른 풀이

$x = x'+1, y = y'+1, z = z'+1$이라 하면
$x' + y' + z' = 7$
x', y', z'은 음이 아닌 정수이므로 $_3H_7 = 36$

🔑 (1) 66 (2) 36

5-1

(1) x, y, z를 중복을 허용하여 순서를 생각하지 않고 6번 뽑는 경우의 수이므로
$_3H_6 = {}_8C_6 = {}_8C_2 = 28$

(2) x, y, z를 중복을 허용하여 순서를 생각하지 않고 3번 뽑은 다음 x, y, z를 한 번씩 더 뽑는 경우의 수와 같다.
$\therefore {}_3H_3 = {}_5C_3 = {}_5C_2 = 10$

다른 풀이

$x = x'+1, y = y'+1, z = z'+1$이라 하면
$x' + y' + z' = 3$
x', y', z'은 음이 아닌 정수이므로 $_3H_3 = 10$

🔑 (1) 28 (2) 10

5-2

(1) $(x+y)^8 = \overbrace{(x+y)(x+y) \times \cdots \times (x+y)}^{8개}$
$(x+y)^8$의 전개식에서 서로 다른 항의 개수는 2개의 문자 x, y에서 중복을 허용하여 8개를 택하는 중복조합의 수와 같다.

$\therefore {}_2H_8 = {}_9C_8 = {}_9C_1 = 9$

(2) $(x+y+z)^{10}$의 전개식에서 서로 다른 항의 개수는 3개의 문자 x, y, z에서 중복을 허용하여 10개를 택하는 중복조합의 수와 같다.

$\therefore {}_3H_{10} = {}_{12}C_{10} = {}_{12}C_2 = 66$

🔑 (1) 9 (2) 66

대표 06

(1) X의 원소 1이 가능한 함숫값은 6개,
2가 가능한 함숫값은 $f(1)$을 뺀 5개,
3이 가능한 함숫값은 $f(1), f(2)$를 뺀 4개,
4가 가능한 함숫값은 $f(1), f(2), f(3)$을 뺀 3개
이므로
$6 \times 5 \times 4 \times 3 = 360$

(2) Y에서 원소 4개를 뽑으면
$f(1) < f(2) < f(3) < f(4)$
인 경우는 한 가지이므로 함수의 개수는
$_6C_4 = {}_6C_2 = 15$

(3) Y에서 중복을 허용하여 원소 4개를 뽑으면
$f(1) \le f(2) \le f(3) \le f(4)$
인 경우는 한 가지이므로 함수의 개수는
$_6H_4 = {}_9C_4 = 126$

🔑 (1) 360 (2) 15 (3) 126

참고 (1) 서로 다른 6개에서 4개를 뽑는 순열의 수와 같으므로
$_6P_4 = 360$

6-1

Y에서 원소 3개를 뽑으면
$f(1) < f(2) < f(3)$
인 경우는 한 가지이므로 함수의 개수는
$_5C_3 = {}_5C_2 = 10$

🔑 10

6-2

Y에서 중복을 허용하여 2개를 뽑으면
$f(1) \le f(2)$인 경우는 한 가지이므로 경우의 수는
$_4H_2 = {}_5C_2 = 10$
또 X의 원소 3이 가능한 함숫값은 4개,
4가 가능한 함숫값은 4개이므로 함수의 개수는
$10 \times 4 \times 4 = 160$

🔑 160

3 조합

01 (1) 325 (2) 36		**02** (1) 70 (2) 4800	
03 ②	**04** ④	**05** (1) 5 (2) 6	
06 (1) 21 (2) 60	**07** 11	**08** (1) 256 (2) 9	
09 63	**10** ③	**11** ④	**12** 130	**13** ③
14 16	**15** ⑤	**16** ②	**17** 64	**18** ③
19 9	**20** 108	**21** 1344	

01

(1) 2학년을 적어도 1명 선발하는 경우의 수는 전체 경우의 수에서 모두 1학년만 뽑는 경우의 수를 빼면 된다.

$$\therefore {}_{11}C_4 - {}_5C_4 = \frac{11 \times 10 \times 9 \times 8}{4 \times 3 \times 2 \times 1} - 5 = 325$$

(2) 특정한 2명이 반드시 선발되므로 이 두 명을 제외한 9명에서 2명을 뽑는 경우의 수이다.

$$\therefore {}_9C_2 = \frac{9 \times 8}{2} = 36$$

답 (1) 325 (2) 36

02

(1) (i) 남자 2명, 여자 1명을 대표로 뽑는 경우의 수는

$${}_4C_2 \times {}_5C_1 = \frac{4 \times 3}{2} \times 5 = 30$$

(ii) 남자 1명, 여자 2명을 대표로 뽑는 경우의 수는

$${}_4C_1 \times {}_5C_2 = 4 \times \frac{5 \times 4}{2} = 40$$

(i), (ii)에서 $30 + 40 = 70$

(2) 남학생 3명을 뽑는 경우의 수는 ${}_4C_3 = {}_4C_1 = 4$

여학생 3명을 뽑는 경우의 수는 ${}_5C_3 = {}_5C_2 = 10$

뽑힌 6명이 원탁에 앉는 경우의 수는 $(6-1)! = 5!$

$$\therefore 4 \times 10 \times 5! = 4800$$

답 (1) 70 (2) 4800

03

다섯 개의 순위 중 3개를 고르면 A, B, C의 순위가 결정되고, 남은 2개의 순위에 D, E를 배열하면 된다.

$$\therefore {}_5C_3 \times 2! = 20$$

다른 풀이

A, B, C를 제외한 두 명 D와 E의 순위를 먼저 정하면 남은 3명의 순위는 이미 정해져 있으므로 D, E의 순위를 정하는 경우의 수는

$${}_5P_2 = 5 \times 4 = 20$$

답 ②

04

각 부마다 적어도 2명 이상이므로 7명을 세 조로 나누는 경우는 3명, 2명, 2명밖에 없다.

$$\therefore {}_7C_3 \times {}_4C_2 \times {}_2C_2 \times \frac{1}{2!} = 105$$

각 조를 3개의 부에 배정하는 경우의 수는 3!이므로

$$105 \times 3! = 630$$

답 ④

05

(1) ${}_3H_r = {}_{3+r-1}C_r = {}_{r+2}C_r = {}_{r+2}C_2$이므로

$$\frac{(r+2)(r+1)}{2} = 21, \quad (r+2)(r+1) = 7 \times 6$$

$$\therefore r = 5$$

다른 풀이

방정식으로 풀면

$$(r+2)(r+1) = 42, \quad r^2 + 3r - 40 = 0$$

$$(r-5)(r+8) = 0$$

$r \geq 0$이므로 $r = 5$

(2) ${}_nC_3 + {}_{n-1}H_2 = {}_nC_3 + {}_nC_2$이므로

$$\frac{n(n-1)(n-2)}{6} + \frac{n(n-1)}{2} = 35$$

$$n(n-1)\{(n-2)+3\} = 35 \times 6$$

$$n(n-1)(n+1) = 7 \times 6 \times 5$$

$$\therefore n = 6$$

다른 풀이

방정식으로 풀면

$n(n-1)(n+1) = 210$에서

$$n^3 - n - 210 = 0$$

$$(n-6)(n^2 + 6n + 35) = 0$$

$n^2 + 6n + 35 \neq 0$이므로 $n = 6$

답 (1) 5 (2) 6

06

(1) $(x+y+z)^5$의 전개식에서 서로 다른 항의 개수는 3개의 문자 x, y, z에서 중복을 허용하여 5개를 택하는 중복조합의 수와 같다.

$\therefore {}_3H_5={}_7C_5={}_7C_2=21$

(2) $(a+b+c)^4$의 전개식과 $(x+y)^3$의 전개식이 같은 문자를 가지고 있지 않으므로 전개식에서 서로 다른 항의 개수는 $(a+b+c)^4$의 서로 다른 항의 개수와 $(x+y)^3$의 서로 다른 항의 개수의 곱과 같다.

$(a+b+c)^4$의 전개식에서 서로 다른 항의 개수는 문자 a, b, c에서 중복을 허용하여 4개를 택하는 중복조합의 수와 같고, $(x+y)^3$의 전개식에서 서로 다른 항의 개수는 문자 x, y에서 중복을 허용하여 3개를 택하는 중복조합의 수와 같다.

$\therefore {}_3H_4\times{}_2H_3={}_6C_4\times{}_4C_3=15\times4=60$

답 (1) 21　(2) 60

07

음이 아닌 정수해의 순서쌍 (x, y, z)의 개수는 서로 다른 문자 3개 중에서 중복을 허용하여 n번 뽑는 중복조합의 수와 같으므로

$${}_3H_n={}_{n+2}C_n={}_{n+2}C_2=\frac{(n+2)(n+1)}{2}=78$$

$(n+2)(n+1)=156=13\times12$

$\therefore n=11$

답 11

참고 $(n+2)(n+1)=156$을 전개하여 n에 대한 이차방정식을 풀어도 된다.

08

(1) 각 유권자는 2명의 후보에게 투표할 수 있으므로

$2\times2\times2\times2\times2\times2\times2\times2=2^8=256$

(2) 후보 2명이 받은 투표수를 x, y라 하면

$x+y=8$

x, y는 0 또는 자연수이므로 순서쌍 (x, y)의 개수는

${}_2H_8={}_9C_8={}_9C_1=9$

답 (1) 256　(2) 9

09

중복을 허용하여 2개의 짝수 중 2개, 3개의 홀수 중 5개를 택하는 중복조합의 수이므로

${}_2H_2\times{}_3H_5={}_3C_2\times{}_7C_5=3\times21=63$

답 63

10

세 종류의 주스를 각각 1병씩 택하면 남은 5병에 대하여 세 종류의 주스를 중복을 허용하여 택하면 되므로

${}_3H_5={}_7C_5={}_7C_2=21$

답 ③

11 **전략** 5가 0개일 때, 1개일 때로 나누어 계산한다.

(i) 5가 0개일 때

1, 2, 3, 4에서 중복을 허용하여 5개를 뽑는 경우의 수이므로 ${}_4H_5={}_8C_5={}_8C_3=56$

(ii) 5가 1개일 때

1, 2, 3, 4에서 중복을 허용하여 4개를 뽑는 경우의 수이므로 ${}_4H_4={}_7C_4={}_7C_3=35$

(i), (ii)에서 $56+35=91$

답 ④

12 **전략** 중복조합을 이용하여 여사건으로 구할 수도 있고 연필을 받지 못하는 학생 수를 나누어 구한 후 경우의 수의 합으로 구할 수도 있다.

4명의 학생에게 8자루의 연필을 나누어 주는 경우의 수는 4개 중 8개를 중복을 허용하여 택하는 중복조합의 수이므로

$${}_4H_8={}_{11}C_8={}_{11}C_3=\frac{11\times10\times9}{3\times2\times1}=165$$

이때 4명이 모두 적어도 한 자루의 연필을 가지는 경우의 수는 4명에게 연필 1자루씩 나누어 준 후 남은 연필 4자루를 중복을 허용하여 4명에게 나누어 주면 되므로

${}_4H_4={}_7C_4={}_7C_3=35$

따라서 연필을 한 자루도 받지 못하는 학생이 생기는 경우의 수는

$165-35=130$

다른 풀이

(i) 4명 중 1명이 연필을 받지 못하는 경우

연필을 받지 못하는 1명을 제외한 3명에게 미리 연필을 1자루씩 나눠 준 후 남은 연필 5자루를 중복을 허용하여 3명에게 나누어 주는 경우의 수이므로

$_4C_1 \times _3H_5 = 4 \times _7C_5 = 84$

(ii) 4명 중 2명이 연필을 받지 못하는 경우

연필을 받지 못하는 2명을 제외한 2명에게 미리 연필을 1자루씩 나눠 준 후 남은 연필 6자루를 중복을 허용하여 2명에게 나누어 주는 경우의 수이므로

$_4C_2 \times _2H_6 = 6 \times _7C_6 = 42$

(iii) 4명 중 3명이 연필을 받지 못하는 경우

연필을 받지 못하는 3명을 제외한 남은 학생이 연필 8자루를 모두 받으므로

$_4C_3 \times 1 = 4$

(i)~(iii)에서 $84 + 42 + 4 = 130$

🔲 130

13 **전략** w의 값에 따라 경우를 나눈다.

(i) $w = 1$인 경우

$x + y + z = 9$에서 x, y, z는 양의 정수이므로

$x = x' + 1, y = y' + 1, z = z' + 1$이라 하면

$x' + y' + z' = 6$에서 x', y', z'은 음이 아닌 정수이고 순서쌍 (x, y, z, w)의 개수는 순서쌍 (x', y', z')의 개수와 같으므로

$_3H_6 = _8C_6 = _8C_2 = 28$

(ii) $w = 2$인 경우

$x + y + z = 4$에서 x, y, z는 양의 정수이므로

$x = x' + 1, y = y' + 1, z = z' + 1$이라 하면

$x' + y' + z' = 1$에서 x', y', z'은 음이 아닌 정수이고 순서쌍 (x, y, z, w)의 개수는 순서쌍 (x', y', z')의 개수와 같으므로

$_3H_1 = _3C_1 = 3$

(iii) $w \geq 3$인 경우

$x + y + z < 0$이므로 양의 정수해가 존재하지 않는다.

(i)~(iii)에서 $28 + 3 = 31$

🔲 ③

14 **전략** $a + b = 3, c + d + e = 5$ 또는

$a + b = 5, c + d + e = 3$이다.

a, b, c, d, e는 자연수이므로

$(a + b)(c + d + e) = 15$이면

$a + b = 3, c + d + e = 5$ 또는

$a + b = 5, c + d + e = 3$이다.

$a = a' + 1, b = b' + 1, c = c' + 1, d = d' + 1,$
$e = e' + 1$이라 하자.

(i) $a + b = 3, c + d + e = 5$일 때

$a' + b' = 1, c' + d' + e' = 2$이고,

a', b', c', d', e'은 음이 아닌 정수이므로 순서쌍 (a', b', c', d', e')의 개수는

$_2H_1 \times _3H_2 = _2C_1 \times _4C_2 = 2 \times 6 = 12$

(ii) $a + b = 5, c + d + e = 3$일 때

$a' + b' = 3, c' + d' + e' = 0$이고,

a', b', c', d', e'은 음이 아닌 정수이므로 순서쌍 (a', b', c', d', e')의 개수는

$_2H_3 \times _3H_0 = _4C_3 \times _2C_0 = 4 \times 1 = 4$

(i), (ii)에서 $12 + 4 = 16$

🔲 16

15 **전략** x, y, z의 범위를 음이 아닌 정수의 범위로 구한다.

x, y, z는 $x \geq 1, y \geq 2, z \geq 3$인 정수이므로

$x = x' + 1, y = y' + 2, z = z' + 3$이라 하면

$(x' + 1) + (y' + 2) + (z' + 3) = 12$

$\therefore x' + y' + z' = 6$

x', y', z'은 음이 아닌 정수이므로 순서쌍 (x', y', z')의 개수는

$_3H_6 = _8C_6 = _8C_2 = 28$

🔲 ⑤

16 **전략** 색깔별로 경우의 수를 나누어 구한다.

(i) 학생 세 명에게 주황 탁구공을 x, y, z개 나누어 준다면

$x + y + z = 5$ ($x \geq 1, y \geq 1, z \geq 1$인 자연수)

$x = x' + 1, y = y' + 1, z = z' + 1$이라 하면

$x' + y' + z' = 2$

x', y', z'은 음이 아닌 정수이므로

순서쌍 (x', y', z')의 개수는

$_3H_2 = _4C_2 = 6$

(ii) 학생 세 명에게 흰 탁구공을 a, b, c개 나누어 준다면

$a + b + c = 8$ ($a \geq 1, b \geq 1, c \geq 1$인 자연수)

$a=a'+1$, $b=b'+1$, $c=c'+1$이라 하면

$a'+b'+c'=5$

a', b', c'은 음이 아닌 정수이므로

순서쌍 (a', b', c')의 개수는

$_3H_5 = _7C_5 = _7C_2 = 21$

(i), (ii)에서 $6 \times 21 = 126$

답 ②

17 전략 네 자리 수를 $abcd$라 하고, 자연수 a와 음이 아닌 정수 b, c, d에 대한 조건을 찾는다.

네 자리 자연수를 $abcd$라 하면

3000보다 작으므로 $a=1$ 또는 $a=2$이다.

또 b, c, d는 음이 아닌 정수이고 $a+b+c+d=8$이다.

(i) $a=1$일 때

$b+c+d=7$인 음이 아닌 세 정수의 순서쌍 (b, c, d)의 개수는 $_3H_7 = _9C_7 = _9C_2 = 36$

(ii) $a=2$일 때

$b+c+d=6$인 음이 아닌 세 정수의 순서쌍 (b, c, d)의 개수는 $_3H_6 = _8C_6 = _8C_2 = 28$

(i), (ii)에서 $36+28=64$

답 64

18 전략 $|a|$, $|b|$, $|c|$는 절댓값이므로 a, b, c는 각각 양수와 음수의 두 개의 값을 가질 수 있다.

$1 \leq |a| \leq |b| \leq |c| \leq 5$를 만족시키는 순서쌍 $(|a|, |b|, |c|)$의 개수는 1, 2, 3, 4, 5에서 중복을 허용하여 3개를 뽑는 중복조합의 수이므로

$_5H_3 = _7C_3 = 35$

이때 $|a|$, $|b|$, $|c|$는 0이 아니므로 a, b, c는 각각 부호가 다른 두 개의 값을 갖는다.

$\therefore 35 \times 2 \times 2 \times 2 = 280$

답 ③

19 전략 a, b, c가 1보다 큰 자연수이므로 각각 2^{n+1}의 꼴로 놓는다.

a, b, c가 자연수이고 $abc=2^n$의 소인수가 2밖에 없으므로 $a=2^{x+1}$, $b=2^{y+1}$, $c=2^{z+1}$이라 하면

x, y, z는 음이 아닌 정수이고 $x+y+z=n-3$을 만족시킨다.

등식을 만족시키는 순서쌍 (x, y, z)의 개수는

$_3H_{n-3} = _{n-1}C_{n-3} = _{n-1}C_2 = \dfrac{(n-1)(n-2)}{2} = 28$

$(n-1)(n-2) = 56 = 8 \times 7$

이므로

$n-1=8$ $\therefore n=9$

답 9

20 전략 $180 = 2^2 \times 3^2 \times 5$이므로 2, 3, 5를 a, b, c에게 나누어 주는 경우를 생각한다.

$abc = 2^2 \times 3^2 \times 5$

(i) 2, 2를 a, b, c에게 나누어 주는 경우의 수는

$_3H_2 = _4C_2 = 6$

(ii) 3, 3을 a, b, c에게 나누어 주는 경우의 수는

$_3H_2 = _4C_2 = 6$

(iii) 5를 a, b, c에게 나누어 주는 경우의 수는 3

(i)~(iii)에서 $6 \times 6 \times 3 = 108$

다른 풀이

$abc = 2^2 \times 3^2 \times 5$이므로 순서쌍 (a, b, c)의 개수는

$a = 2^{x_1}3^{y_1}5^{z_1}$, $b = 2^{x_2}3^{y_2}5^{z_2}$, $c = 2^{x_3}3^{y_3}5^{z_3}$

($i = 1, 2, 3$일 때 x_i, y_i, z_i는 음이 아닌 정수)

에서

$x_1+x_2+x_3 = 2$, $y_1+y_2+y_3 = 2$, $z_1+z_2+z_3 = 1$

$\therefore _3H_2 \times _3H_2 \times _3H_1 = _4C_2 \times _4C_2 \times _3C_1 = 108$

답 108

21 전략 함수 $f : X \longrightarrow Y$에 대하여

$n(X)=r$, $n(Y)=n$일 때,

$x_1 < x_2$이면 $f(x_1) \leq f(x_2)$인 f의 개수 ➡ $_nH_r$

$f(1)+f(2)=5$인 경우는 $1+4$, $2+3$, $3+2$, $4+1$의 4가지이다.

X에서 중복을 허용하여 원소를 3개 뽑으면

$f(3) \leq f(4) \leq f(5)$

인 경우는 한 가지이므로 경우의 수는

$_6H_3 = _8C_3 = 56$

또 X의 원소 6이 가능한 함숫값은 6개이므로 함수의 개수는

$4 \times 56 \times 6 = 1344$

답 1344

4 이항정리

1

$(a+b)^8$의 전개식의 일반항은 $_8C_r a^r b^{8-r}$

(1) a^8은 $r=8$인 항이므로 계수는 $_8C_8=1$

(2) $a^6 b^2$은 $r=6$인 항이므로 계수는 $_8C_6=_8C_2=28$

(3) $a^4 b^4$은 $r=4$인 항이므로 계수는 $_8C_4=70$

           답 (1) 1   (2) 28   (3) 70

2

파스칼의 삼각형에서 $(1+x)^6$의 전개식의 이항계수는

1, 6, 15, 20, 15, 6, 1이므로

$(1+x)^6$

$=1+6\times x^1+15\times x^2+20\times x^3+15\times x^4+6\times x^5+x^6$

$=1+6x+15x^2+20x^3+15x^4+6x^5+x^6$

         답 $1+6x+15x^2+20x^3+15x^4+6x^5+x^6$

대표 01

(1) $(2x-3y)^6$의 전개식의 일반항은

$_6C_r(2x)^r(-3y)^{6-r}=_6C_r 2^r(-3)^{6-r}x^r y^{6-r}$

$x^4 y^2$항은 $r=4$, $6-r=2$일 때이므로 $r=4$

따라서 $x^4 y^2$의 계수는 $_6C_4\times 2^4\times(-3)^2=2160$

(2) $\left(3x^2+\dfrac{1}{x}\right)^7$의 전개식의 일반항은

$_7C_r(3x^2)^r\left(\dfrac{1}{x}\right)^{7-r}=_7C_r 3^r x^{2r}\times\dfrac{1}{x^{7-r}}$

$\qquad\qquad\qquad\qquad =_7C_r 3^r x^{3r-7}$

$\dfrac{1}{x}=x^{-1}$이므로 $3r-7=-1$에서 $r=2$

따라서 $\dfrac{1}{x}$의 계수는 $_7C_2\times 3^2=189$

(3) $\left(ax+\dfrac{1}{2x}\right)^8$의 전개식의 일반항은

$_8C_r(ax)^r\left(\dfrac{1}{2x}\right)^{8-r}=_8C_r\times\dfrac{a^r}{2^{8-r}}\times x^r\times\dfrac{1}{x^{8-r}}$

$\qquad\qquad\qquad\qquad =_8C_r\times\dfrac{a^r}{2^{8-r}}\times x^{2r-8}$

x^2항은 $2r-8=2$에서 $r=5$이고 계수가 -7이므로

$_8C_5\times\dfrac{a^5}{2^3}=-7$, $7a^5=-7$, $a^5=-1$

a는 실수이므로 $a=-1$

         답 (1) 2160   (2) 189   (3) -1

1-1

(1) $(5x+2y)^5$의 전개식의 일반항은

$_5C_r(5x)^r(2y)^{5-r}=_5C_r 5^r 2^{5-r}x^r y^{5-r}$

$x^2 y^3$항은 $5-r=3$일 때이므로 $r=2$

따라서 $x^2 y^3$의 계수는 $_5C_2\times 5^2\times 2^3=2000$

(2) $\left(x^2-\dfrac{1}{3x}\right)^6$의 전개식의 일반항은

$_6C_r(x^2)^r\left(-\dfrac{1}{3x}\right)^{6-r}=_6C_r\left(-\dfrac{1}{3}\right)^{6-r}x^{2r}\times\dfrac{1}{x^{6-r}}$

$\qquad\qquad\qquad\qquad\quad =_6C_r\left(-\dfrac{1}{3}\right)^{6-r}x^{3r-6}$

$\dfrac{1}{x^3}=x^{-3}$이므로 $\dfrac{1}{x^3}$항은 $3r-6=-3$에서 $r=1$

따라서 $\dfrac{1}{x^3}$의 계수는 $_6C_1\times\left(-\dfrac{1}{3}\right)^5=-\dfrac{2}{81}$

         답 (1) 2000   (2) $-\dfrac{2}{81}$

1-2

$\left(x^2-\dfrac{a}{x}\right)^9$의 전개식의 일반항은

$_9C_r(x^2)^r\left(-\dfrac{a}{x}\right)^{9-r}=_9C_r(-a)^{9-r}x^{2r}\times\dfrac{1}{x^{9-r}}$

$\qquad\qquad\qquad\qquad\quad =_9C_r(-a)^{9-r}x^{3r-9}$

상수항은 $3r-9=0$에서 $r=3$일 때 84이므로

$_9C_3\times(-a)^6=84$, $a^6=1$

a는 양수이므로 $a=1$

         답 1

대표 02

(1) x^2-4에 $\left(2x+\dfrac{1}{x}\right)^4$의 $\dfrac{1}{x^2}$항 또는 상수항을 곱하면

상수항이 나온다.

$\left(2x+\dfrac{1}{x}\right)^4$의 전개식의 일반항은

$_4C_r(2x)^r\left(\dfrac{1}{x}\right)^{4-r}=_4C_r 2^r x^r\times\dfrac{1}{x^{4-r}}$

$\qquad\qquad\qquad\qquad =_4C_r 2^r x^{2r-4}$ $\cdots$ ㉠

이므로 $r=2$인 경우는 상수항, $r=1$인 경우는 $\dfrac{1}{x^2}$이다.

(ⅰ) $r=2$일 때,

    ㉠은 $_4C_2 2^2 x^{2\times2-4}=24$이므로 상수항은

$$-4 \times 24 = -96$$

(ii) $r=1$일 때,

⊙은 $_4C_1 2^1 x^{2 \times 1 - 4} = 8 \times \dfrac{1}{x^2}$이므로 상수항은

$$x^2 \times \dfrac{8}{x^2} = 8$$

(i), (ii)에서 상수항은 $-96 + 8 = -88$

(2) $(x^2 - 2)^3$의 전개식에서 x항이 없으므로

(i) $(2x+1)^4$의 상수항과 $(x^2-2)^3$의 x^2항을 곱하면

$$1 \times {}_3C_1 x^2 (-2)^{3-1} = 12x^2$$

(ii) $(2x+1)^4$의 x^2항과 $(x^2-2)^3$의 상수항을 곱하면

$${}_4C_2 (2x)^2 \times 1^{4-2} \times (-2)^3 = -192x^2$$

(i), (ii)에서 x^2의 계수는 $12 - 192 = -180$

(답) (1) -88 (2) -180

2-1

(1) $x^2 - 2$에 $\left(2x - \dfrac{3}{x^2}\right)^5$의 $\dfrac{1}{x}$항 또는 x항을 곱하면 x항 이 나온다.

$\left(2x - \dfrac{3}{x^2}\right)^5$의 전개식의 일반항은

$$\begin{aligned}{}_5C_r (2x)^r \left(-\dfrac{3}{x^2}\right)^{5-r} &= {}_5C_r 2^r (-3)^{5-r} x^r \times \dfrac{1}{x^{10-2r}} \\ &= {}_5C_r 2^r (-3)^{5-r} x^{3r-10}\end{aligned}$$

이므로 $r=3$인 경우는 $\dfrac{1}{x}$항이고 x항은 없다.

따라서 $_5C_3 2^3 (-3)^2 = 720$이므로 x의 계수는

$$720 \times 1 = 720$$

(2) $(1-x)^4$의 전개식의 일반항은

$${}_4C_r (-x)^{4-r} = {}_4C_r (-1)^{4-r} x^{4-r}$$

$\left(2x + \dfrac{1}{x}\right)^5$의 전개식의 일반항은

$$\begin{aligned}{}_5C_k (2x)^k \left(\dfrac{1}{x}\right)^{5-k} &= {}_5C_k 2^k x^k \times \dfrac{1}{x^{5-k}} \\ &= {}_5C_k 2^k x^{2k-5}\end{aligned}$$

따라서 $(1-x)^4 \left(2x + \dfrac{1}{x}\right)^5$의 전개식의 일반항은

$$\begin{aligned}&{}_4C_r (-1)^{4-r} x^{4-r} \times {}_5C_k 2^k x^{2k-5} \\ &= {}_4C_r \times {}_5C_k (-1)^{4-r} 2^k x^{2k-r-1}\end{aligned}$$

$2k - r - 1 = 3$을 만족시키는 r, k의 순서쌍 (r, k)는

$(0, 2)$, $(2, 3)$, $(4, 4)$이므로 x^3의 계수는

$$\begin{aligned}&{}_4C_0 \times {}_5C_2 \times (-1)^4 \times 2^2 + {}_4C_2 \times {}_5C_3 \times (-1)^2 \times 2^3 \\ &+ {}_4C_4 \times {}_5C_4 \times (-1)^0 \times 2^4 \\ &= 40 + 480 + 80 = 600\end{aligned}$$

(답) (1) 720 (2) 600

2-2

$ax^2 + 3$에 $\left(x + \dfrac{1}{x}\right)^8$의 x^2항 또는 x^4항을 곱하면 x^4항이 나온다.

$\left(x + \dfrac{1}{x}\right)^8$의 전개식의 일반항은

$${}_8C_r (x)^r \left(\dfrac{1}{x}\right)^{8-r} = {}_8C_r x^r \times \dfrac{1}{x^{8-r}} = {}_8C_r x^{2r-8} \quad \cdots \text{⊙}$$

이므로 $r=5$인 경우는 x^2항, $r=6$인 경우는 x^4항이다.

(i) $r=5$일 때,

⊙은 $_8C_5 x^{2 \times 5 - 8} = 56x^2$이므로 x^4항은

$$ax^2 \times 56x^2 = 56ax^4$$

(ii) $r=6$일 때,

⊙은 $_8C_6 x^{2 \times 6 - 8} = 28x^4$이므로 x^4항은

$$3 \times 28x^4 = 84x^4$$

(i), (ii)에서 x^4의 계수가 28이므로

$$56a + 84 = 28 \qquad \therefore a = -1$$

(답) -1

대표 **03**

$$(1+x)^n = {}_nC_0 + {}_nC_1 x + {}_nC_2 x^2 + {}_nC_3 x^3 + \cdots + {}_nC_n x^n \quad \cdots \text{⊙}$$

(1) ⊙에 $x=1$을 대입하면

$$2^n = {}_nC_0 + {}_nC_1 + {}_nC_2 + {}_nC_3 + \cdots + {}_nC_n \quad \cdots \text{ⓛ}$$

$_nC_0 = 1$이므로 조건에서 $1000 < 2^n - 1 < 2000$

$2^{10} = 1024$이므로 자연수 n의 값은 10

(2) ⊙에 $x=-1$을 대입하면

$$0 = {}_nC_0 - {}_nC_1 + {}_nC_2 - {}_nC_3 + \cdots + (-1)^n {}_nC_n \quad \cdots \text{ⓒ}$$

ⓛ $-$ ⓒ을 하면

$$2^n = 2({}_nC_1 + {}_nC_3 + {}_nC_5 + \cdots + {}_nC_{n-1})$$

$$\therefore {}_nC_1 + {}_nC_3 + {}_nC_5 + \cdots + {}_nC_{n-1} = 2^{n-1}$$

$n=20$을 대입하면

$${}_{20}C_1 + {}_{20}C_3 + {}_{20}C_5 + {}_{20}C_7 + \cdots + {}_{20}C_{19} = 2^{19}$$

(3) ⊙에 $x=-2$를 대입하면

$$\begin{aligned}(1-2)^n = &{}_nC_0 + {}_nC_1 (-2) + {}_nC_2 (-2)^2 + {}_nC_3 (-2)^3 \\ &+ \cdots + {}_nC_n (-2)^n\end{aligned}$$

$n=10$을 대입하면

$$\begin{aligned}&(1-2)^{10} \\ &= {}_{10}C_0 - {}_{10}C_1 \times 2 + {}_{10}C_2 \times 2^2 - {}_{10}C_3 \times 2^3 \\ &\quad + \cdots + {}_{10}C_{10} \times 2^{10}\end{aligned}$$

$$\therefore {}_{10}C_0 - {}_{10}C_1 \times 2 + {}_{10}C_2 \times 2^2 - {}_{10}C_3 \times 2^3$$
$$+ \cdots + {}_{10}C_{10} \times 2^{10}$$
$$= (-1)^{10} = 1$$

답 (1) 10　(2) 2^{19}　(3) 1

3-1

$$(1+x)^n = {}_nC_0 + {}_nC_1 x + {}_nC_2 x^2 + {}_nC_3 x^3 + \cdots + {}_nC_n x^n$$
$$\cdots \text{ⓐ}$$

(1) ⓐ에 $x=1$을 대입하면
$$2^n = {}_nC_0 + {}_nC_1 + {}_nC_2 + {}_nC_3 + \cdots + {}_nC_n \quad \cdots \text{ⓑ}$$
${}_nC_n = 1$이므로 조건에서 $500 < 2^n - 1 < 1000$
$2^9 = 512$이므로 $n=9$

(2) ⓐ에 $x=-1$을 대입하면
$$0 = {}_nC_0 - {}_nC_1 + {}_nC_2 - {}_nC_3 + \cdots + (-1)^n {}_nC_n \quad \cdots \text{ⓒ}$$
ⓑ+ⓒ을 하면
$$2^n = 2({}_nC_0 + {}_nC_2 + {}_nC_4 + \cdots + {}_nC_n)$$
$$\therefore {}_nC_0 + {}_nC_2 + {}_nC_4 + \cdots + {}_nC_n = 2^{n-1}$$
$n=20$을 대입하면
$${}_{20}C_0 + {}_{20}C_2 + {}_{20}C_4 + {}_{20}C_6 + \cdots + {}_{20}C_{20} = 2^{19}$$

답 (1) 9　(2) 2^{19}

3-2

$$(1+x)^n = {}_nC_0 + {}_nC_1 x + {}_nC_2 x^2 + {}_nC_3 x^3 + \cdots + {}_nC_n x^n$$
에 $x=3$, $n=20$을 대입하면
$$(1+3)^{20} = {}_{20}C_0 + {}_{20}C_1 \times 3 + {}_{20}C_2 \times 3^2 + {}_{20}C_3 \times 3^3$$
$$+ \cdots + {}_{20}C_{20} \times 3^{20}$$
$$\therefore {}_{20}C_0 + {}_{20}C_1 \times 3 + {}_{20}C_2 \times 3^2 + {}_{20}C_3 \times 3^3$$
$$+ \cdots + {}_{20}C_{20} \times 3^{20}$$
$$= 4^{20}$$

답 4^{20}

대표 04

${}_2C_0 = {}_3C_0$이므로
$${}_2C_0 + {}_3C_1 + {}_4C_2 + {}_5C_3 + \cdots + {}_{10}C_8$$
$$= ({}_3C_0 + {}_3C_1) + {}_4C_2 + {}_5C_3 + \cdots + {}_{10}C_8$$
$$= ({}_4C_1 + {}_4C_2) + {}_5C_3 + \cdots + {}_{10}C_8$$
$$= ({}_5C_2 + {}_5C_3) + {}_6C_4 + \cdots + {}_{10}C_8$$
$$\vdots$$
$$= {}_{10}C_7 + {}_{10}C_8$$
$$= {}_{11}C_8 = {}_{11}C_3 = 165$$

답 165

4-1

${}_2C_2 = {}_3C_3$이므로
$${}_2C_2 + {}_3C_2 + {}_4C_2 + {}_5C_2 + \cdots + {}_{10}C_2$$
$$= ({}_3C_3 + {}_3C_2) + {}_4C_2 + {}_5C_2 + \cdots + {}_{10}C_2$$
$$= ({}_4C_3 + {}_4C_2) + {}_5C_2 + \cdots + {}_{10}C_2$$
$$= ({}_5C_3 + {}_5C_2) + {}_6C_2 + \cdots + {}_{10}C_2$$
$$\vdots$$
$$= {}_{10}C_3 + {}_{10}C_2$$
$$= {}_{11}C_3 = 165$$

답 165

연습과 실전　4 이항정리
56쪽 ~ 58쪽

01 (1) -10　(2) 54	**02** ①	**03** ③	**04** 25
05 ②	**06** 31	**07** (1) 165　(2) 70	**08** ①
09 $a=6$, $b=135$	**10** $n=4$, $a=3$	**11** 5	
12 ④	**13** ④	**14** $n=40$, $r=20$	**15** ③
16 ③			

01

(1) $(x^2 - 2y)^5$의 전개식의 일반항은
$${}_5C_r (x^2)^r (-2y)^{5-r} = {}_5C_r (-2)^{5-r} x^{2r} y^{5-r}$$
$x^8 y$항은 $2r=8$, $5-r=1$일 때이므로 $r=4$
따라서 $x^8 y$의 계수는
$${}_5C_4 \times (-2)^1 = -10$$

(2) $\left(3x + \dfrac{1}{x}\right)^4$의 전개식의 일반항은
$${}_4C_r (3x)^r \left(\dfrac{1}{x}\right)^{4-r} = {}_4C_r 3^r x^{2r-4}$$
상수항은 $2r-4=0$에서 $r=2$
따라서 상수항은
$${}_4C_2 \times 3^2 = 6 \times 9 = 54$$

답 (1) -10　(2) 54

02

$(x+a)^7$의 전개식의 일반항은 ${}_7C_r x^r a^{7-r}$이므로 x^4항은
$r=4$
x^4의 계수가 280이므로
$${}_7C_4 a^3 = 35a^3 = 280, \ a^3 = 8 \quad \therefore a=2$$
따라서 x^5의 계수는
$${}_7C_5 \times 2^2 = 21 \times 4 = 84$$

답 ①

03

$(x+2)^{19}$의 전개식의 일반항은 $_{19}C_r x^r 2^{19-r}$이므로

x^k의 계수는 $_{19}C_k 2^{19-k} = \dfrac{19!}{k!(19-k)!} \times 2^{19-k}$

x^{k+1}의 계수는

$_{19}C_{k+1} 2^{18-k} = \dfrac{19!}{(k+1)!(18-k)!} \times 2^{18-k}$

곧,

$\dfrac{19!}{k!(19-k)!} \times 2^{19-k} > \dfrac{19!}{(k+1)!(18-k)!} \times 2^{18-k}$

$\dfrac{2}{19-k} > \dfrac{1}{k+1}$, $2(k+1) > 19-k$, $3k > 17$

$\therefore k > \dfrac{17}{3}$

따라서 자연수 k의 최솟값은 6이다.

目 ③

04

$1+2x$에 $(1+x)^5$의 x^4항, x^3항을 곱하면 x^4항이 나온다.

$(1+x)^5$의 전개식의 일반항은 $_5C_r x^r$이므로

$r=4$, $r=3$을 대입하면 x^4의 계수는

$_5C_4 + 2 \times _5C_3 = 5 + 2 \times 10 = 25$

目 25

05

$(1+x)^n = {}_nC_0 + {}_nC_1 x + {}_nC_2 x^2$
$\qquad\qquad + \cdots + {}_nC_{n-1}x^{n-1} + {}_nC_n x^n$

에 $x=1$을 대입하면

$2^n = {}_nC_0 + {}_nC_1 + {}_nC_2 + \cdots + {}_nC_{n-1} + {}_nC_n$

이고, $_nC_r = {}_nC_{n-r}$를 이용하면

${}_{19}C_0 + {}_{19}C_1 + {}_{19}C_2 + \cdots + {}_{19}C_8 + {}_{19}C_9$

$= \dfrac{1}{2}({}_{19}C_0 + {}_{19}C_1 + {}_{19}C_2 + \cdots + {}_{19}C_{18} + {}_{19}C_{19})$

$= \dfrac{1}{2} \times 2^{19} = 2^{18}$

目 ②

06

$_nC_r = \dfrac{_nP_r}{r!}$를 이용하면

${}_5P_1 + \dfrac{_5P_2}{2!} + \dfrac{_5P_3}{3!} + \dfrac{_5P_4}{4!} + \dfrac{_5P_5}{5!}$

$= {}_5C_1 + {}_5C_2 + {}_5C_3 + {}_5C_4 + {}_5C_5$

$= ({}_5C_0 + {}_5C_1 + {}_5C_2 + {}_5C_3 + {}_5C_4 + {}_5C_5) - {}_5C_0$

$= 2^5 - 1 = 31$

目 31

07

(1) $_{n-1}C_r + {}_{n-1}C_{r-1} = {}_nC_r$를 이용하면

${}_{10}C_8 + {}_9C_7 + {}_8C_6 + {}_7C_5 + {}_7C_4$

$= {}_{10}C_8 + {}_9C_7 + ({}_8C_6 + {}_8C_5)$

$= {}_{10}C_8 + ({}_9C_7 + {}_9C_6)$

$= {}_{10}C_8 + {}_{10}C_7$

$= {}_{11}C_8 = {}_{11}C_3$

$= \dfrac{11 \times 10 \times 9}{3 \times 2 \times 1} = 165$

다른 풀이

$_nC_r = {}_nC_{n-r}$를 이용하면

${}_{10}C_8 + {}_9C_7 + {}_8C_6 + {}_7C_5 + {}_7C_4$

$= {}_{10}C_2 + {}_9C_2 + {}_8C_2 + {}_7C_2 + {}_7C_3$

$= 45 + 36 + 28 + 21 + 35 = 165$

(2) $_3C_0 = {}_4C_0$이므로

${}_4H_0 + {}_4H_1 + {}_4H_2 + {}_4H_3 + {}_4H_4$

$= {}_3C_0 + {}_4C_1 + {}_5C_2 + {}_6C_3 + {}_7C_4$

$= ({}_4C_0 + {}_4C_1) + {}_5C_2 + {}_6C_3 + {}_7C_4$

$= ({}_5C_1 + {}_5C_2) + {}_6C_3 + {}_7C_4$

$= ({}_6C_2 + {}_6C_3) + {}_7C_4$

$= {}_7C_3 + {}_7C_4$

$= {}_8C_4$

$= \dfrac{8 \times 7 \times 6 \times 5}{4 \times 3 \times 2 \times 1} = 70$

目 (1) 165 (2) 70

08

$(1+x)^n$의 전개식에서 일반항은 $_nC_r x^r$이므로 x^2의 계수는

${}_2C_2 + {}_3C_2 + {}_4C_2 + {}_5C_2$

$_2C_2 = {}_3C_3$이므로

${}_2C_2 + {}_3C_2 + {}_4C_2 + {}_5C_2$

$= ({}_3C_3 + {}_3C_2) + {}_4C_2 + {}_5C_2$

$= ({}_4C_3 + {}_4C_2) + {}_5C_2$

$= {}_5C_3 + {}_5C_2$

$= {}_6C_3 = \dfrac{6 \times 5 \times 4}{3 \times 2 \times 1} = 20$

다른 풀이

간단한 식은 직접 계산해도 된다.

${}_2C_2 + {}_3C_2 + {}_4C_2 + {}_5C_2 = 1 + 3 + 6 + 10$
$\qquad\qquad\qquad\qquad = 20$

目 ①

09 **전략** 먼저 전개식의 일반항을 구한다.

$\left(x^2 - \dfrac{3}{x^5}\right)^n$의 전개식의 일반항은

$_nC_r (x^2)^r \left(-\dfrac{3}{x^5}\right)^{n-r} = {_nC_r}(-3)^{n-r} x^{7r-5n}$

$\dfrac{1}{x^2}$항이 존재하므로 $7r - 5n = -2$

$5n = 7r + 2$를 만족시키는 n의 최솟값은 6이므로 $a = 6$

이때 $r = 4$이므로 $\dfrac{1}{x^2}$항의 계수는

$b = {_6C_4} \times (-3)^2 = 135$

답 $a = 6$, $b = 135$

10 **전략** n과 a 사이의 관계식을 구한다.

$(x + a^2)^n$의 전개식의 일반항은

$_nC_r x^r (a^2)^{n-r} = {_nC_r} a^{2n-2r} x^r$

이므로 x^{n-1}의 계수는 $r = n-1$일 때이므로

$_nC_{n-1} a^{2n-2(n-1)} = na^2$ ········ ㉠

$(x^2 - 2a)(x + a)^n = x^2(x+a)^n - 2a(x+a)^n$에서

x^{n-1}의 계수는

$1 \times \{(x+a)^n$의 전개식에서 x^{n-3}의 계수$\}$

$-2a \times \{(x+a)^n$의 전개식에서 x^{n-1}의 계수$\}$

이다.

$(x+a)^n$의 전개식의 일반항은 $_nC_r x^r a^{n-r}$이므로

$(x^2 - 2a)(x+a)^n$의 전개식에서 x^{n-1}의 계수는

$_nC_{n-3} a^3 - 2a \times {_nC_{n-1}} a = {_nC_3} a^3 - 2na^2$ ········ ㉡

㉠, ㉡에서 $na^2 = {_nC_3} a^3 - 2na^2$

$a = \dfrac{3n}{_nC_3} = 3n \times \dfrac{3 \times 2 \times 1}{n(n-1)(n-2)} = \dfrac{18}{(n-1)(n-2)}$

a가 자연수이므로 연속한 두 자연수 $(n-1)$과 $(n-2)$가 18의 약수이다. 이때 18의 약수 중 연속한 두 자연수는 2와 3이다.

$n \geq 4$이므로 $n-1 = 3$, $n = 4$

$\therefore a = 3$

답 $n = 4$, $a = 3$

11 **전략** $(1+x)^n = {_nC_0} + {_nC_1}x + {_nC_2}x^2 + \cdots + {_nC_n}x^n$을 이용한다.

$(1+x)^{2n} = {_{2n}C_0} + {_{2n}C_1}x + {_{2n}C_2}x^2$
$\qquad + \cdots + {_{2n}C_{2n-1}}x^{2n-1} + {_{2n}C_{2n}}x^{2n}$ ········ ㉠

㉠에 $x = 1$을 대입하면

$2^{2n} = {_{2n}C_0} + {_{2n}C_1} + {_{2n}C_2} + \cdots + {_{2n}C_{2n-1}} + {_{2n}C_{2n}}$

㉠에 $x = -1$을 대입하면

$0 = {_{2n}C_0} - {_{2n}C_1} + {_{2n}C_2} - {_{2n}C_3} + \cdots - {_{2n}C_{2n-1}} + {_{2n}C_{2n}}$

이므로

$_{2n}C_1 + {_{2n}C_3} + \cdots + {_{2n}C_{2n-1}} = {_{2n}C_0} + {_{2n}C_2} + \cdots + {_{2n}C_{2n}}$
$\qquad\qquad = \dfrac{1}{2} \times 2^{2n} = 2^{2n-1}$

$2^{2n-1} = 512 = 2^9$이므로 $2n - 1 = 9$

$\therefore n = 5$

답 5

12 **전략** $\dfrac{1}{3} = a$, $\dfrac{2}{3} = b$라 하고 $(a+b)^n$의 전개식을 이용한다.

$f(x) = {_{15}C_x}\left(\dfrac{1}{3}\right)^{15-x}\left(\dfrac{2}{3}\right)^x = {_{15}C_x} a^{15-x} b^x$이라 하면

$f(0) + f(2) + f(4) + \cdots + f(14)$
$= {_{15}C_0} a^{15} + {_{15}C_2} a^{13} b^2 + {_{15}C_4} a^{11} b^4 + \cdots + {_{15}C_{14}} ab^{14}$

이므로

$(a+b)^{15} = {_{15}C_0} a^{15} + {_{15}C_1} a^{14}b + {_{15}C_2} a^{13} b^2$
$\qquad\qquad + \cdots + {_{15}C_{14}} ab^{14} + {_{15}C_{15}} b^{15}$

$(a-b)^{15} = {_{15}C_0} a^{15} - {_{15}C_1} a^{14}b + {_{15}C_2} a^{13} b^2$
$\qquad\qquad - \cdots + {_{15}C_{14}} ab^{14} - {_{15}C_{15}} b^{15}$

의 변변을 더하여 정리하면

$(a+b)^{15} + (a-b)^{15}$
$= 2({_{15}C_0} a^{15} + {_{15}C_2} a^{13} b^2 + {_{15}C_4} a^{11} b^4 + \cdots + {_{15}C_{14}} ab^{14})$

$\therefore f(0) + f(2) + f(4) + \cdots + f(14)$
$\quad = \dfrac{1}{2}\{(a+b)^{15} + (a-b)^{15}\}$
$\quad = \dfrac{1}{2}\left\{\left(\dfrac{1}{3} + \dfrac{2}{3}\right)^{15} + \left(\dfrac{1}{3} - \dfrac{2}{3}\right)^{15}\right\}$
$\quad = \dfrac{1}{2}\left(1 - \dfrac{1}{3^{15}}\right)$

답 ④

13 **전략** $31^{20} = (1+30)^{20}$임을 이용한다.

$31 = 1 + 30$이므로

$(1+x)^n = {_nC_0} + {_nC_1}x + {_nC_2}x^2$
$\qquad\qquad + \cdots + {_nC_{n-1}}x^{n-1} + {_nC_n}x^n$

에 $x = 30$, $n = 20$을 대입하면

$31^{20} = (1+30)^{20}$
$\quad = {_{20}C_0} + {_{20}C_1} \times 30 + {_{20}C_2} \times 30^2 + \cdots + {_{20}C_{20}} \times 30^{20}$
$\quad = {_{20}C_0} + {_{20}C_1} \times 30$
$\qquad + 30^2 \times ({_{20}C_2} + \cdots + {_{20}C_{20}} \times 30^{18})$

이므로 31^{20}을 30^2으로 나눈 나머지는

$_{20}C_0 + {_{20}C_1} \times 30 = 1 + 600 = 601$

답 ④

14 **전략** 이항계수의 성질을 이용한다.

$({}_{20}C_0)^2 + ({}_{20}C_1)^2 + ({}_{20}C_2)^2 + \cdots + ({}_{20}C_{20})^2$
$= {}_{20}C_0 \times {}_{20}C_{20} + {}_{20}C_1 \times {}_{20}C_{19} + \cdots + {}_{20}C_{20} \times {}_{20}C_0$

이므로

$(1+x)^{20} = {}_{20}C_0 + {}_{20}C_1 x + {}_{20}C_2 x^2$
$\qquad\qquad + \cdots + {}_{20}C_{19} x^{19} + {}_{20}C_{20} x^{20}$

과 비교하면 주어진 식은 $(1+x)^{20}(1+x)^{20}$의 전개식에서 x^{20}의 계수와 같다.

따라서 $(1+x)^{20}(1+x)^{20} = (1+x)^{40}$에서 x^{20}의 계수가 ${}_{40}C_{20}$이므로

${}_nC_r = {}_{40}C_{20}$

$\therefore n = 40, r = 20$

답 $n = 40, r = 20$

15 **전략** 음이 아닌 정수해를 생각하고
$$ {}_{n-1}C_{r-1} + {}_{n-1}C_r = {}_nC_r 를 이용한다.$$

$x = x'+1, y = y'+1, z = z'+1$이라 하면

$x+y+z \leq 8$에서 $x'+y'+z' \leq 5$ $\quad \cdots$ ㉠

이고 x', y', z'은 음이 아닌 정수이다.

방정식 $x'+y'+z' = k \,(0 \leq k \leq 5)$의 해 (x', y', z')의 개수는

${}_3H_k = {}_{k+2}C_k = {}_{k+2}C_2$

따라서 ㉠의 해의 개수는

${}_2C_2 + {}_3C_2 + {}_4C_2 + {}_5C_2 + {}_6C_2 + {}_7C_2$
$= {}_3C_3 + {}_3C_2 + {}_4C_2 + {}_5C_2 + {}_6C_2 + {}_7C_2$
$= {}_4C_3 + {}_4C_2 + {}_5C_2 + {}_6C_2 + {}_7C_2$
$\qquad\qquad \vdots$
$= {}_7C_3 + {}_7C_2$
$= {}_8C_3 = 56$

다른 풀이

$x = x'+1, y = y'+1, z = z'+1$이라 하면

$x+y+z \leq 8$에서 $x'+y'+z' \leq 5$ $\quad \cdots$ ㉠

이고 x', y', z'은 음이 아닌 정수이다.

따라서 $x'+y'+z'+w' = 5$의 음이 아닌 정수해 (x', y', z', w')에서 x', y', z'은 ㉠의 해이므로 (x', y', z', w')의 개수를 구하면 된다.

$\therefore {}_4H_5 = {}_8C_5 = {}_8C_3 = 56$

답 ③

16 **전략** ${}_{n-1}C_{r-1} + {}_{n-1}C_r = {}_nC_r$를 이용한다.

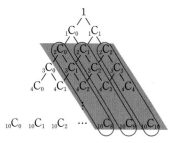

그림처럼 세 줄로 나누어 계산하자.

(ⅰ) 첫째 줄에서 ${}_2C_0 = {}_3C_0$이므로

$\quad {}_2C_0 + {}_3C_1 + {}_4C_2 + \cdots + {}_{10}C_8$
$= {}_3C_0 + {}_3C_1 + {}_4C_2 + \cdots + {}_{10}C_8$
$= {}_4C_1 + {}_4C_2 + \cdots + {}_{10}C_8$
$\qquad\qquad \vdots$
$= {}_{11}C_8 = {}_{11}C_3 = \dfrac{11 \times 10 \times 9}{3 \times 2 \times 1} = 165$

(ⅱ) 둘째 줄에서

$\quad {}_2C_1 + {}_3C_2 + {}_4C_3 + \cdots + {}_{10}C_9$
$= 2 + 3 + 4 + \cdots + 10$
$= 54$

(ⅲ) 셋째 줄에서

$\quad {}_2C_2 + {}_3C_3 + {}_4C_4 + \cdots + {}_{10}C_{10}$
$= 1 + 1 + 1 + \cdots + 1 = 9$

(ⅰ)~(ⅲ)에서 $165 + 54 + 9 = 228$

다른 풀이

수학Ⅰ을 공부한 경우 다음과 같이 풀 수 있다.

$\displaystyle\sum_{n=2}^{10} ({}_nC_{n-2} + {}_nC_{n-1} + {}_nC_n)$

$= \displaystyle\sum_{n=2}^{10} ({}_nC_2 + {}_nC_1 + 1) = \sum_{n=2}^{10} \left\{ \dfrac{n(n-1)}{2} + n + 1 \right\}$

$= \displaystyle\sum_{n=2}^{10} \left(\dfrac{1}{2}n^2 + \dfrac{1}{2}n + 1 \right)$

$= \dfrac{1}{2} \left(\dfrac{10 \times 11 \times 21}{6} - 1 \right) + \dfrac{1}{2} \left(\dfrac{10 \times 11}{2} - 1 \right) + (10-1)$

$= 228$

답 ③

확률

개념 Check · 61쪽~62쪽

1

전체 경우의 수는 6

소수의 눈이 나오는 경우는 2, 3, 5이므로

확률은 $\dfrac{3}{6}=\dfrac{1}{2}$

답 $\dfrac{1}{2}$

2

전체 경우의 수는 $2\times2=4$

같은 면이 나오는 경우는 (앞, 앞), (뒤, 뒤)이므로

확률은 $\dfrac{2}{4}=\dfrac{1}{2}$

답 $\dfrac{1}{2}$

3

(1) 전체 경우의 수는 $3+4=7$

흰 공이 나오는 경우의 수는 3이므로

확률은 $\dfrac{3}{7}$

(2) 주머니에는 흰 공 또는 검은 공만 들어 있으므로

확률은 1

(3) 주머니에는 파란 공이 없으므로 확률은 0

답 (1) $\dfrac{3}{7}$　(2) 1　(3) 0

대표Q · 63쪽~67쪽

대표 01

(1) 전체 경우의 수는 $2^3=8$

앞면이 2개 나오는 경우는

(앞, 앞, 뒤), (앞, 뒤, 앞), (뒤, 앞, 앞)의 3개

따라서 확률은 $\dfrac{3}{8}$

(2) 전체 경우의 수는 $6\times6=36$

(i) 두 눈의 수의 차가 4인 경우는

(1, 5), (2, 6), (5, 1), (6, 2)의 4개

(ii) 두 눈의 수의 차가 5인 경우는

(1, 6), (6, 1)의 2개

(i), (ii)에서 두 눈의 수의 차가 4 이상인 경우는

$4+2=6$(개)

따라서 확률은 $\dfrac{6}{36}=\dfrac{1}{6}$

답 (1) $\dfrac{3}{8}$　(2) $\dfrac{1}{6}$

1-1

전체 경우의 수는 $2^3=8$

모두 앞면이 나오거나 모두 뒷면이 나오는 경우는

(앞, 앞, 앞), (뒤, 뒤, 뒤)의 2개

따라서 확률은 $\dfrac{2}{8}=\dfrac{1}{4}$

답 $\dfrac{1}{4}$

1-2

전체 경우의 수는 $6\times6=36$

(1) 두 눈의 수의 합이 7인 경우는

(1, 6), (2, 5), (3, 4), (4, 3), (5, 2), (6, 1)의 6개

따라서 확률은 $\dfrac{6}{36}=\dfrac{1}{6}$

(2) 두 눈의 수의 곱이 홀수인 경우는

(1, 1), (1, 3), (1, 5), (3, 1), (3, 3), (3, 5),

(5, 1), (5, 3), (5, 5)의 9개

따라서 확률은 $\dfrac{9}{36}=\dfrac{1}{4}$

답 (1) $\dfrac{1}{6}$　(2) $\dfrac{1}{4}$

대표 02

(1) 6명을 일렬로 세우는 경우의 수는 6!

A와 B를 묶어 한 사람으로 보고 5명을 일렬로 세우는 경우의 수는 5!

묶음 안에서 A와 B가 자리를 바꾸는 경우의 수는 2

곧, A와 B가 이웃하는 경우의 수는 $5!\times2$

따라서 확률은 $\dfrac{5!\times2}{6!}=\dfrac{1}{3}$

(2) 6명을 일렬로 세우는 경우의 수는 6!

A와 B 사이에 세우는 2명을 고르는 경우의 수는 $_4P_2$

A○○B를 묶어 한 사람으로 보고 3명을 일렬로 세우는 경우의 수는 3!

A와 B가 자리를 바꾸는 경우의 수는 2

곧, A와 B 사이에 2명이 있는 경우의 수는

$_4P_2 \times 3! \times 2$

따라서 확률은 $\dfrac{_4P_2 \times 3! \times 2}{6!} = \dfrac{1}{5}$

(3) 6명이 원탁에 둘러앉는 경우의 수는 $(6-1)! = 5!$

A의 자리를 결정하면 B의 자리는 마주 보는 자리로 정해지므로 4명이 남은 4개의 자리에 한 사람씩 앉는 경우의 수는 4!

따라서 확률은 $\dfrac{4!}{5!} = \dfrac{1}{5}$

다른 풀이

A가 앉아 있을 때, B가 빈 다섯 자리 중 마주 보는 자리에 앉을 확률이므로 $\dfrac{1}{5}$이다.

답 (1) $\dfrac{1}{3}$　(2) $\dfrac{1}{5}$　(3) $\dfrac{1}{5}$

2-1

(1) 5명을 일렬로 세우는 경우의 수는 5!

A와 B를 양 끝에 세우는 경우의 수는 2!

3명을 그 사이에 일렬로 세우는 경우의 수는 3!

곧, A와 B를 양 끝에 세우는 경우의 수는 $2! \times 3!$

따라서 확률은 $\dfrac{2! \times 3!}{5!} = \dfrac{1}{10}$

(2) 5명이 원탁에 둘러앉는 경우의 수는

$(5-1)! = 4!$

A, B를 제외한 C, D, E가 원탁에 앉는 경우의 수는 $(3-1)! = 2!$

A, B가 C, D, E 사이사이 3개의 자리에 앉는 경우의 수는 $_3P_2$

따라서 확률은 $\dfrac{2! \times _3P_2}{4!} = \dfrac{2! \times 6}{4!} = \dfrac{1}{2}$

답 (1) $\dfrac{1}{10}$　(2) $\dfrac{1}{2}$

2-2

(1) 5개의 수에서 중복을 허용하여 만들 수 있는 세 자리 자연수의 개수는 $_5\Pi_3 = 5^3 = 125$

세 자리 자연수가 짝수인 경우는 □□2, □□4의 꼴이어야 하므로 짝수의 개수는

$_5\Pi_2 \times 2 = 5^2 \times 2 = 50$

따라서 확률은 $\dfrac{50}{125} = \dfrac{2}{5}$

(2) 7개의 문자 t, e, a, c, h, e, r를 일렬로 나열하는 경우의 수는 $\dfrac{7!}{2!} = 7 \times 6 \times 5 \times 4 \times 3$

e, e를 한 묶음으로 보고 6개의 문자를 일렬로 나열하는 경우의 수는 6!

따라서 확률은 $\dfrac{6!}{7 \times 6 \times 5 \times 4 \times 3} = \dfrac{2}{7}$

답 (1) $\dfrac{2}{5}$　(2) $\dfrac{2}{7}$

대표 **03**

구슬 10개 중에서 3개를 뽑는 경우의 수는 $_{10}C_3$

(1) 흰 구슬 5개 중에서 2개, 검은 구슬 3개 중에서 1개를 뽑는 경우의 수는 $_5C_2 \times _3C_1$

따라서 확률은

$\dfrac{_5C_2 \times _3C_1}{_{10}C_3} = \dfrac{10 \times 3}{120} = \dfrac{1}{4}$

(2) 흰 구슬 5개 중에서 1개, 검은 구슬 3개 중에서 1개, 파란 구슬 2개 중에서 1개를 뽑는 경우의 수는

$_5C_1 \times _3C_1 \times _2C_1$

따라서 확률은

$\dfrac{_5C_1 \times _3C_1 \times _2C_1}{_{10}C_3} = \dfrac{5 \times 3 \times 2}{120} = \dfrac{1}{4}$

(3) 흰 구슬 5개 중에서 3개를 뽑는 경우의 수는 $_5C_3$

검은 구슬 3개 중에서 3개를 뽑는 경우의 수는 $_3C_3$

색이 모두 같은 구슬이 나오는 경우의 수는 $_5C_3 + _3C_3$

따라서 확률은

$\dfrac{_5C_3 + _3C_3}{_{10}C_3} = \dfrac{10+1}{120} = \dfrac{11}{120}$

답 (1) $\dfrac{1}{4}$　(2) $\dfrac{1}{4}$　(3) $\dfrac{11}{120}$

3-1

구슬 9개 중에서 2개를 뽑는 경우의 수는 $_9C_2$

(1) 흰 구슬 4개 중에서 1개, 검은 구슬 5개 중에서 1개를 뽑는 경우의 수는 $_4C_1 \times _5C_1$

따라서 구하는 확률은

$\dfrac{_4C_1 \times _5C_1}{_9C_2} = \dfrac{4 \times 5}{36} = \dfrac{5}{9}$

(2) 흰 구슬 4개 중에서 2개를 뽑는 경우의 수는 $_4C_2$

검은 구슬 5개 중에서 2개를 뽑는 경우의 수는 $_5C_2$

색이 같은 구슬이 나오는 경우의 수는 $_4C_2 + _5C_2$

따라서 확률은

$\dfrac{_4C_2 + _5C_2}{_9C_2} = \dfrac{6+10}{36} = \dfrac{4}{9}$

다른 풀이

(색이 같은 구슬이 나올 확률)

=1-(색이 다른 구슬이 나올 확률)

$=1-\dfrac{5}{9}=\dfrac{4}{9}$

目 (1) $\dfrac{5}{9}$ (2) $\dfrac{4}{9}$

3-2

구슬 7개 중에서 2개를 뽑는 경우의 수는 $_7C_2=21$

흰 구슬의 개수를 n이라 할 때, 흰 구슬 n개 중에서 2개를 뽑는 경우의 수는 $_nC_2=\dfrac{n(n-1)}{2}$

2개 모두 흰 구슬일 확률은 $\dfrac{2}{7}$이므로

$\dfrac{\dfrac{n(n-1)}{2}}{21}=\dfrac{2}{7}, \ \dfrac{n(n-1)}{42}=\dfrac{2}{7}$

$n^2-n-12=0, \ (n-4)(n+3)=0$

$0\leq n\leq 7$이므로 $n=4$

目 4

대표 04

당첨 제비의 개수를 n이라 하면 제비 6개 중에서 2개를 뽑을 때 당첨이 아닌 제비 2개를 뽑을 확률은

$\dfrac{_{6-n}C_2}{_6C_2}=\dfrac{(6-n)(5-n)}{30}$

임의로 제비 2개를 뽑을 때, 2개 모두 당첨 제비가 아닐 확률이 $\dfrac{20}{30}=\dfrac{2}{3}$이므로

$\dfrac{(6-n)(5-n)}{30}=\dfrac{2}{3}, \ n^2-11n+10=0$

$(n-10)(n-1)=0$

$0\leq n\leq 6$이므로 $n=1$

目 1

4-1

빨간 구슬의 개수를 n이라 하면 구슬 10개 중에서 2개를 뽑을 때 빨간 구슬 2개를 뽑을 확률은 $\dfrac{_nC_2}{_{10}C_2}=\dfrac{n(n-1)}{90}$

주머니에서 2개의 구슬을 꺼낼 때, 3번에 1번 꼴로 2개가 모두 빨간 구슬이었으므로 2개 모두 빨간 구슬을 뽑을 확률은 $\dfrac{1}{3}$이다. 곧,

$\dfrac{n(n-1)}{90}=\dfrac{1}{3}, \ n^2-n-30=0, \ (n-6)(n+5)=0$

$0\leq n\leq 10$이므로 $n=6$

目 6

4-2

(1) 표에서 남자 100000명 중 60세가 될 때 생존자는 91546명이므로 확률은

$\dfrac{91546}{100000}=0.915\cdots$

따라서 0.92이다.

(2) 표에서 40세의 여자 98835명 중 40년 후 80세가 될 때 생존자는 79578명이므로 확률은

$\dfrac{79578}{98835}=0.805\cdots$

따라서 0.81이다.

目 (1) 0.92 (2) 0.81

대표 05

(1) 과녁 전체의 넓이는 π

부채꼴 AOB의 넓이는

$\pi\times\dfrac{4}{12}=\dfrac{\pi}{3}$

따라서 확률은

$\dfrac{\dfrac{\pi}{3}}{\pi}=\dfrac{1}{3}$

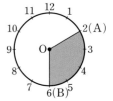

다른 풀이

부채꼴의 넓이는 호의 길이에 정비례하므로

$\dfrac{6-2}{12}=\dfrac{1}{3}$이라 해도 된다.

(2) 부채꼴 COD의 넓이가 초록색 부분의 넓이의 3배이므로

$a-6=3 \qquad \therefore a=9$

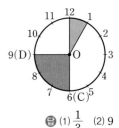

目 (1) $\dfrac{1}{3}$ (2) 9

5-1

반지름의 길이가 4인 원의 넓이는

$\pi\times 4^2=16\pi$

작은 원부터 넓이가 차례대로 $\pi, 4\pi, 9\pi, 16\pi$이므로 색칠한 부분의 넓이는

$(16\pi-9\pi)+(4\pi-\pi)=10\pi$

따라서 확률은

$\dfrac{(색칠한\ 부분의\ 넓이)}{(과녁\ 전체의\ 넓이)}=\dfrac{10\pi}{16\pi}=\dfrac{5}{8}$

目 $\dfrac{5}{8}$

5-2

그림과 같이 점 P가 $\overline{BC}$를 지름으로 하는 반원 위에 있을 때, 삼각형 PBC가 직각삼각형이 된다. 따라서 점 P가 반원의 내부에 있을 때 삼각형 PBC가 둔각삼각형이므로 확률은

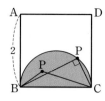

$$\frac{(\text{색칠한 부분의 넓이})}{\square ABCD}=\frac{\pi \times 1^2 \times \dfrac{1}{2}}{2 \times 2}=\frac{\pi}{8}$$

目 $\dfrac{\pi}{8}$

개념 Check 68쪽 ~ 69쪽

4

표본공간을 S라 하면 $S=\{1, 2, 3, \cdots, 20\}$,

$A=\{3, 6, 9, 12, 15, 18\}$

(1) $P(A)=\dfrac{n(A)}{n(S)}=\dfrac{6}{20}=\dfrac{3}{10}$

(2) $P(A^C)=1-P(A)$

$=1-\dfrac{3}{10}=\dfrac{7}{10}$

目 (1) $\dfrac{3}{10}$ (2) $\dfrac{7}{10}$

5

표본공간 S라 하면 $S=\{1, 2, 3, \cdots, 10\}$,

$A=\{2, 4, 6, 8, 10\}$, $B=\{3, 6, 9\}$

(1) $P(A)=\dfrac{n(A)}{n(S)}=\dfrac{5}{10}=\dfrac{1}{2}$

(2) $P(B)=\dfrac{n(B)}{n(S)}=\dfrac{3}{10}$

(3) $A \cap B=\{6\}$이므로

$P(A \cap B)=\dfrac{n(A \cap B)}{n(S)}=\dfrac{1}{10}$

(4) $P(A \cup B)=P(A)+P(B)-P(A \cap B)$

$=\dfrac{1}{2}+\dfrac{3}{10}-\dfrac{1}{10}$

$=\dfrac{7}{10}$

目 (1) $\dfrac{1}{2}$ (2) $\dfrac{3}{10}$ (3) $\dfrac{1}{10}$ (4) $\dfrac{7}{10}$

대표Q 70쪽 ~ 71쪽

대표 06

(1) 카드 한 장을 뽑을 때, 3의 배수가 나오는 사건을 A, 4의 배수가 나오는 사건을 B라 하면

$$P(A)=\frac{13}{40},\ P(B)=\frac{10}{40}$$

$A \cap B$는 3과 4의 공배수, 곧 12의 배수가 나오는 사건이므로

$$P(A \cap B)=\frac{3}{40}$$

$\therefore P(A \cup B)=P(A)+P(B)-P(A \cap B)$

$$=\frac{13}{40}+\frac{10}{40}-\frac{3}{40}=\frac{20}{40}=\frac{1}{2}$$

다른 풀이

$n(A \cup B)=n(A)+n(B)-n(A \cap B)$

$=13+10-3=20$

이므로 $P(A \cup B)=\dfrac{n(A \cup B)}{n(S)}=\dfrac{20}{40}=\dfrac{1}{2}$

(2) 카드 2장을 뽑을 때, 2장에 적힌 수가 모두 홀수인 사건을 C, 짝수인 사건을 D라 하면

$$P(C)=\frac{{}_{20}C_2}{{}_{40}C_2}=\frac{19}{78}$$

$$P(D)=\frac{{}_{20}C_2}{{}_{40}C_2}=\frac{19}{78}$$

사건 C, D는 배반사건이므로 확률은

$$P(C \cup D)=P(C)+P(D)=\frac{19}{78}+\frac{19}{78}=\frac{19}{39}$$

다른 풀이

$C \cap D=\varnothing$이므로 $n(C \cup D)={}_{20}C_2+{}_{20}C_2$

$\therefore P(C \cup D)=\dfrac{n(C \cup D)}{n(S)}=\dfrac{{}_{20}C_2+{}_{20}C_2}{{}_{40}C_2}=\dfrac{19}{39}$

目 (1) $\dfrac{1}{2}$ (2) $\dfrac{19}{39}$

6-1

$P(A)=\dfrac{1}{2}$, $P(B)=\dfrac{2}{3}$, $P(A \cup B)=\dfrac{3}{4}$이므로

$P(A \cup B)=P(A)+P(B)-P(A \cap B)$에서

$\dfrac{3}{4}=\dfrac{1}{2}+\dfrac{2}{3}-P(A \cap B)$

$\therefore P(A \cap B)=\dfrac{5}{12}$

A와 B가 동시에 일어날 확률은 $\dfrac{5}{12}$이다.

目 $\dfrac{5}{12}$

6-2

구슬 3개가 모두 흰 구슬인 사건을 A, 모두 검은 구슬인 사건을 B라 하면

$$P(A)=\frac{{}_6C_3}{{}_{10}C_3}=\frac{1}{6}$$

$$P(B)=\frac{{}_4C_3}{{}_{10}C_3}=\frac{1}{30}$$

사건 A, B는 배반사건이므로 확률은

$$P(A\cup B)=P(A)+P(B)$$
$$=\frac{1}{6}+\frac{1}{30}=\frac{1}{5}$$

$$\blacksquare\ \frac{1}{5}$$

6-3

(1) 남자만 4명 뽑는 사건을 A, 여자만 4명 뽑는 사건을 B라 하면

$$P(A)=\frac{{}_4C_4}{{}_9C_4}=\frac{1}{126}$$

$$P(B)=\frac{{}_5C_4}{{}_9C_4}=\frac{5}{126}$$

사건 A, B는 배반사건이므로 확률은

$$P(A\cup B)=P(A)+P(B)$$
$$=\frac{1}{126}+\frac{5}{126}=\frac{1}{21}$$

(2) 남자가 여자보다 더 많은 경우는 남자를 3명 또는 4명 뽑는 경우이다.

남자를 3명 뽑고 여자를 1명 뽑는 사건을 C, 남자만 4명 뽑는 사건을 D라 하면

$$P(C)=\frac{{}_4C_3\times{}_5C_1}{{}_9C_4}=\frac{4\times5}{126}=\frac{10}{63}$$

$$P(D)=\frac{{}_4C_4}{{}_9C_4}=\frac{1}{126}$$

사건 A, B는 배반사건이므로 확률은

$$P(C\cup D)=P(C)+P(D)$$
$$=\frac{10}{63}+\frac{1}{126}=\frac{1}{6}$$

$$\blacksquare\ (1)\ \frac{1}{21}\quad(2)\ \frac{1}{6}$$

대표 07

(1) 적어도 두 눈의 수가 같은 사건을 A라 하면 A^C는 세 눈의 수가 모두 다른 사건이다.

$$P(A^C)=\frac{6\times5\times4}{6^3}=\frac{5}{9}$$

$$\therefore P(A)=1-P(A^C)=\frac{4}{9}$$

(2) 세 수의 곱이 짝수인 사건을 B라 하면 B^C는 세 수의 곱이 홀수인 사건이다.

따라서 B^C이면 세 수가 모두 홀수이므로

$$P(B^C)=\frac{3^3}{6^3}=\frac{1}{8}$$

$$\therefore P(B)=1-P(B^C)=\frac{7}{8}$$

$$\blacksquare\ (1)\ \frac{4}{9}\quad(2)\ \frac{7}{8}$$

7-1

두 눈의 수의 합이 6 이상인 사건을 A라 하면 A^C는 두 눈의 수의 합이 5 이하인 사건이다.

두 눈의 수의 합이 5 이하인 경우는

$(1, 1), (1, 2), (2, 1), (1, 3), (3, 1), (2, 2), (1, 4),$
$(4, 1), (2, 3), (3, 2)$

의 10개이므로

$$P(A^C)=\frac{10}{36}=\frac{5}{18}$$

$$\therefore P(A)=1-P(A^C)=1-\frac{5}{18}=\frac{13}{18}$$

$$\blacksquare\ \frac{13}{18}$$

7-2

(1) 카드에 적힌 두 수의 곱이 짝수인 사건을 A라 하면 A^C는 두 수의 곱이 홀수인 사건, 곧 두 수가 모두 홀수인 사건이므로

$$P(A^C)=\frac{{}_{10}C_2}{{}_{20}C_2}=\frac{9}{38}$$

$$\therefore P(A)=1-P(A^C)=1-\frac{9}{38}=\frac{29}{38}$$

(2) 카드에 적힌 수가 3의 배수인 사건을 A, 5의 배수인 사건을 B라 하면 $A\cap B$는 3과 5의 공배수, 곧 15의 배수인 사건이므로

$$P(A\cup B)=P(A)+P(B)-P(A\cap B)$$
$$=\frac{6}{20}+\frac{4}{20}-\frac{1}{20}=\frac{9}{20}$$

3의 배수도 아니고 5의 배수도 아닌 사건은 $A^C\cap B^C=(A\cup B)^C$이다.

$$\therefore P(A^C\cap B^C)=P((A\cup B)^C)$$
$$=1-P(A\cup B)$$
$$=1-\frac{9}{20}=\frac{11}{20}$$

$$\blacksquare\ (1)\ \frac{29}{38}\quad(2)\ \frac{11}{20}$$

5 확률

72쪽~74쪽

01 ⑤	**02** ①	**03** $\dfrac{1}{2}$	**04** ②	**05** $\dfrac{2}{5}$
06 (1) $\dfrac{7}{12}$ (2) $\dfrac{3}{4}$		**07** $\dfrac{2}{3}$	**08** ④	**09** ⑤
10 $\dfrac{2}{9}$	**11** ②	**12** $\dfrac{19}{66}$	**13** ③	
14 (1) $\dfrac{13}{20}$ (2) $\dfrac{9}{20}$		**15** $\dfrac{5}{7}$		

01

세 사람이 가위, 바위, 보 중 하나를 내므로
전체 경우의 수는 $3^3 = 27$
한 명이 이기는 경우는
(가위, 보, 보), (바위, 가위, 가위), (보, 바위, 바위)를
각각 배열하는 방법이므로
$3 \times \dfrac{3!}{2!} = 9$
따라서 확률은 $\dfrac{9}{27} = \dfrac{1}{3}$

답 ⑤

02

6명이 좌석에 일렬로 앉는 경우의 수는 6!
세 쌍의 부부를 각각 한 묶음으로 보고 3명이 좌석에 일렬로 앉는 경우의 수는 3!
각 묶음 안에서 부부끼리 서로 자리를 바꾸는 경우의 수는
$2 \times 2 \times 2$
따라서 확률은
$\dfrac{3! \times 2 \times 2 \times 2}{6!} = \dfrac{1}{15}$

답 ①

03

7개의 서로 다른 문자를 일렬로 나열하는 경우의 수는
7!
문자 C가 U보다 앞에 있으므로
C, U를 모두 X로 보고 7개의 문자 X, X, J, S, T, I, E를 일렬로 나열한 후 앞의 X는 C로, 뒤의 X는 U로 바꾸면 된다.
C가 U보다 앞에 오는 경우의 수는 $\dfrac{7!}{2!}$

따라서 확률은
$\dfrac{\dfrac{7!}{2!}}{7!} = \dfrac{1}{2!} = \dfrac{1}{2}$

답 $\dfrac{1}{2}$

(참고) 7개의 서로 다른 문자를 배열하면 C가 U보다 먼저 나오는 경우의 수와 U가 C보다 먼저 나오는 경우의 수가 같으므로 확률을 $\dfrac{1}{2}$이라 생각할 수도 있다.

04

전체 경우의 수는 $\dfrac{6!}{3! \times 2!} = 60$

그림과 같이 양 끝에 A를 놓고 4개의 □ 안에 A, B, B, C를 나열하는 경우의 수는

A□□□□A

$\dfrac{4!}{2!} = 12$

따라서 확률은
$\dfrac{12}{60} = \dfrac{1}{5}$

답 ②

05

반지름의 길이가 10인 원의 넓이는
$\pi \times 10^2 = 100\pi$

원 안에 점 P를 표시하면 그림에서 색칠한 부분이므로 넓이를 구하면
$\pi \times 7^2 - \pi \times 3^2 = 40\pi$
따라서 확률은
$\dfrac{(\text{색칠한 부분의 넓이})}{(\text{반지름의 길이가 10인 원의 넓이})} = \dfrac{40\pi}{100\pi} = \dfrac{2}{5}$

답 $\dfrac{2}{5}$

06

(1) $A^c \cup B = (A \cap B^c)^c$이므로
$\begin{aligned} \text{P}(A^c \cup B) &= 1 - \text{P}(A \cap B^c) \\ &= 1 - \{\text{P}(A) - \text{P}(A \cap B)\} \\ &= 1 - \left(\dfrac{2}{3} - \dfrac{1}{4}\right) \\ &= \dfrac{7}{12} \end{aligned}$

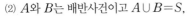

(2) A와 B는 배반사건이고 $A \cup B = S$,

$P(B) = \dfrac{1}{3} P(A)$이므로

$P(A) + P(B) = 1$, $P(A) + \dfrac{1}{3} P(A) = 1$

$\dfrac{4}{3} P(A) = 1$ $\qquad \therefore P(A) = \dfrac{3}{4}$

답 (1) $\dfrac{7}{12}$ (2) $\dfrac{3}{4}$

07 전략 두 수가 서로소인 경우를 직접 센다.

구슬 7개 중에서 2개를 뽑는 경우의 수는 $_7C_2$

꺼낸 구슬에 적힌 두 자연수가 서로소인 경우는

$(2, 3)$, $(2, 5)$, $(2, 7)$, $(3, 4)$, $(3, 5)$, $(3, 7)$, $(3, 8)$,

$(4, 5)$, $(4, 7)$, $(5, 6)$, $(5, 7)$, $(5, 8)$, $(6, 7)$, $(7, 8)$

의 14개

따라서 확률은 $\dfrac{14}{_7C_2} = \dfrac{14}{21} = \dfrac{2}{3}$

답 $\dfrac{2}{3}$

참고 서로소가 아닌 경우를 구해도 된다.

$(2, 4)$, $(2, 6)$, $(2, 8)$, $(3, 6)$, $(4, 6)$, $(4, 8)$, $(6, 8)$은

모두 서로소가 아니므로

서로소인 경우는 $_7C_2 - 7 = 21 - 7 = 14$(개)

08 전략 먼저 $a \geq 1$임을 이용하여 b의 범위를 구한다.

전체 경우의 수는 $6^3 = 216$

$a < b - 2 \leq c$에서

$a \geq 1$이므로 $1 < b - 2$ $\qquad \therefore 3 < b \leq 6$

(i) $b = 4$일 때, $a < 2 \leq c$이므로

$a = 1$, $c = 2, 3, 4, 5, 6$

따라서 순서쌍 (a, b, c)는 $1 \times 1 \times 5 = 5$(개)

(ii) $b = 5$일 때, $a < 3 \leq c$이므로

$a = 1, 2$, $c = 3, 4, 5, 6$

따라서 순서쌍 (a, b, c)는 $2 \times 1 \times 4 = 8$(개)

(iii) $b = 6$일 때, $a < 4 \leq c$이므로

$a = 1, 2, 3$, $c = 4, 5, 6$

따라서 순서쌍 (a, b, c)는 $3 \times 1 \times 3 = 9$(개)

(i)~(iii)에서 조건을 만족시키는 순서쌍 (a, b, c)의 개수는

$5 + 8 + 9 = 22$

따라서 확률은 $\dfrac{22}{216} = \dfrac{11}{108}$

답 ④

09 전략 남학생 수를 n으로 놓고 남학생 1명, 여학생 1명을 뽑는 식을 세운다.

20명 중에서 2명을 뽑는 경우의 수는 $_{20}C_2 = 190$

남학생을 n명이라 하면 여학생은 $(20 - n)$명이므로 남학생 1명, 여학생 1명을 뽑는 경우의 수는

$_nC_1 \times _{20-n}C_1 = n \times (20 - n)$

곧, $\dfrac{n(20 - n)}{190} = \dfrac{15}{38}$이므로

$n^2 - 20n + 75 = 0$, $(n - 5)(n - 15) = 0$

$\therefore n = 5$ 또는 $n = 15$

따라서 남학생 5명, 여학생 15명이거나

남학생 15명, 여학생 5명이므로

남학생과 여학생 수의 차는

$15 - 5 = 10$

답 ⑤

10 전략 갑, 을이 가진 두 장의 카드의 숫자가 같은 경우와 합은 같지만 숫자가 다른 경우로 나누어 구한다.

갑, 을이 각각 주머니 A, B에서 카드 4장 중 2장을 꺼내므로 전체 경우의 수는

$_4C_2 \times _4C_2 = 6 \times 6 = 36$

(i) 갑, 을이 가진 두 장의 카드의 숫자가 모두 같은 경우

$_4C_2 = 6$

(ii) 갑, 을이 가진 두 장의 카드의 숫자는 다르지만 합이 같은 경우

$(1, 4)$와 $(2, 3)$ 또는 $(2, 3)$과 $(1, 4)$의 2가지

(i), (ii)에서 카드에 적힌 수의 합이 같은 경우의 수는

$6 + 2 = 8$

따라서 확률은 $\dfrac{8}{36} = \dfrac{2}{9}$

다른 풀이

갑, 을이 가진 두 장의 카드의 숫자가 같은 사건을 A, 카드의 숫자는 다르지만 합이 같은 사건을 B라 하면

A와 B는 배반사건이므로 확률은

$P(A) + P(B) = \dfrac{_4C_2}{_4C_2 \times _4C_2} + \dfrac{2}{_4C_2 \times _4C_2}$

$= \dfrac{6}{36} + \dfrac{2}{36}$

$= \dfrac{8}{36} = \dfrac{2}{9}$

답 $\dfrac{2}{9}$

11 **전략** 앞면이 뒷면보다 적게 나오는 경우를 나누어 구한다.

전체 경우의 수는 $2^6=64$

(ⅰ) 앞면이 0번, 뒷면이 6번 나오는 경우의 수는 1

(ⅱ) 앞면이 1번, 뒷면이 5번 나오는 경우의 수는 $\dfrac{6!}{5!}=6$

(ⅲ) 앞면이 2번, 뒷면이 4번 나오는 경우의 수는

$$\dfrac{6!}{4!\times 2!}=15$$

(ⅰ)~(ⅲ)에서 앞면이 나오는 횟수가 뒷면이 나오는 횟수보다 적은 경우의 수는

$1+6+15=22$

따라서 확률은 $\dfrac{22}{64}=\dfrac{11}{32}$

다른 풀이

(ⅰ) 앞면이 0번 나올 확률은 $\dfrac{1}{2^6}=\dfrac{1}{64}$

(ⅱ) 앞면이 1번 나올 확률은 $\dfrac{\dfrac{6!}{5!}}{2^6}=\dfrac{6}{64}$

(ⅲ) 앞면이 2번 나올 확률은 $\dfrac{\dfrac{6!}{4!\times 2!}}{2^6}=\dfrac{15}{64}$

(ⅰ)~(ⅲ)이 모두 배반사건이므로 확률은

$$\dfrac{1}{64}+\dfrac{6}{64}+\dfrac{15}{64}=\dfrac{22}{64}=\dfrac{11}{32}$$

답 ②

12 **전략** 구슬 2개가 노란 구슬, 빨간 구슬, 파란 구슬인 경우로 나누어 구한다.

구슬 12개 중에서 2개를 뽑는 경우의 수는
$_{12}C_2=66$

(ⅰ) 노란 구슬 2개가 나오는 경우의 수는 $_3C_2=3$

(ⅱ) 빨간 구슬 2개가 나오는 경우의 수는 $_4C_2=6$

(ⅲ) 파란 구슬 2개가 나오는 경우의 수는 $_5C_2=10$

(ⅰ)~(ⅲ)에서 확률은

$$\dfrac{3+6+10}{66}=\dfrac{19}{66}$$

다른 풀이

배반사건이므로 확률의 합으로 풀 수도 있다.

$$\dfrac{_3C_2}{_{12}C_2}+\dfrac{_4C_2}{_{12}C_2}+\dfrac{_5C_2}{_{12}C_2}=\dfrac{3}{66}+\dfrac{6}{66}+\dfrac{10}{66}=\dfrac{19}{66}$$

답 $\dfrac{19}{66}$

13 **전략** 중복조합을 이용하여 확률을 구한다.

탁구공 10개를 세 상자 A, B, C에 나누어 담는 경우의 수는 서로 다른 3개에서 중복을 허용하여 10개를 뽑는 경우의 수와 같으므로 전체 경우의 수는

$$_3H_{10}={_{12}C_{10}}=66$$

각 상자마다 적어도 2개의 탁구공이 들어 있으므로 세 상자에 각각 탁구공 2개를 넣은 후, 남은 탁구공 4개를 세 상자에 나누어 담는 경우의 수는

$$_3H_4={_6C_4}=15$$

따라서 확률은 $\dfrac{15}{66}=\dfrac{5}{22}$

답 ③

참고 서로 다른 n개에서 r개를 택하는 중복조합의 수는

$$_nH_r={_{n+r-1}C_r}$$

14 **전략** 확률의 덧셈정리를 이용한다.

비자나무를 심은 집인 사건을 A, 배롱나무를 심은 집인 사건을 B라 하면

$$P(A)=\dfrac{3}{4},\ P(B)=\dfrac{1}{5},\ P(A\cap B)=\dfrac{3}{10}$$

(1) $P(A\cup B)=P(A)+P(B)-P(A\cap B)$

$$=\dfrac{3}{4}+\dfrac{1}{5}-\dfrac{3}{10}=\dfrac{13}{20}$$

(2) $P(B^C\cap A)=P(A)-P(A\cap B)$

$$=\dfrac{3}{4}-\dfrac{3}{10}=\dfrac{9}{20}$$

답 (1) $\dfrac{13}{20}$ (2) $\dfrac{9}{20}$

15 **전략** 여사건의 확률을 이용한다.

서로 다른 7개의 공을 나열하는 순열의 수이므로 7!

같은 숫자는 4밖에 없으므로 4가 적혀 있는 흰 공과 검은 공을 한 묶음으로 보고 6개의 서로 다른 공을 일렬로 나열하는 경우의 수는 6!

각각에 대하여 4가 적혀 있는 흰 공과 검은 공이 서로 위치를 바꾸는 경우의 수는 2

같은 숫자가 적혀 있는 공이 이웃하게 나열될 확률은

$$\dfrac{6!\times 2}{7!}=\dfrac{2}{7}$$

따라서 확률은 $1-\dfrac{2}{7}=\dfrac{5}{7}$

답 $\dfrac{5}{7}$

6 조건부확률

1

(1) $\mathrm{P}(A|B)=\dfrac{n(A\cap B)}{n(B)}=\dfrac{2}{6}=\dfrac{1}{3}$

(2) $\mathrm{P}(B|A)=\dfrac{n(A\cap B)}{n(A)}=\dfrac{2}{5}$

답 (1) $\dfrac{1}{3}$　(2) $\dfrac{2}{5}$

2

$\mathrm{P}(B|A)=\dfrac{\mathrm{P}(A\cap B)}{\mathrm{P}(A)}=\dfrac{\frac{1}{3}}{\frac{1}{2}}=\dfrac{2}{3}$

답 $\dfrac{2}{3}$

3

$\begin{aligned}\mathrm{P}(A\cap B)&=\mathrm{P}(B)\mathrm{P}(A|B)\\&=\dfrac{1}{4}\times\dfrac{1}{2}\\&=\dfrac{1}{8}\end{aligned}$

답 $\dfrac{1}{8}$

대표 01

주사위 두 개를 동시에 던질 때, 표본공간 S는 표와 같다.

	1	2	3	4	5	6
1	(1, 1)	(1, 2)	(1, 3)	(1, 4)	(1, 5)	(1, 6)
2	(2, 1)	(2, 2)	(2, 3)	(2, 4)	(2, 5)	(2, 6)
3	(3, 1)	(3, 2)	(3, 3)	(3, 4)	(3, 5)	(3, 6)
4	(4, 1)	(4, 2)	(4, 3)	(4, 4)	(4, 5)	(4, 6)
5	(5, 1)	(5, 2)	(5, 3)	(5, 4)	(5, 5)	(5, 6)
6	(6, 1)	(6, 2)	(6, 3)	(6, 4)	(6, 5)	(6, 6)

두 눈의 수의 합이 3의 배수인 사건을 A, 두 눈의 수의 곱이 홀수인 사건을 B라 하면
$n(A)=12$, $n(B)=9$, $n(A\cap B)=3$

(1) $\mathrm{P}(B|A)=\dfrac{n(A\cap B)}{n(A)}=\dfrac{3}{12}=\dfrac{1}{4}$

(2) $\mathrm{P}(A|B)=\dfrac{n(A\cap B)}{n(B)}=\dfrac{3}{9}=\dfrac{1}{3}$

다른 풀이

$\mathrm{P}(A)=\dfrac{12}{36}=\dfrac{1}{3}$, $\mathrm{P}(B)=\dfrac{9}{36}=\dfrac{1}{4}$,

$\mathrm{P}(A\cap B)=\dfrac{3}{36}=\dfrac{1}{12}$이므로

(1) $\mathrm{P}(B|A)=\dfrac{\mathrm{P}(A\cap B)}{\mathrm{P}(A)}=\dfrac{\frac{1}{12}}{\frac{1}{3}}=\dfrac{1}{4}$

(2) $\mathrm{P}(A|B)=\dfrac{\mathrm{P}(A\cap B)}{\mathrm{P}(B)}=\dfrac{\frac{1}{12}}{\frac{1}{4}}=\dfrac{1}{3}$

답 (1) $\dfrac{1}{4}$　(2) $\dfrac{1}{3}$

1-1

임의로 뽑은 한 명이 생태연구를 선택한 학생인 사건을 A, 남학생인 사건을 B라 하면
$n(A)=140$, $n(A\cap B)=77$

$\therefore \mathrm{P}(B|A)=\dfrac{n(A\cap B)}{n(A)}=\dfrac{77}{140}=\dfrac{11}{20}$

답 $\dfrac{11}{20}$

1-2

주사위 두 개를 동시에 던질 때, 표본공간 S는 표와 같다.

	1	2	3	4	5	6
1	(1, 1)	(1, 2)	(1, 3)	(1, 4)	(1, 5)	(1, 6)
2	(2, 1)	(2, 2)	(2, 3)	(2, 4)	(2, 5)	(2, 6)
3	(3, 1)	(3, 2)	(3, 3)	(3, 4)	(3, 5)	(3, 6)
4	(4, 1)	(4, 2)	(4, 3)	(4, 4)	(4, 5)	(4, 6)
5	(5, 1)	(5, 2)	(5, 3)	(5, 4)	(5, 5)	(5, 6)
6	(6, 1)	(6, 2)	(6, 3)	(6, 4)	(6, 5)	(6, 6)

두 눈의 수의 합이 4의 배수인 사건을 A, 두 눈의 수의 차가 2인 사건을 B라 하면
$n(A)=9$, $n(B)=8$, $n(A\cap B)=4$

(1) $\mathrm{P}(B|A)=\dfrac{n(A\cap B)}{n(A)}=\dfrac{4}{9}$

(2) $\mathrm{P}(A|B)=\dfrac{n(A\cap B)}{n(B)}=\dfrac{4}{8}=\dfrac{1}{2}$

답 (1) $\dfrac{4}{9}$　(2) $\dfrac{1}{2}$

대표 02

제품을 1000개라 하면 A 공장 제품은 800개, B 공장 제품은 200개이므로 A, B 공장의 정상 제품과 불량품의 개수는 표와 같다.

	A 공장	B 공장	합계
정상 제품	800×0.99	200×0.985	
불량품	800×0.01	200×0.015	
합계	800	200	1000

불량품의 개수는 $800 \times 0.01 + 200 \times 0.015 = 11$
불량품 중 B 공장 제품의 개수는 $200 \times 0.015 = 3$
따라서 구하는 확률은 $\dfrac{3}{11}$

다른 풀이

불량품인 사건을 E, B 공장 제품인 사건을 B라 하고 확률을 나타내면 표와 같다.

	A 공장	B 공장(B)	합계
정상 제품	0.8×0.99	0.2×0.985	
불량품(E)	0.8×0.01	0.2×0.015	
합계	0.8	0.2	1

따라서 구하는 확률은

$$P(B|E) = \frac{P(B \cap E)}{P(E)}$$

$$= \frac{0.2 \times 0.015}{0.8 \times 0.01 + 0.2 \times 0.015} = \frac{3}{11}$$

답 $\dfrac{3}{11}$

2-1

제품을 1000개라 하면 세 기계 A, B, C가 만든 이어폰은 각각 500개, 300개, 200개이므로 A, B, C의 정상 제품과 불량품의 개수는 표와 같다.

	A 기계	B 기계	C 기계	합계
정상 제품	500×0.98	300×0.97	200×0.96	
불량품	500×0.02	300×0.03	200×0.04	
합계	500	300	200	1000

불량품의 개수는
$500 \times 0.02 + 300 \times 0.03 + 200 \times 0.04 = 27$
불량품 중 A 기계 제품의 개수는 $500 \times 0.02 = 10$
따라서 구하는 확률은 $\dfrac{10}{27}$

답 $\dfrac{10}{27}$

대표 03

(1) $P(A \cup B) = P(A) + P(B) - P(A \cap B)$이므로

$$\frac{3}{4} = \frac{1}{2} + \frac{2}{3} - P(A \cap B) \qquad \therefore P(A \cap B) = \frac{5}{12}$$

$$\therefore P(B|A) = \frac{P(A \cap B)}{P(A)} = \frac{\frac{5}{12}}{\frac{1}{2}} = \frac{5}{6}$$

(2) $P(A|B) = \dfrac{P(A \cap B)}{P(B)} = \dfrac{1}{4}$

이므로
$P(A \cap B) = x$라 하면
$P(B) = 4x$, $P(B \cap A^C) = 3x$
$P(A \cup B) = P(A) + P(B) - P(A \cap B)$이므로

$$\frac{4}{5} = \frac{1}{2} + 4x - x$$

$$\therefore x = \frac{1}{10}$$

$$\therefore P(B|A^C) = \frac{P(B \cap A^C)}{P(A^C)} = \frac{P(B \cap A^C)}{1 - P(A)}$$

$$= \frac{\frac{3}{10}}{1 - \frac{1}{2}} = \frac{\frac{3}{10}}{\frac{1}{2}} = \frac{3}{5}$$

답 (1) $\dfrac{5}{6}$ (2) $\dfrac{3}{5}$

3-1

$$P(A|B) = \frac{P(A \cap B)}{P(B)} = \frac{1}{2}$$

이므로
$P(A \cap B) = x$라 하면
$P(B) = 2x$, $P(B \cap A^C) = x$
$P(B) = \dfrac{1}{5}$이므로 $2x = \dfrac{1}{5}$ $\qquad \therefore x = \dfrac{1}{10}$
따라서

$$P(A \cup B) = P(A) + P(B) - P(A \cap B)$$

$$= \frac{3}{5} + \frac{1}{5} - \frac{1}{10} = \frac{7}{10}$$

이므로

$$P(A^C \cap B^C) = P((A \cup B)^C) = 1 - P(A \cup B)$$

$$= 1 - \frac{7}{10} = \frac{3}{10}$$

답 $\dfrac{3}{10}$

3-2

(1) 두 사건 A, B가 배반사건이므로

$A \cap B = \varnothing$

따라서 $P(A \cap B) = 0$이므로

$$P(B|A) = \frac{P(A \cap B)}{P(A)} = \frac{0}{\frac{1}{3}} = 0$$

(2) 두 사건 A, B가 배반사건이므로

$A \cap B = \varnothing$

따라서 $B \cap A^C = B$이므로

$$P(B \cap A^C) = P(B) = \frac{2}{5}$$

$$\therefore P(B|A^C) = \frac{P(B \cap A^C)}{P(A^C)} = \frac{P(B)}{1 - P(A)}$$

$$= \frac{\frac{2}{5}}{1 - \frac{1}{3}} = \frac{\frac{2}{5}}{\frac{2}{3}} = \frac{3}{5}$$

📘 (1) 0 (2) $\dfrac{3}{5}$

대표 04

(1) A가 당첨 제비를 뽑을 확률은 $\dfrac{3}{10}$,

A가 당첨 제비를 뽑았을 때, 남은 제비 9장 중 당첨 제비는 2장이므로 B가 당첨 제비를 뽑을 확률은 $\dfrac{2}{9}$

$$\therefore \frac{3}{10} \times \frac{2}{9} = \frac{1}{15}$$

(2) A가 당첨 제비를 뽑지 않을 확률은 $\dfrac{7}{10}$,

A가 당첨 제비를 뽑지 않았을 때, 남은 제비 9장 중 당첨 제비는 3장이므로 B가 당첨 제비를 뽑을 확률은 $\dfrac{3}{9}$

$$\therefore \frac{7}{10} \times \frac{3}{9} = \frac{7}{30}$$

다른 풀이

A, B가 당첨 제비를 뽑는 사건을 각각 A, B라 하자.

(1) $P(A) = \dfrac{3}{10}$

A가 당첨 제비를 뽑았을 때, 남은 제비 9장 중 당첨 제비는 2장이므로 B가 당첨 제비를 뽑을 확률은

$$P(B|A) = \frac{2}{9}$$

$$\therefore \frac{3}{10} \times \frac{2}{9} = \frac{1}{15}$$

(2) $P(A^C) = \dfrac{7}{10}$

A가 당첨 제비를 뽑지 않았을 때, 남은 제비 9장 중 당첨 제비는 3장이므로 B가 당첨 제비를 뽑을 확률은

$$P(B|A^C) = \frac{3}{9}$$

따라서 구하는 확률은

$$P(A^C \cap B) = P(A^C)P(B|A^C)$$

$$= \frac{7}{10} \times \frac{3}{9} = \frac{7}{30}$$

📘 (1) $\dfrac{1}{15}$ (2) $\dfrac{7}{30}$

4-1

(1) 첫 번째 꺼낸 공이 흰 공일 확률은 $\dfrac{4}{13}$,

첫 번째 꺼낸 공이 흰 공이었을 때, 남은 공 12개 중 흰 공은 3개이므로 두 번째 꺼낸 공이 흰 공일 확률은

$$\frac{3}{12}$$

$$\therefore \frac{4}{13} \times \frac{3}{12} = \frac{1}{13}$$

(2) 첫 번째 꺼낸 공이 검은 공일 확률은 $\dfrac{9}{13}$

첫 번째 꺼낸 공이 검은 공이었을 때, 남은 공 12개 중 흰 공은 4개이므로 두 번째 꺼낸 공이 흰 공일 확률은 $\dfrac{4}{12}$

$$\therefore \frac{9}{13} \times \frac{4}{12} = \frac{3}{13}$$

📘 (1) $\dfrac{1}{13}$ (2) $\dfrac{3}{13}$

4-2

(1) A가 당첨 제비를 뽑을 확률은 $\dfrac{3}{10}$,

꺼낸 제비를 다시 넣으므로 B가 당첨 제비를 뽑을 확률도 $\dfrac{3}{10}$

$$\therefore \frac{3}{10} \times \frac{3}{10} = \frac{9}{100}$$

(2) A가 당첨 제비를 뽑지 않을 확률은 $\dfrac{7}{10}$,

꺼낸 제비를 다시 넣으므로 B가 당첨 제비를 뽑을 확률은 $\dfrac{3}{10}$

$$\therefore \frac{7}{10} \times \frac{3}{10} = \frac{21}{100}$$

答 (1) $\frac{9}{100}$ (2) $\frac{21}{100}$

대표 05

(i) 내일 비가 오고, 매진될 확률은

$$\frac{1}{4} \times \frac{1}{10} = \frac{1}{40}$$

(ii) 내일 비가 오지 않고, 매진될 확률은

$$\frac{3}{4} \times \frac{2}{3} = \frac{1}{2}$$

(i), (ii)는 배반사건이므로 확률은

$$\frac{1}{40} + \frac{1}{2} = \frac{21}{40}$$

다른 풀이

내일 비가 오는 사건을 A, 경기가 매진되는 사건을 E라 하면

(i) 내일 비가 오고, 매진될 확률은

$$P(A \cap E) = P(A)P(E|A) = \frac{1}{4} \times \frac{1}{10} = \frac{1}{40}$$

(ii) 내일 비가 오지 않고, 매진될 확률은

$$P(A^c \cap E) = P(A^c)P(E|A^c) = \frac{3}{4} \times \frac{2}{3} = \frac{1}{2}$$

(i), (ii)는 배반사건이므로 확률은

$$P(E) = P(A \cap E) + P(A^c \cap E)$$
$$= \frac{1}{40} + \frac{1}{2} = \frac{21}{40}$$

答 $\frac{21}{40}$

5-1

(i) 암에 걸린 사람을 바르게 진단할 확률은

$$0.1 \times 0.9 = 0.09$$

(ii) 암에 걸리지 않은 사람을 걸렸다고 오진할 확률은

$$0.9 \times 0.05 = 0.045$$

(i), (ii)는 배반사건이므로 확률은

$$0.09 + 0.045 = 0.135$$

答 0.135

대표 06

짝수가 적힌 카드를 꺼내는 사건을 E,
주머니 A에서 꺼내는 사건을 A,
주머니 B에서 꺼내는 사건을 B라 하자.

(i) 주머니 A에서 짝수가 적힌 카드를 꺼낼 확률은

$$P(A \cap E) = \frac{2}{6} \times \frac{2}{5} = \frac{2}{15}$$

(ii) 주머니 B에서 짝수가 적힌 카드를 꺼낼 확률은

$$P(B \cap E) = \frac{4}{6} \times \frac{3}{6} = \frac{1}{3}$$

(i), (ii)는 배반사건이므로 짝수가 적힌 카드를 꺼낼 확률은

$$P(E) = P(A \cap E) + P(B \cap E) = \frac{2}{15} + \frac{1}{3} = \frac{7}{15}$$

$$\therefore P(A|E) = \frac{P(A \cap E)}{P(E)} = \frac{\frac{2}{15}}{\frac{7}{15}} = \frac{2}{7}$$

答 $\frac{2}{7}$

6-1

두 수의 합이 짝수이려면 (홀수)+(홀수) 또는 (짝수)+(짝수)이어야 한다.
두 수의 합이 짝수인 사건을 E,
주머니 A, B에서 모두 홀수가 적힌 카드를 뽑는 사건을 A,
주머니 A, B에서 모두 짝수가 적힌 카드를 뽑는 사건을 B라 하자.

주머니 A, B에서 모두 홀수가 적힌 카드를 뽑을 확률은

$$P(A \cap E) = \frac{3}{5} \times \frac{2}{5} = \frac{6}{25}$$

또 주머니 A, B에서 모두 짝수가 적힌 카드를 뽑을 확률은

$$P(B \cap E) = \frac{2}{5} \times \frac{3}{5} = \frac{6}{25}$$

(i), (ii)는 배반사건이므로 두 수의 합이 짝수일 확률은

$$P(E) = P(A \cap E) + P(B \cap E) = \frac{6}{25} + \frac{6}{25} = \frac{12}{25}$$

$$\therefore P(B|E) = \frac{P(B \cap E)}{P(E)} = \frac{\frac{6}{25}}{\frac{12}{25}} = \frac{1}{2}$$

答 $\frac{1}{2}$

6-2

화살을 먼저 쏘는 사람만 10점 영역을 맞히는 사건을 E,
A가 화살을 먼저 쏘는 사건을 A,
B가 화살을 먼저 쏘는 사건을 B라 하자.

(i) A가 화살을 먼저 쏘고, A만 10점을 받을 확률은

$$P(A \cap E) = \frac{1}{2} \times \frac{3}{4} \times \frac{1}{3} = \frac{1}{8}$$

(ii) B가 화살을 먼저 쏘고, B만 10점을 받을 확률은

$$P(B \cap E) = \frac{1}{2} \times \frac{2}{3} \times \frac{1}{4} = \frac{1}{12}$$

(i), (ii)는 배반사건이므로 화살을 먼저 쏜 사람만 10점 영역을 맞힐 확률은

$$P(E) = P(A \cap E) + P(B \cap E) = \frac{1}{8} + \frac{1}{12} = \frac{5}{24}$$

$$\therefore P(A \mid E) = \frac{P(A \cap E)}{P(E)} = \frac{\frac{1}{8}}{\frac{5}{24}} = \frac{3}{5}$$

답 $\frac{3}{5}$

6 조건부확률

84쪽~86쪽

01 ⑤	02 $\frac{2}{5}$	03 ③	04 $\frac{2}{5}$	05 $\frac{1}{3}$
06 $\frac{9}{35}$	07 $\frac{1}{10}$	08 $\frac{6}{25}$	09 $a=48, b=24$	
10 0.48	11 ⑤	12 $\frac{7}{25}$	13 ④	14 ②

01

지역 A를 희망한 학생이 180명이고 이 중 지역 B를 희망한 학생이 140명이므로 확률은 $\frac{140}{180} = \frac{7}{9}$

다른 풀이

지역 A를 희망하는 학생인 사건을 A,
지역 B를 희망하는 학생인 사건을 B라 하자.

$$P(A) = \frac{180}{500}, \ P(A \cap B) = \frac{140}{500}$$

따라서 구하는 확률은

$$P(B \mid A) = \frac{P(A \cap B)}{P(A)}$$

$$= \frac{\frac{140}{500}}{\frac{180}{500}} = \frac{140}{180} = \frac{7}{9}$$

답 ⑤

02

10 이하의 짝수는 5개이고 이 중 6의 약수는 2개이므로 확률은 $\frac{2}{5}$

다른 풀이

카드에 적힌 숫자가 짝수인 사건을 A, 6의 약수인 사건을 B라 하자.

$$P(A) = \frac{5}{10} = \frac{1}{2}, \ P(A \cap B) = \frac{2}{10} = \frac{1}{5}$$

따라서 확률은

$$P(B \mid A) = \frac{P(A \cap B)}{P(A)} = \frac{\frac{1}{5}}{\frac{1}{2}} = \frac{2}{5}$$

답 $\frac{2}{5}$

03

임의로 뽑은 한 명의 학생이 체험 학습 B를 선택한 학생일 때, 남학생일 확률이 $\frac{2}{5}$이므로 남학생 수를 $2a$, 여학생 수를 $3a$라 하고 주어진 조건을 표로 나타내면 다음과 같다.

	남학생	여학생	합계
체험 학습 A	90	70	160
체험 학습 B	$2a$	$3a$	200
합계			360

$2a + 3a = 200$ ∴ $a = 40$
따라서 이 학교의 여학생 수는
$70 + 3a = 70 + 120 = 190$

답 ③

04

$$P(B^c \mid A) = \frac{P(A \cap B^c)}{P(A)} = \frac{1}{3}$$

이므로
$P(A \cap B) = 2x$,
$P(A \cap B^c) = x$라 할 수 있다.

또 $P(A^c \cup B) = \frac{4}{5}$이고,
$A^c \cup B = (A \cap B^c)^c$이므로
$P(A \cap B^c) = \frac{1}{5}$, 곧 $x = \frac{1}{5}$

$$\therefore P(A \cap B) = 2x = \frac{2}{5}$$

$$\text{답} \quad \frac{2}{5}$$

05

수빈이가 당첨 제비를 뽑을 확률은 $\frac{6}{10} = \frac{3}{5}$

수빈이가 당첨 제비를 뽑았을 때, 남은 제비 9장 중 당첨

제비는 5장이므로 선미가 당첨 제비를 뽑을 확률은 $\frac{5}{9}$

따라서 확률은

$$\frac{3}{5} \times \frac{5}{9} = \frac{1}{3}$$

$$\text{답} \quad \frac{1}{3}$$

06

A가 꺼낸 사탕이 딸기 맛 사탕일 확률은 $\frac{6}{15} = \frac{2}{5}$

A가 꺼낸 사탕이 딸기 맛 사탕일 때, B가 꺼낸 사탕이

포도 맛 사탕일 확률은 $\frac{9}{14}$

따라서 확률은

$$\frac{2}{5} \times \frac{9}{14} = \frac{9}{35}$$

$$\text{답} \quad \frac{9}{35}$$

07

선미와 소희가 주문한 것이 서로 다른 것인 사건을 A,

선미와 소희가 주문한 것이 모두 아이스크림인 사건을

B라 하자.

$n(A) = {}_5P_2$, $n(A \cap B) = {}_2P_2$

$$\therefore P(B|A) = \frac{n(A \cap B)}{n(A)} = \frac{{}_2P_2}{{}_5P_2} = \frac{1}{10}$$

다른 풀이

$$P(A) = \frac{5 \times 4}{5 \times 5} = \frac{4}{5}, \quad P(A \cap B) = \frac{2 \times 1}{5 \times 5} = \frac{2}{25}$$

$$\therefore P(B|A) = \frac{P(A \cap B)}{P(A)} = \frac{\frac{2}{25}}{\frac{4}{5}} = \frac{1}{10}$$

$$\text{답} \quad \frac{1}{10}$$

08 **전략** 조건부확률을 이용한다.

한 개의 주사위를 두 번 던졌을 때, 6의 눈이 한 번도 나

오지 않는 경우의 수는 $5 \times 5 = 25$이므로 6의 눈이 나오

지 않을 확률은 $\frac{25}{36}$

6의 눈이 한 번도 나오지 않을 때 나온 주사위의 눈의 수

의 합이 4의 배수인 경우는

$(1, 3), (2, 2), (3, 1),$

$(3, 5), (4, 4), (5, 3)$

으로 6가지이므로 확률은 $\frac{6}{36} = \frac{1}{6}$

따라서 확률은 $\dfrac{\frac{1}{6}}{\frac{25}{36}} = \frac{6}{25}$

다른 풀이

주사위를 두 번 던졌을 때, 6의 눈이 나오지 않는 사건을

A, 두 눈의 수의 합이 4의 배수인 사건을 B라 하면

$$P(A) = \frac{5 \times 5}{6 \times 6} = \frac{25}{36}, \quad P(A \cap B) = \frac{6}{36}$$

$$\therefore P(B|A) = \frac{P(A \cap B)}{P(A)} = \frac{\frac{6}{36}}{\frac{25}{36}} = \frac{6}{25}$$

$$\text{답} \quad \frac{6}{25}$$

09 **전략** 주어진 조건에서 a, b에 대한 식을 세워 푼다.

도서관 이용자 300명 중 12 %가 30대이므로

$$\frac{(60-a)+b}{300} = \frac{12}{100}, \quad 60-a+b=36$$

$$\therefore a-b=24 \qquad \cdots \text{㉠}$$

도서관 이용자 중 임의로 선택한 한 명이 남성일 때, 이

이용자가 20대일 확률은

$$\frac{a}{200}$$

도서관 이용자 중 임의로 선택한 한 명이 여성일 때, 이

이용자가 30대일 확률은

$$\frac{b}{100}$$

$\dfrac{a}{200} = \dfrac{b}{100}$이므로 $a=2b$ $\qquad \cdots \text{㉡}$

㉠, ㉡을 연립하여 풀면 $a=48$, $b=24$

$$\text{답} \quad a=48, b=24$$

10 전략 금요일에 비가 오는 경우와 비가 오지 않는 경우로
나누어 구한다.

(i) 금요일에 비가 오고, 토요일에 비가 올 확률은

$$0.6 \times 0.6 = 0.36$$

(ii) 금요일에 비가 오지 않고, 토요일에 비가 올 확률은

$$(1-0.6) \times 0.3 = 0.12$$

따라서 확률은 $0.36 + 0.12 = 0.48$

답 0.48

11 전략 을이 꺼낸 2개의 공이 모두 검은 공일 때
갑은 어떤 공을 꺼낼 수 있는지 유추해 본다.

갑이 꺼낸 흰 공의 개수가 을이 꺼낸 흰 공의 개수보다
많은 사건을 A, 을이 꺼낸 공이 모두 검은 공인 사건을
B라 하자.

갑이 흰 공 1개, 검은 공 1개를 꺼내면 검은 공이 2개뿐
이므로 을이 검은 공 2개를 꺼낼 수 없다. 따라서 사건 A
는 갑이 흰 공을 2개 꺼내는 경우밖에 없으므로

$$P(A) = \frac{{}_3C_2}{{}_5C_2} = \frac{3}{10}$$

$$P(A \cap B) = \frac{3}{10} \times \frac{{}_2C_2}{{}_3C_2} = \frac{1}{10}$$

$$\therefore P(B|A) = \frac{P(A \cap B)}{P(A)} = \frac{\frac{1}{10}}{\frac{3}{10}} = \frac{1}{3}$$

답 ⑤

12 전략 조건부확률을 이용한다.

거짓말 탐지기가 거짓이라고 판단하는 사건을 E,
X가 참말을 하는 사건을 A,
X가 거짓말을 하는 사건을 B라 하자.

(i) X가 참말을 했을 때 거짓이라고 판단할 확률은

$$P(A \cap E) = \frac{9}{10} \times \frac{1}{5} = \frac{9}{50}$$

(ii) X가 거짓말을 했을 때 거짓이라고 판단할 확률은

$$P(B \cap E) = \frac{1}{10} \times \frac{7}{10} = \frac{7}{100}$$

$$P(E) = P(A \cap E) + P(B \cap E)$$

$$= \frac{9}{50} + \frac{7}{100} = \frac{25}{100} = \frac{1}{4}$$

$$\therefore P(B|E) = \frac{P(B \cap E)}{P(E)} = \frac{\frac{7}{100}}{\frac{1}{4}} = \frac{28}{100} = \frac{7}{25}$$

답 $\frac{7}{25}$

13 전략 주머니 A에서 흰 공을 꺼내는 경우와 검은 공을 꺼
내는 경우로 나누어 구한다.

주머니 A에서 꺼낸 공이 흰 공이면 주머니 B에는 흰 공
4개, 검은 공 3개가 되고, 주머니 A에서 꺼낸 공이 검은
공이면 주머니 B에는 흰 공 3개, 검은 공 4개가 된다.

(i) 주머니 A에서 흰 공을 꺼내고, 주머니 B에서 흰 공
을 꺼낼 확률은

$$\frac{{}_2C_1}{{}_5C_1} \times \frac{{}_4C_1}{{}_7C_1} = \frac{2}{5} \times \frac{4}{7} = \frac{8}{35}$$

(ii) 주머니 A에서 검은 공을 꺼내고, 주머니 B에서 흰
공을 꺼낼 확률은

$$\frac{{}_3C_1}{{}_5C_1} \times \frac{{}_3C_1}{{}_7C_1} = \frac{3}{5} \times \frac{3}{7} = \frac{9}{35}$$

따라서 확률은 $\frac{8}{35} + \frac{9}{35} = \frac{17}{35}$

답 ④

14 전략 전체 학생을 1000명으로 생각하고
주어진 조건을 표로 나타내어 본다.

전체 학생 수를 1000명이라 하면
남학생은 400명, 여학생은 600명이고,

K자격증을 가진 남학생 수는 $1000 \times \frac{1}{5} = 200$

K자격증을 가진 전체 학생 수는 $1000 \times \frac{70}{100} = 700$

이므로 학생 수를 표로 나타내면 다음과 같다.

	남학생	여학생	합계
K자격증 있음	200		700
K자격증 없음	200		300
합계	400	600	1000

따라서 K자격증이 없는 여학생 수는
$300 - 200 = 100$
이므로 구하는 확률은

$$\frac{100}{300} = \frac{1}{3}$$

답 ②

독립과 종속

89쪽

1

두 사건 A, B가 독립이므로

$$P(A \cap B) = P(A)P(B) = \frac{1}{4} \times \frac{1}{3} = \frac{1}{12}$$

답 $\dfrac{1}{12}$

2

$P(A|B) = P(A|B^C)$이므로

두 사건 A, B가 독립이다.

곧, $P(A \cap B) = P(A)P(B)$이므로

$$\frac{1}{6} = \frac{1}{2}P(B) \qquad \therefore P(B) = \frac{1}{3}$$

답 $\dfrac{1}{3}$

대표Q

90쪽~92쪽

대표 Q1

$A = \{1,\ 3,\ 5,\ 7,\ 9,\ 11,\ 13,\ 15,\ 17,\ 19\}$,

$B = \{5,\ 10,\ 15,\ 20\}$, $C = \{16,\ 17,\ 18,\ 19,\ 20\}$

이므로 $P(A) = \dfrac{10}{20} = \dfrac{1}{2}$, $P(B) = \dfrac{4}{20} = \dfrac{1}{5}$,

$P(C) = \dfrac{5}{20} = \dfrac{1}{4}$

(1) $A \cap B = \{5,\ 15\}$이므로 $P(A \cap B) = \dfrac{2}{20} = \dfrac{1}{10}$

$P(A \cap B) = P(A)P(B)$이므로 A와 B는 독립이다.

다른 풀이

$$P(B|A) = \frac{n(A \cap B)}{n(A)} = \frac{2}{10} = \frac{1}{5}$$

$P(B|A) = P(B)$이므로 A와 B는 독립이다.

(2) $B \cap C = \{20\}$이므로 $P(B \cap C) = \dfrac{1}{20}$

$P(B \cap C) = P(B)P(C)$이므로 B와 C는 독립이다.

따라서 B^C와 C는 독립이다.

다른 풀이

$n(B^C) = 16$이므로 $P(B^C) = \dfrac{16}{20} = \dfrac{4}{5}$

$B^C \cap C = \{16,\ 17,\ 18,\ 19\}$이므로

$$P(B^C \cap C) = \frac{4}{20} = \frac{1}{5}$$

$P(B^C \cap C) = P(B^C)P(C)$이므로

B^C와 C는 독립이다.

(3) $A \cap (B \cap C) = \varnothing$이므로 $P(A \cap (B \cap C)) = 0$

$P(A \cap (B \cap C)) \neq P(A)P(B \cap C)$이므로

A와 $B \cap C$는 종속이다.

답 (1) 독립 (2) 독립 (3) 종속

1-1

A, B가 독립이므로 $P(A) = P(A|B) = \dfrac{3}{8}$

$$P(A \cup B) = P(A) + P(B) - P(A \cap B)$$
$$= P(A) + P(B) - P(A)P(B)$$

이고 $P(A \cup B) = \dfrac{1}{2}$이므로

$$\frac{3}{8} + P(B) - \frac{3}{8}P(B) = \frac{1}{2} \qquad \therefore P(B) = \frac{1}{5}$$

$$\therefore P(A \cap B^C) = P(A) - P(A \cap B)$$
$$= \frac{3}{8} - \frac{3}{8} \times \frac{1}{5} = \frac{3}{10}$$

답 $\dfrac{3}{10}$

참고 A와 B^C도 독립이므로

$$P(A \cap B^C) = P(A)P(B^C) = \frac{3}{8} \times \left(1 - \frac{1}{5}\right) = \frac{3}{10}$$

1-2

$A = \{2,\ 4,\ 6\}$, $B = \{2,\ 3,\ 5\}$, $C = \{5,\ 6\}$

이므로 $P(A) = \dfrac{1}{2}$, $P(B) = \dfrac{1}{2}$, $P(C) = \dfrac{1}{3}$

① $A \cap B = \{2\}$이므로 $P(A \cap B) = \dfrac{1}{6}$

$P(A \cap B) \neq P(A)P(B)$이므로 A와 B는 종속이다.

② $B \cap C = \{5\}$이므로 $P(B \cap C) = \dfrac{1}{6}$

$P(B \cap C) = P(B)P(C)$이므로 B와 C는 독립이다.

③ $A^C = \{1,\ 3,\ 5\}$이므로 $A^C \cap C = \{5\}$

$\therefore P(A^C \cap C) = \dfrac{1}{6}$

$P(A^C \cap C) = P(A^C)P(C)$이므로 A^C와 C는 독립이다.

④ $C^C = \{1,\ 2,\ 3,\ 4\}$이므로 $B \cap C^C = \{2,\ 3\} \neq \varnothing$

따라서 B와 C^C는 배반사건이 아니다.

⑤ $A \cap (B \cap C) = \varnothing$이므로 A와 $B \cap C$는 배반사건이다.

답 ③, ⑤

대표 02

A, B, C가 총을 각각 한 발씩 쏠 때 원반을 맞히는 사건을 각각 A, B, C라 하면 A, B, C는 독립이고

$P(A)=\dfrac{1}{2}$, $P(B)=\dfrac{2}{3}$, $P(C)=\dfrac{3}{4}$

(1) 세 사람이 모두 원반을 맞힐 확률은

$$P(A \cap B \cap C)=P(A)P(B)P(C)$$
$$=\dfrac{1}{2} \times \dfrac{2}{3} \times \dfrac{3}{4}=\dfrac{1}{4}$$

(2) (ⅰ) A, B가 원반을 맞히고, C가 맞히지 못할 확률은

$$P(A \cap B \cap C^C)=P(A)P(B)P(C^C)$$
$$=\dfrac{1}{2} \times \dfrac{2}{3} \times \dfrac{1}{4}=\dfrac{1}{12}$$

(ⅱ) A, C가 원반을 맞히고, B가 맞히지 못할 확률은

$$P(A \cap B^C \cap C)=P(A)P(B^C)P(C)$$
$$=\dfrac{1}{2} \times \dfrac{1}{3} \times \dfrac{3}{4}=\dfrac{1}{8}$$

(ⅲ) B, C가 원반을 맞히고, A가 맞히지 못할 확률은

$$P(A^C \cap B \cap C)=P(A^C)P(B)P(C)$$
$$=\dfrac{1}{2} \times \dfrac{2}{3} \times \dfrac{3}{4}=\dfrac{1}{4}$$

(ⅰ)~(ⅲ)에서 확률은

$$\dfrac{1}{12}+\dfrac{1}{8}+\dfrac{1}{4}=\dfrac{11}{24}$$

(3) 적어도 한 명이 원반을 맞히는 사건은 한 명도 원반을 맞히지 못하는 사건의 여사건이다.

한 명도 원반을 맞히지 못할 확률은

$$P(A^C \cap B^C \cap C^C)=P(A^C)P(B^C)P(C^C)$$
$$=\dfrac{1}{2} \times \dfrac{1}{3} \times \dfrac{1}{4}=\dfrac{1}{24}$$

따라서 확률은 $1-\dfrac{1}{24}=\dfrac{23}{24}$

답 (1) $\dfrac{1}{4}$ (2) $\dfrac{11}{24}$ (3) $\dfrac{23}{24}$

2-1

세 선수 A, B, C가 활을 한 번씩 쏠 때 10점 과녁을 맞히는 사건을 각각 A, B, C라 하면 A, B, C는 독립이고

$P(A)=\dfrac{4}{5}$, $P(B)=p$, $P(C)=\dfrac{2}{5}$

적어도 한 선수가 10점 과녁을 맞히는 사건은 한 명도 10점 과녁을 맞히지 못하는 사건의 여사건이다.

한 선수도 10점 과녁을 맞히지 못하는 사건은 $A^C \cap B^C \cap C^C$이므로

$$P(A^C \cap B^C \cap C^C)=P(A^C)P(B^C)P(C^C)$$
$$=\dfrac{1}{5} \times (1-p) \times \dfrac{3}{5}$$
$$=\dfrac{3(1-p)}{25}$$

$1-\dfrac{3(1-p)}{25}=\dfrac{119}{125}$이므로 $p=\dfrac{3}{5}$

답 $\dfrac{3}{5}$

날선 03

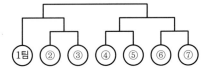

(ⅰ) 2팀이 ② 또는 ③의 자리에 있으면 한 경기를 이기고 준결승에서 1팀과 시합할 수 있으므로 확률은

$$\dfrac{2}{6} \times \dfrac{1}{2}=\dfrac{1}{6}$$

(ⅱ) 2팀이 ④, ⑤, ⑥, ⑦의 자리에 있으면 두 경기를 이기고 1팀이 준결승에서 이겨야 결승에서 1팀과 시합할 수 있으므로 확률은

$$\dfrac{4}{6} \times \dfrac{1}{2} \times \dfrac{1}{2} \times \dfrac{1}{2}=\dfrac{1}{12}$$

(ⅰ), (ⅱ)에서 확률은 $\dfrac{1}{6}+\dfrac{1}{12}=\dfrac{1}{4}$

답 $\dfrac{1}{4}$

3-1

예준이가 이긴 게임을 ○, 진 게임을 ×라 하면 다섯 번째 게임에서 예준이가 우승하는 경우는 ×, ○, ×, ○, ○

따라서 확률은

$$\dfrac{1}{3} \times \dfrac{2}{3} \times \dfrac{1}{3} \times \dfrac{2}{3} \times \dfrac{2}{3}=\dfrac{8}{243}$$

답 $\dfrac{8}{243}$

3-2

주사위 한 개를 던져서 나오는 눈의 수가 2 이하인 사건을 A, 3 이상인 사건을 B라 하면

$P(A)=\dfrac{1}{3}$, $P(B)=\dfrac{2}{3}$

(ⅰ) 처음 사건이 A인 경우

사건이 ABA 또는 ABB 또는 AAB의 순서일 확률은

$$\dfrac{1}{3} \times \dfrac{2}{3} \times \dfrac{1}{3} + \dfrac{1}{3} \times \dfrac{2}{3} \times \dfrac{2}{3} + \dfrac{1}{3} \times \dfrac{1}{3} \times \dfrac{2}{3}=\dfrac{8}{27}$$

(ii) 처음 사건이 B인 경우

사건이 BAA 또는 BAB의 순서일 확률은

$$\frac{2}{3} \times \frac{1}{3} \times \frac{1}{3} + \frac{2}{3} \times \frac{1}{3} \times \frac{2}{3} = \frac{6}{27}$$

(i), (ii)에서 확률은 $\frac{8}{27} + \frac{6}{27} = \frac{14}{27}$

ⓔ $\frac{14}{27}$

개념 Check
93쪽

3

주사위를 한 번 던질 때, 6의 눈이 나올 확률은 $\frac{1}{6}$, 6의

눈이 나오지 않을 확률은 $\frac{5}{6}$이므로

(1) 주사위를 3번 던질 때, 6의 눈이 1번 나올 확률은

$${}_3C_1 \left(\frac{1}{6}\right)^1 \left(\frac{5}{6}\right)^2 = 3 \times \frac{1}{6} \times \frac{25}{36} = \frac{25}{72}$$

(2) 주사위를 3번 던질 때, 6의 눈이 3번 나올 확률은

$${}_3C_3 \left(\frac{1}{6}\right)^3 \left(\frac{5}{6}\right)^0 = 1 \times \frac{1}{6^3} \times 1 = \frac{1}{216}$$

ⓔ (1) $\frac{25}{72}$ (2) $\frac{1}{216}$

대표Q
94쪽~95쪽

대표 04

(1) 주사위를 한 번 던질 때, 3의 배수의 눈이 나올 확률

은 $\frac{2}{6} = \frac{1}{3}$이므로 5번 던질 때, 3의 배수의 눈이 2번

나올 확률은

$${}_5C_2 \left(\frac{1}{3}\right)^2 \left(\frac{2}{3}\right)^3 = \frac{80}{243}$$

(2) (i) 3의 배수가 4번 나올 확률은

$${}_5C_4 \left(\frac{1}{3}\right)^4 \left(\frac{2}{3}\right)^1 = \frac{10}{243}$$

(ii) 3의 배수가 5번 나올 확률은

$${}_5C_5 \left(\frac{1}{3}\right)^5 \left(\frac{2}{3}\right)^0 = \frac{1}{243}$$

(i), (ii)에서 확률은

$$\frac{10}{243} + \frac{1}{243} = \frac{11}{243}$$

(3) 3의 배수의 눈이 적어도 2번 나오는 사건은 3의 배수의 눈이 1번 이하로 나오는 사건의 여사건이므로

(i) 3의 배수가 0번 나올 확률은

$${}_5C_0 \left(\frac{1}{3}\right)^0 \left(\frac{2}{3}\right)^5 = \frac{32}{243}$$

(ii) 3의 배수가 1번 나올 확률은

$${}_5C_1 \left(\frac{1}{3}\right)^1 \left(\frac{2}{3}\right)^4 = \frac{80}{243}$$

(i), (ii)에서 3의 배수가 1번 이하로 나올 확률은

$$\frac{32}{243} + \frac{80}{243} = \frac{112}{243}$$

따라서 확률은

$$1 - \frac{112}{243} = \frac{131}{243}$$

ⓔ (1) $\frac{80}{243}$ (2) $\frac{11}{243}$ (3) $\frac{131}{243}$

4-1

한 발을 쏠 때, 10점 과녁에 명중시킬 확률은 $\frac{4}{5}$이다.

(1) 양궁 선수가 4발을 쏠 때

(i) 10점 과녁에 3번 명중시킬 확률은

$${}_4C_3 \left(\frac{4}{5}\right)^3 \left(\frac{1}{5}\right)^1 = \frac{256}{625}$$

(ii) 10점 과녁에 4번 명중시킬 확률은

$${}_4C_4 \left(\frac{4}{5}\right)^4 \left(\frac{1}{5}\right)^0 = \frac{256}{625}$$

(i), (ii)에서 확률은

$$\frac{256}{625} + \frac{256}{625} = \frac{512}{625}$$

(2) 적어도 한 번 명중시키는 사건은 한 번도 명중시키지 못하는 사건의 여사건이므로 한 번도 명중시키지 못할 확률은

$${}_4C_0 \left(\frac{4}{5}\right)^0 \left(\frac{1}{5}\right)^4 = \frac{1}{625}$$

따라서 확률은

$$1 - \frac{1}{625} = \frac{624}{625}$$

ⓔ (1) $\frac{512}{625}$ (2) $\frac{624}{625}$

4-2

주사위를 한 번 던질 때 3의 배수가 나올 확률은

$\frac{2}{6} = \frac{1}{3}$이고, 동전을 한 번 던질 때 앞면이 나올 확률은

$\frac{1}{2}$이다.

(i) 3의 배수의 눈이 나와서 동전을 3번 던질 때, 앞면이 3번 나올 확률은

$\dfrac{1}{3} \times {}_3C_3 \left(\dfrac{1}{2}\right)^3 \left(\dfrac{1}{2}\right)^0 = \dfrac{1}{24}$

(ii) 3의 배수가 아닌 눈이 나와서 동전을 4번 던질 때, 앞면이 3번 나올 확률은

$\dfrac{2}{3} \times {}_4C_3 \left(\dfrac{1}{2}\right)^3 \left(\dfrac{1}{2}\right)^1 = \dfrac{1}{6}$

(i), (ii)는 배반사건이므로 확률은

$\dfrac{1}{24} + \dfrac{1}{6} = \dfrac{5}{24}$

답 $\dfrac{5}{24}$

대표 05

(1) 3번째 경기까지 2번 이기고 4번째 경기를 이길 확률이므로

$_3C_2 \left(\dfrac{2}{3}\right)^2 \left(\dfrac{1}{3}\right)^1 \times \dfrac{2}{3} = \dfrac{8}{27}$

(2) (i) 3번째 경기에서 우승하는 경우

A팀이 첫 번째, 두 번째, 세 번째 경기를 모두 이기는 경우이므로 확률은

$_3C_3 \left(\dfrac{2}{3}\right)^3 \left(\dfrac{1}{3}\right)^0 = \dfrac{8}{27}$

(ii) 4번째 경기에서 우승하는 경우

확률은 (1)에서 구한 $\dfrac{8}{27}$

(iii) 5번째 경기에서 우승하는 경우

A팀이 4번째 경기까지 2번 이기고 5번째 경기를 이기는 경우이므로 확률은

$_4C_2 \left(\dfrac{2}{3}\right)^2 \left(\dfrac{1}{3}\right)^2 \times \dfrac{2}{3} = \dfrac{16}{81}$

(i)~(iii)에서 확률은

$\dfrac{8}{27} + \dfrac{8}{27} + \dfrac{16}{81} = \dfrac{64}{81}$

(3) 사건 (2)가 일어났을 때의 사건 (1)의 조건부확률이므로

$\dfrac{\dfrac{8}{27}}{\dfrac{64}{81}} = \dfrac{3}{8}$

답 (1) $\dfrac{8}{27}$　(2) $\dfrac{64}{81}$　(3) $\dfrac{3}{8}$

5-1

(i) 5세트에서 A가 우승하는 경우

4세트까지 2번 이기고 5세트를 이길 확률은

$_4C_2 \left(\dfrac{1}{4}\right)^2 \left(\dfrac{3}{4}\right)^2 \times \dfrac{1}{4} = \dfrac{27}{512}$

(ii) 5세트에서 B가 우승하는 경우

4세트까지 2번 이기고 5세트를 이길 확률은

$_4C_2 \left(\dfrac{3}{4}\right)^2 \left(\dfrac{1}{4}\right)^2 \times \dfrac{3}{4} = \dfrac{81}{512}$

(i), (ii)에서 확률은

$\dfrac{27}{512} + \dfrac{81}{512} = \dfrac{108}{512} = \dfrac{27}{128}$

답 $\dfrac{27}{128}$

5-2

동전 한 개를 던져서 앞면이 나올 확률은 $\dfrac{1}{2}$

동전을 3번 던져서 앞면이 나오는 횟수를 x, 뒷면이 나오는 횟수를 y라 하자.

동전을 3번 던지므로

$x + y = 3$ ⋯ ㉠

P는 동전이 앞면이 나오면 2만큼, 뒷면이 나오면 1만큼 움직이고, 다시 A로 돌아오려면 정사각형 네 변의 길이의 합인 4만큼 움직여야 하므로

$2x + y = 4$ ⋯ ㉡

㉠, ㉡을 연립하여 풀면 $x = 1$, $y = 2$

따라서 동전을 3번 던져서 앞면이 1번, 뒷면이 2번 나올 확률이므로

$_3C_1 \left(\dfrac{1}{2}\right)^1 \left(\dfrac{1}{2}\right)^2 = \dfrac{3}{8}$

답 $\dfrac{3}{8}$

연습과 실전　7 독립과 종속　96쪽~98쪽

01 ④	02 (1) $\dfrac{15}{64}$　(2) $\dfrac{15}{56}$	03 ③	04 $\dfrac{2}{45}$
05 $\dfrac{7}{12}$	06 ②	07 ①	08 0.62	09 $\dfrac{133}{243}$
10 $\dfrac{11}{16}$	11 8	12 $\dfrac{5}{64}$	13 $\dfrac{3}{8}$	14 $\dfrac{55}{972}$

01

$P(A) = 1 - P(A^c) = 1 - \dfrac{1}{4} = \dfrac{3}{4}$

두 사건 A, B가 독립이므로

$P(A \cap B) = P(A)P(B)$에서

$\dfrac{1}{2} = \dfrac{3}{4}P(B)$　∴ $P(B) = \dfrac{2}{3}$

∴ $P(B \mid A^c) = \dfrac{P(B \cap A^c)}{P(A^c)} = \dfrac{P(B) - P(A \cap B)}{P(A^c)}$

$$=\frac{\frac{2}{3}-\frac{1}{2}}{\frac{1}{4}}=\frac{2}{3}$$

참고 사건 A와 B가 독립이면 A^c와 B도 독립이므로

$$P(B \cap A^c) = P(B)P(A^c) = \frac{2}{3} \times \frac{1}{4} = \frac{1}{6}$$

을 이용해도 된다.

답 ④

02

첫 번째에 흰 공이 나오는 사건을 A, 두 번째에 검은 공이 나오는 사건을 B라 하자.

(1) $P(A)=\frac{3}{8}$, $P(B)=\frac{5}{8}$이고 A, B가 독립이므로

$$P(A \cap B) = P(A)P(B) = \frac{3}{8} \times \frac{5}{8} = \frac{15}{64}$$

(2) 첫 번째에 흰 공이 나왔을 때, 두 번째에 검은 공이 나올 확률은

$$P(B|A) = \frac{5}{8-1} = \frac{5}{7}$$

$$\therefore P(A \cap B) = P(A)P(B|A) = \frac{3}{8} \times \frac{5}{7} = \frac{15}{56}$$

답 (1) $\frac{15}{64}$ (2) $\frac{15}{56}$

03

A, B 두 사냥꾼이 총을 쏘아 명중시키는 사건을 각각 A, B라 하면 두 사냥꾼이 동시에 총을 쏘아 1발만 명중하는 사건은 $A \cap B^c$ 또는 $A^c \cap B$이다.

사건 A와 B는 독립이므로 A와 B^c, A^c와 B도 독립이다.

$$P(A \cap B^c) = P(A)P(B^c) = \frac{1}{2} \times \left(1-\frac{1}{3}\right) = \frac{1}{3}$$

$$P(A^c \cap B) = P(A^c)P(B) = \left(1-\frac{1}{2}\right) \times \frac{1}{3} = \frac{1}{6}$$

두 사냥꾼이 총을 쏘아 1발만 명중할 확률은

$$\frac{1}{3}+\frac{1}{6}=\frac{1}{2}$$

따라서 표적을 명중시킨 사람이 A일 확률은

$$\frac{\frac{1}{3}}{\frac{1}{2}}=\frac{2}{3}$$

답 ③

04

정상 제품을 ○, 불량품을 ×로 표시하면 3번째에 검사

가 끝나는 경우는 ○××, ×○×이다.

(i) ○××일 확률은

$$\frac{8}{10} \times \frac{2}{9} \times \frac{1}{8} = \frac{1}{45}$$

(ii) ×○×일 확률은

$$\frac{2}{10} \times \frac{8}{9} \times \frac{1}{8} = \frac{1}{45}$$

(i), (ii)에서 확률은 $\frac{1}{45}+\frac{1}{45}=\frac{2}{45}$

답 $\frac{2}{45}$

05

선호와 채연이가 문제를 맞히는 사건을 각각 A, B라 하면 A, B는 독립이다.

(i) 선호만 정답을 맞힐 확률은

$$P(A \cap B^c) = P(A)P(B^c)$$
$$= \frac{3}{4} \times \left(1-\frac{1}{3}\right) = \frac{1}{2}$$

(ii) 채연이만 정답을 맞힐 확률은

$$P(A^c \cap B) = P(A^c)P(B)$$
$$= \left(1-\frac{3}{4}\right) \times \frac{1}{3} = \frac{1}{12}$$

(i), (ii)에서 확률은 $\frac{1}{2}+\frac{1}{12}=\frac{7}{12}$

답 $\frac{7}{12}$

06

자유투 성공률이 $\frac{80}{100}=\frac{4}{5}$이고, 자유투를 2번 이상 성공할 확률은 전체 확률에서 모두 실패할 확률과 1번 성공할 확률을 뺀 것과 같다.

(i) 자유투가 모두 실패할 확률은

$$_5C_0\left(\frac{4}{5}\right)^0\left(\frac{1}{5}\right)^5 = \frac{1}{5^5}$$

(ii) 자유투가 1번 성공할 확률은

$$_5C_1\left(\frac{4}{5}\right)^1\left(\frac{1}{5}\right)^4 = \frac{20}{5^5}$$

(i), (ii)에서 확률은

$$1-\left(\frac{1}{5^5}+\frac{20}{5^5}\right)=1-\frac{21}{5^5}=\frac{3104}{3125}$$

답 ②

07 전략 독립과 종속의 뜻을 알고, 두 사건 A와 B가 배반 사건이면 $P(A \cap B)=0$임을 안다.

- A와 B가 배반사건이면 $A \cap B = \varnothing$이므로
  $\mathrm{P}(A \cap B) = 0$

① $0 < \mathrm{P}(A) < 1$, $0 < \mathrm{P}(B) < 1$이므로
  $\mathrm{P}(A)\mathrm{P}(B) \neq 0$
  따라서 $\mathrm{P}(A \cap B) \neq \mathrm{P}(A)\mathrm{P}(B)$이므로 A와 B는
  독립이 아니다.

② $A \cap B = \varnothing$이므로
  $\mathrm{P}(B \cap A^c) = \mathrm{P}(B)$
  $\therefore \mathrm{P}(B|A^c)\mathrm{P}(A^c) = \dfrac{\mathrm{P}(B \cap A^c)}{\mathrm{P}(A^c)} \times \mathrm{P}(A^c)$
  $\qquad\qquad\qquad\qquad = \mathrm{P}(B)$

- A와 B가 독립이면 $\mathrm{P}(A \cap B) = \mathrm{P}(A)\mathrm{P}(B)$

③ $\mathrm{P}(A^c \cap B^c) = \mathrm{P}((A \cup B)^c) = 1 - \mathrm{P}(A \cup B)$
  $\qquad\qquad = 1 - \{\mathrm{P}(A) + \mathrm{P}(B) - \mathrm{P}(A \cap B)\}$
  $\qquad\qquad = 1 - \mathrm{P}(A) - \mathrm{P}(B) + \mathrm{P}(A)\mathrm{P}(B)$
  $\qquad\qquad = \{1 - \mathrm{P}(A)\}\{1 - \mathrm{P}(B)\}$
  $\qquad\qquad = \mathrm{P}(A^c)\mathrm{P}(B^c)$
  따라서 A^c와 B^c도 독립이다.

④ $\mathrm{P}(A^c|B^c) = \dfrac{\mathrm{P}(A^c \cap B^c)}{\mathrm{P}(B^c)} = \dfrac{\mathrm{P}(A^c)\mathrm{P}(B^c)}{\mathrm{P}(B^c)}$
  $\qquad\qquad = \mathrm{P}(A^c) = 1 - \mathrm{P}(A)$
  이때 A, B가 독립이므로 $\mathrm{P}(A) = \mathrm{P}(A|B)$

⑤ $\mathrm{P}(A|B)\mathrm{P}(B^c|A)$
  $= \dfrac{\mathrm{P}(A \cap B)}{\mathrm{P}(B)} \times \dfrac{\mathrm{P}(B^c \cap A)}{\mathrm{P}(A)}$
  $= \dfrac{\mathrm{P}(A)\mathrm{P}(B)}{\mathrm{P}(B)} \times \dfrac{\mathrm{P}(B^c \cap A)}{\mathrm{P}(A)}$
  $= \mathrm{P}(B^c \cap A) = \mathrm{P}(A \cap B^c)$

답 ①

---

08 전략 A팀이 B팀, C팀과 각각 경기하는 경우로 나눈다.

(i) B팀이 C팀을 이기고 A팀과 결승에서 만나 A팀이
  이길 확률은 $0.2 \times 0.7 = 0.14$

(ii) C팀이 B팀을 이기고 A팀과 결승에서 만나 A팀이
  이길 확률은
  $(1 - 0.2) \times (1 - 0.4) = 0.8 \times 0.6 = 0.48$

(i), (ii)에서 A팀이 우승할 확률은
$0.14 + 0.48 = 0.62$

답 0.62

---

09 전략 5 이상의 눈이 1회, 3회, 5회에 나오는 경우의 확률
을 구한다.

---

5 이상의 눈이 나오는 사건을 A라 할 때, 5회 이내에 지
아가 이기려면 사건 A가 1회 또는 3회 또는 5회에 처음
으로 일어나야 한다.

5 이상의 눈이 나올 확률은 $\dfrac{2}{6} = \dfrac{1}{3}$, 5 미만의 눈이 나올

확률은 $1 - \dfrac{1}{3} = \dfrac{2}{3}$이므로

(i) 1회에 사건 A가 일어날 확률은
  $\dfrac{1}{3}$

(ii) 3회에 처음으로 사건 A가 일어날 확률은
  $\dfrac{2}{3} \times \dfrac{2}{3} \times \dfrac{1}{3} = \dfrac{4}{27}$

(iii) 5회에 처음으로 사건 A가 일어날 확률은
  $\dfrac{2}{3} \times \dfrac{2}{3} \times \dfrac{2}{3} \times \dfrac{2}{3} \times \dfrac{1}{3} = \dfrac{16}{243}$

(i)~(iii)에서 확률은
$\dfrac{1}{3} + \dfrac{4}{27} + \dfrac{16}{243} = \dfrac{81 + 36 + 16}{243} = \dfrac{133}{243}$

답 $\dfrac{133}{243}$

---

10 전략 남은 네 번의 경기에서 A팀이 두 번 이길 확률을
  구한다.

A팀이 이긴 경기를 ○, 진 경기를 ×로 표시하면 A팀이
우승하는 경우는 ○○, ○×○, ×○○, ○××○,
×○×○, ××○○이고

A팀이 각 경기에서 이길 확률은 $\dfrac{1}{2}$이므로
$\left(\dfrac{1}{2}\right)^2 + 2 \times \left(\dfrac{1}{2}\right)^3 + 3 \times \left(\dfrac{1}{2}\right)^4 = \dfrac{1}{4} + \dfrac{1}{4} + \dfrac{3}{16} = \dfrac{11}{16}$

답 $\dfrac{11}{16}$

---

11 전략 두 사건이 독립이 될 조건을 이용한다.

$A = \{1, 3, 5\}$이고, 두 사건 A, B는 독립이므로
$\mathrm{P}(A \cap B) = \mathrm{P}(A)\mathrm{P}(B)$이고 $\mathrm{P}(A) = \dfrac{1}{2}$이므로
$\mathrm{P}(A \cap B) = \dfrac{1}{2}\mathrm{P}(B)$

(i) $m = 1$일 때, $B = \{1\}$, $A \cap B = \{1\}$이므로
  $\mathrm{P}(B) = \dfrac{1}{6}$, $\mathrm{P}(A \cap B) = \dfrac{1}{6}$
  $\therefore \mathrm{P}(A \cap B) \neq \dfrac{1}{2}\mathrm{P}(B)$

(ii) $m = 2$일 때, $B = \{1, 2\}$, $A \cap B = \{1\}$이므로
  $\mathrm{P}(B) = \dfrac{1}{3}$, $\mathrm{P}(A \cap B) = \dfrac{1}{6}$

$$\therefore \text{P}(A \cap B) = \frac{1}{2}\text{P}(B)$$

(iii) $m=3$일 때, $B=\{1, 3\}$, $A \cap B=\{1, 3\}$이므로

$$\text{P}(B) = \frac{1}{3}, \ \text{P}(A \cap B) = \frac{1}{3}$$

$$\therefore \text{P}(A \cap B) \neq \frac{1}{2}\text{P}(B)$$

(iv) $m=4$일 때, $B=\{1, 2, 4\}$, $A \cap B=\{1\}$이므로

$$\text{P}(B) = \frac{1}{2}, \ \text{P}(A \cap B) = \frac{1}{6}$$

$$\therefore \text{P}(A \cap B) \neq \frac{1}{2}\text{P}(B)$$

(v) $m=5$일 때, $B=\{1, 5\}$, $A \cap B=\{1, 5\}$이므로

$$\text{P}(B) = \frac{1}{3}, \ \text{P}(A \cap B) = \frac{1}{3}$$

$$\therefore \text{P}(A \cap B) \neq \frac{1}{2}\text{P}(B)$$

(vi) $m=6$일 때, $B=\{1, 2, 3, 6\}$, $A \cap B=\{1, 3\}$이므로

$$\text{P}(B) = \frac{2}{3}, \ \text{P}(A \cap B) = \frac{1}{3}$$

$$\therefore \text{P}(A \cap B) = \frac{1}{2}\text{P}(B)$$

(i)~(vi)에서 조건을 만족시키는 m은 2와 6이므로 모든 m값의 합은 $2+6=8$

🅐 8

12 전략 경우의 수를 이용하여 독립시행의 확률을 구한다.

6번의 시행 후 상자 B에 들어 있는 공이 8개가 되려면 총 6번의 시행 중 앞면이 4번, 뒷면이 2번 나와야 한다. 이때 6번째 시행 후 처음으로 공이 8개가 되어야 하므로 처음 4번의 시행은 앞면이 2번, 뒷면이 2번이고 5번째와 6번째는 연달아 앞면이 나와야 한다. 단, 처음 4번의 시행에서 앞면 2번이 처음 시행과 두 번째 시행에서 연달아 나오면 안 된다.

앞면을 ○, 뒷면을 ×로 나타내면 조건을 만족시키는 경우는 표와 같다.

1회	2회	3회	4회	5회	6회
○	×	○	×	○	○
○	×	×	○	○	○
×	○	○	×	○	○
×	○	×	○	○	○
×	×	○	○	○	○

따라서 앞면이 나올 확률과 뒷면이 나올 확률은 모두 $\frac{1}{2}$이므로 확률은

$$5 \times \left(\frac{1}{2}\right)^4 \left(\frac{1}{2}\right)^2 = \frac{5}{64}$$

🅐 $\dfrac{5}{64}$

13 전략 조건부확률을 이용하여 주어진 조건을 만족시키는 확률을 구한다.

점 A의 y좌표가 처음으로 3이 되는 경우는

(i) A의 좌표가 $(0, 2)$일 때, 동전의 뒷면이 나올 확률은

$${}_2\text{C}_2 \left(\frac{1}{2}\right)^2 \left(\frac{1}{2}\right)^0 \times \frac{1}{2} = \frac{1}{8}$$

(ii) A의 좌표가 $(1, 2)$일 때, 동전의 뒷면이 나올 확률은

$${}_3\text{C}_2 \left(\frac{1}{2}\right)^2 \left(\frac{1}{2}\right)^1 \times \frac{1}{2} = \frac{3}{16}$$

(iii) A의 좌표가 $(2, 2)$일 때, 동전의 뒷면이 나올 확률은

$${}_4\text{C}_2 \left(\frac{1}{2}\right)^2 \left(\frac{1}{2}\right)^2 \times \frac{1}{2} = \frac{6}{32} = \frac{3}{16}$$

(i)~(iii)에서 확률은

$$\frac{\dfrac{3}{16}}{\dfrac{1}{8} + \dfrac{3}{16} + \dfrac{3}{16}} = \frac{3}{8}$$

🅐 $\dfrac{3}{8}$

14 전략 순열을 이용하여 확률을 계산한다.

바둑돌이 오른쪽(→)으로 1칸 이동할 확률은 $\dfrac{2}{6} = \dfrac{1}{3}$

바둑돌이 왼쪽으로(←) 1칸 이동할 확률은 $\dfrac{2}{6} = \dfrac{1}{3}$

바둑돌이 아래로(↓) 1칸 이동할 확률은 $\dfrac{1}{6}$

바둑돌이 위로(↑) 1칸 이동할 확률은 $\dfrac{1}{6}$

바둑돌이 A 지점으로 이동하기 위해서는 왼쪽(←)으로 2번, 아래쪽(↓)으로 1번이 필요하지만 주사위를 총 5번 던지므로 ←, →을 추가하거나 ↑, ↓을 추가해야 한다.

따라서 바둑돌이 A 지점으로 이동하기 위해서는

(i) ←, ←, ←, ↓, →의 배열인 경우

$$\frac{5!}{3!} \times \left(\frac{1}{3}\right)^3 \times \frac{1}{6} \times \frac{1}{3} = \frac{10}{3^5}$$

(ii) ←, ←, ↑, ↓, ↓의 배열인 경우

$$\frac{5!}{2!2!} \times \left(\frac{1}{3}\right)^2 \times \frac{1}{6} \times \left(\frac{1}{6}\right)^2 = \frac{5}{2^2 \times 3^4}$$

(i), (ii)에서 확률은

$$\frac{10}{3^5} + \frac{5}{2^2 \times 3^4} = \frac{40+15}{2^2 \times 3^5} = \frac{55}{972}$$

🅐 $\dfrac{55}{972}$

8 확률분포

 개념 Check 101쪽

1

(1) 확률변수 X가 가질 수 있는 값은 0, 1, 2, 3이다.

(2) 한 개의 동전을 던질 때 앞면이 나올 확률이 $\dfrac{1}{2}$, 뒷면이 나올 확률이 $\dfrac{1}{2}$이므로 X가 0, 1, 2, 3일 때의 확률은 각각

$$P(X=0)=\frac{1}{2}\times\frac{1}{2}\times\frac{1}{2}=\frac{1}{8}$$

$$P(X=1)=\frac{1}{2}\times\frac{1}{2}\times\frac{1}{2}\times3=\frac{3}{8}$$

$$P(X=2)=\frac{1}{2}\times\frac{1}{2}\times\frac{1}{2}\times3=\frac{3}{8}$$

$$P(X=3)=\frac{1}{2}\times\frac{1}{2}\times\frac{1}{2}=\frac{1}{8}$$

(3)

X	0	1	2	3	합계
$P(X=x)$	$\dfrac{1}{8}$	$\dfrac{3}{8}$	$\dfrac{3}{8}$	$\dfrac{1}{8}$	1

🔑 (1) 0, 1, 2, 3 (2) 풀이 참조 (3) 풀이 참조

대표Q 102쪽 ~ 103쪽

대표 01

(1) $P(X=x)=kx$에 $x=1$, 2, 3, 4, 5를 대입하면

X	1	2	3	4	5	합계
$P(X=x)$	k	$2k$	$3k$	$4k$	$5k$	1

확률의 합이 1이므로

$$k+2k+3k+4k+5k=1 \qquad \therefore k=\frac{1}{15}$$

확률분포를 표로 나타내면

X	1	2	3	4	5	합계
$P(X=x)$	$\dfrac{1}{15}$	$\dfrac{2}{15}$	$\dfrac{3}{15}$	$\dfrac{4}{15}$	$\dfrac{5}{15}$	1

(2) $P(1\le X\le2)=P(X=1)+P(X=2)$

$$=\frac{1}{15}+\frac{2}{15}=\frac{1}{5}$$

🔑 (1) $k=\dfrac{1}{15}$, 표는 풀이 참조 (2) $\dfrac{1}{5}$

1-1

확률의 합이 1이므로

$$\frac{a}{2}+\frac{1}{10}+a+\frac{1}{5}=1 \qquad \therefore a=\frac{7}{15}$$

확률분포를 표로 나타내면

X	1	2	3	4	합계
$P(X=x)$	$\dfrac{7}{30}$	$\dfrac{1}{10}$	$\dfrac{7}{15}$	$\dfrac{1}{5}$	1

$$\therefore P(2\le X\le3)=P(X=2)+P(X=3)$$
$$=\frac{1}{10}+\frac{7}{15}=\frac{17}{30}$$

🔑 $\dfrac{17}{30}$

1-2

(1) $P(X=x)=\dfrac{k}{x(x-1)}$에 $x=2$, 3, 4, 5, 6을 대입하면

X	2	3	4	5	6	합계
$P(X=x)$	$\dfrac{k}{2}$	$\dfrac{k}{6}$	$\dfrac{k}{12}$	$\dfrac{k}{20}$	$\dfrac{k}{30}$	1

확률의 합이 1이므로

$$\frac{k}{2}+\frac{k}{6}+\frac{k}{12}+\frac{k}{20}+\frac{k}{30}=1,\ \frac{5}{6}k=1$$

$$\therefore k=\frac{6}{5}$$

(2) 확률의 합은 1이므로

$$P(X\le4)=1-\{P(X=5)+P(X=6)\}$$
$$=1-\left(\frac{k}{20}+\frac{k}{30}\right)$$
$$=1-\frac{5}{60}k=1-\frac{5}{60}\times\frac{6}{5}=\frac{9}{10}$$

🔑 (1) $\dfrac{6}{5}$ (2) $\dfrac{9}{10}$

대표 02

(1) 가능한 X의 값은 0, 1, 2, 3이다.

$X=0$일 때, 여자 3명 중 0명, 남자 3명 중 3명을 뽑는 경우이므로

$$P(X=0)=\frac{{}_3C_0\times{}_3C_3}{{}_6C_3}=\frac{1}{20}$$

$X=1$일 때, 여자 3명 중 1명, 남자 3명 중 2명을 뽑는 경우이므로

$$P(X=1)=\frac{{}_3C_1\times{}_3C_2}{{}_6C_3}=\frac{9}{20}$$

$X=2$일 때, 여자 3명 중 2명, 남자 3명 중 1명을 뽑는 경우이므로

$$P(X=2)=\frac{_3C_2\times_3C_1}{_6C_3}=\frac{9}{20}$$

$X=3$일 때, 여자 3명 중 3명, 남자 3명 중 0명을 뽑는 경우이므로

$$P(X=3)=\frac{_3C_3\times_3C_0}{_6C_3}=\frac{1}{20}$$

확률분포를 표로 나타내면

X	0	1	2	3	합계
$P(X=x)$	$\frac{1}{20}$	$\frac{9}{20}$	$\frac{9}{20}$	$\frac{1}{20}$	1

(2) $X\leq1$이면 $X=0$ 또는 $X=1$이므로

$$P(X\leq1)=P(X=0)+P(X=1)$$
$$=\frac{1}{20}+\frac{9}{20}=\frac{1}{2}$$

🖪 (1) 풀이 참조 (2) $\frac{1}{2}$

2-1

(1) 2개의 공을 꺼내어 공에 적힌 수의 합이 확률변수이므로 확률변수 X로 가능한 값은 $0+1=1$, $0+2=2$, $1+1=2$, $1+2=3$, $2+2=4$에서 1, 2, 3, 4이다.

$X=1$일 때, 0이 적힌 공 1개와 1이 적힌 공 1개를 꺼내야 하므로

$$P(X=1)=\frac{_1C_1\times_2C_1}{_6C_2}=\frac{2}{15}$$

$X=2$일 때, 0이 적힌 공 1개와 2가 적힌 공 1개를 꺼내거나 1이 적힌 공 2개를 꺼내야 하므로

$$P(X=2)=\frac{_1C_1\times_3C_1+_2C_2}{_6C_2}=\frac{4}{15}$$

$X=3$일 때, 1이 적힌 공 1개와 2가 적힌 공 1개를 꺼내야 하므로

$$P(X=3)=\frac{_2C_1\times_3C_1}{_6C_2}=\frac{6}{15}$$

$X=4$일 때, 2가 적힌 공 2개를 꺼내야 하므로

$$P(X=4)=\frac{_3C_2}{_6C_2}=\frac{3}{15}$$

확률분포를 표로 나타내면

X	1	2	3	4	합계
$P(X=x)$	$\frac{2}{15}$	$\frac{4}{15}$	$\frac{6}{15}$	$\frac{3}{15}$	1

(2) $X\geq3$이면 $X=3$ 또는 $X=4$이므로

$$P(X\geq3)=P(X=3)+P(X=4)$$
$$=\frac{6}{15}+\frac{3}{15}=\frac{3}{5}$$

🖪 (1) 풀이 참조 (2) $\frac{3}{5}$

◢ 개념 Check 105쪽 ~ 106쪽

2

(1) $E(X)=1\times\frac{1}{6}+2\times\frac{1}{6}+3\times\frac{1}{6}+4\times\frac{1}{6}+5\times\frac{1}{6}$
$$+6\times\frac{1}{6}$$
$$=\frac{7}{2}$$

(2) $E(X^2)=1^2\times\frac{1}{6}+2^2\times\frac{1}{6}+3^2\times\frac{1}{6}+4^2\times\frac{1}{6}$
$$+5^2\times\frac{1}{6}+6^2\times\frac{1}{6}$$
$$=\frac{91}{6}$$

(3) $V(X)=E(X^2)-\{E(X)\}^2=\frac{91}{6}-\left(\frac{7}{2}\right)^2=\frac{35}{12}$

🖪 (1) $\frac{7}{2}$ (2) $\frac{91}{6}$ (3) $\frac{35}{12}$

3

$E(X)=10$, $V(X)=2$이므로

(1) $E(-2X+3)=-2E(X)+3$
$$=-2\times10+3=-17$$
$V(-2X+3)=(-2)^2V(X)=4\times2=8$

(2) $E\left(\frac{X-10}{2}\right)=\frac{1}{2}E(X)-5=\frac{1}{2}\times10-5=0$

$V\left(\frac{X-10}{2}\right)=\left(\frac{1}{2}\right)^2V(X)=\frac{1}{4}\times2=\frac{1}{2}$

🖪 (1) $E(-2X+3)=-17$, $V(-2X+3)=8$

(2) $E\left(\frac{X-10}{2}\right)=0$, $V\left(\frac{X-10}{2}\right)=\frac{1}{2}$

대표 03

(1) 확률의 합은 1이므로

$$a+\frac{1}{8}+b+\frac{1}{8}=1 \qquad \therefore a+b=\frac{3}{4}$$

또 평균이 $\frac{3}{4}$이므로

$$-1\times a+0\times\frac{1}{8}+1\times b+2\times\frac{1}{8}=\frac{3}{4}$$

$$\therefore -a+b=\frac{1}{2}$$

두 식을 연립하여 풀면 $a=\frac{1}{8}$, $b=\frac{5}{8}$

(2) $$V(X)=(-1)^2\times\frac{1}{8}+0^2\times\frac{1}{8}+1^2\times\frac{5}{8}+2^2\times\frac{1}{8}$$

$$-\left(\frac{3}{4}\right)^2$$

$$=\frac{11}{16}$$

(3) $$E(Y)=E(4X-5)=4E(X)-5$$

$$=4\times\frac{3}{4}-5=-2$$

$$V(Y)=V(4X-5)=4^2V(X)=16\times\frac{11}{16}=11$$

답 (1) $a=\frac{1}{8}$, $b=\frac{5}{8}$ (2) $\frac{11}{16}$

(3) $E(Y)=-2$, $V(Y)=11$

3-1

(1) 확률의 합은 1이므로

$$\frac{1}{12}+a+\frac{1}{4}+b=1 \qquad \therefore a+b=\frac{2}{3}$$

또 평균이 4이므로

$$1\times\frac{1}{12}+2\times a+4\times\frac{1}{4}+8\times b=4$$

$$\therefore a+4b=\frac{35}{24}$$

두 식을 연립하여 풀면 $a=\frac{29}{72}$, $b=\frac{19}{72}$

(2) $$V(X)=1^2\times\frac{1}{12}+2^2\times\frac{29}{72}+4^2\times\frac{1}{4}+8^2\times\frac{19}{72}-4^2$$

$$=\frac{79}{12}$$

답 (1) $a=\frac{29}{72}$, $b=\frac{19}{72}$ (2) $\frac{79}{12}$

3-2

(1) 확률의 합은 1이므로

$$a+\frac{1}{4}+\frac{1}{8}=1 \qquad \therefore a=\frac{5}{8}$$

$Y=\frac{1}{10}X-15$에 $X=140$, 150, 160을 대입하면

$$Y=-1, 0, 1$$

확률변수 Y의 확률분포를 표로 나타내면

Y	-1	0	1	합계
$P(Y=y)$	$\frac{5}{8}$	$\frac{1}{4}$	$\frac{1}{8}$	1

$$\therefore E(Y)=-1\times\frac{5}{8}+0\times\frac{1}{4}+1\times\frac{1}{8}=-\frac{1}{2}$$

$$V(Y)=(-1)^2\times\frac{5}{8}+0^2\times\frac{1}{4}+1^2\times\frac{1}{8}-\left(-\frac{1}{2}\right)^2$$

$$=\frac{1}{2}$$

(2) $Y=\frac{1}{10}X-15$에서 $X=10Y+150$이므로

$$E(X)=E(10Y+150)=10E(Y)+150$$

$$=10\times\left(-\frac{1}{2}\right)+150=145$$

$$V(X)=V(10Y+150)=10^2V(Y)$$

$$=100\times\frac{1}{2}=50$$

답 (1) $E(Y)=-\frac{1}{2}$, $V(Y)=\frac{1}{2}$

(2) $E(X)=145$, $V(X)=50$

대표 04

(1) 가능한 X의 값은 1, 2, 3, 4이다.

$X=1$일 때, 가능한 경우는

$(1, 2)$, $(1, 3)$, $(1, 4)$, $(1, 5)$이므로

$$P(X=1)=\frac{4}{{}_5C_2}=\frac{2}{5}$$

$X=2$일 때, 가능한 경우는

$(2, 3)$, $(2, 4)$, $(2, 5)$이므로

$$P(X=2)=\frac{3}{{}_5C_2}=\frac{3}{10}$$

$X=3$일 때, 가능한 경우는 $(3, 4)$, $(3, 5)$이므로

$$P(X=3)=\frac{2}{{}_5C_2}=\frac{1}{5}$$

$X=4$일 때, 가능한 경우는 $(4, 5)$이므로

$$P(X=4)=\frac{1}{{}_5C_2}=\frac{1}{10}$$

확률변수 X의 확률분포를 표로 나타내면

X	1	2	3	4	합계
$P(X=x)$	$\frac{2}{5}$	$\frac{3}{10}$	$\frac{1}{5}$	$\frac{1}{10}$	1

(2) $E(X)=1\times\frac{2}{5}+2\times\frac{3}{10}+3\times\frac{1}{5}+4\times\frac{1}{10}=2$

$V(X)=1^2\times\frac{2}{5}+2^2\times\frac{3}{10}+3^2\times\frac{1}{5}+4^2\times\frac{1}{10}-2^2$

$\quad\quad=1$

다른 풀이

$V(X)$는 다음과 같이 계산해도 된다.

$V(X)=(1-2)^2\times\frac{2}{5}+(2-2)^2\times\frac{3}{10}$

$\quad\quad\quad+(3-2)^2\times\frac{1}{5}+(4-2)^2\times\frac{1}{10}$

$\quad\quad=1$

답 (1) 풀이 참조 (2) $E(X)=2$, $V(X)=1$

4-1

(1) 가능한 X의 값은 1, 2, 3이다.

$X=1$일 때, 흰 공 1개, 검은 공 2개를 꺼내는 경우이므로

$P(X=1)=\frac{_3C_1\times_2C_2}{_5C_3}=\frac{3}{10}$

$X=2$일 때, 흰 공 2개, 검은 공 1개를 꺼내는 경우이므로

$P(X=2)=\frac{_3C_2\times_2C_1}{_5C_3}=\frac{3}{5}$

$X=3$일 때, 흰 공 3개, 검은 공 0개를 꺼내는 경우이므로

$P(X=3)=\frac{_3C_3\times_2C_0}{_5C_3}=\frac{1}{10}$

확률변수 X의 확률분포를 표로 나타내면

X	1	2	3	합계
$P(X=x)$	$\frac{3}{10}$	$\frac{3}{5}$	$\frac{1}{10}$	1

(2) $E(X)=1\times\frac{3}{10}+2\times\frac{3}{5}+3\times\frac{1}{10}=\frac{9}{5}$

$V(X)=1^2\times\frac{3}{10}+2^2\times\frac{3}{5}+3^2\times\frac{1}{10}-\left(\frac{9}{5}\right)^2$

$\quad\quad=\frac{9}{25}$

답 (1) 풀이 참조 (2) $E(X)=\frac{9}{5}$, $V(X)=\frac{9}{25}$

4

(1) 주사위를 한 번 던질 때, 1의 눈이 나올 확률은 $\frac{1}{6}$이므로 X는 이항분포 $B\left(10, \frac{1}{6}\right)$을 따른다.

(2) 주사위를 한 번 던질 때, 짝수의 눈이 나올 확률은 $\frac{1}{2}$이므로 X는 이항분포 $B\left(20, \frac{1}{2}\right)$을 따른다.

답 (1) $n=10$, $p=\frac{1}{6}$ (2) $n=20$, $p=\frac{1}{2}$

5

평균은 $E(X)=10\times\frac{1}{2}=5$

표준편차는 $\sigma(X)=\sqrt{10\times\frac{1}{2}\times\frac{1}{2}}=\sqrt{\frac{5}{2}}=\frac{\sqrt{10}}{2}$

답 $E(X)=5$, $\sigma(X)=\frac{\sqrt{10}}{2}$

대표 05

(1) 두 수의 합이 나머지 한 수인 경우는

$(1, 2, 3), (1, 3, 4), (1, 4, 5), (2, 3, 5)$

따라서 확률은 $\frac{4}{_5C_3}=\frac{2}{5}$

(2) X는 이항분포 $B\left(25, \frac{2}{5}\right)$를 따르므로

$E(X)=25\times\frac{2}{5}=10$

$V(X)=25\times\frac{2}{5}\times\frac{3}{5}=6$

(3) $V(X)=E(X^2)-\{E(X)\}^2$이므로

$E(X^2)=10^2+6=106$

답 (1) $\frac{2}{5}$ (2) $E(X)=10$, $V(X)=6$ (3) 106

5-1

두 눈의 수의 합이 7인 경우는

$(1, 6), (2, 5), (3, 4), (4, 3), (5, 2), (6, 1)$

이므로 확률은 $\frac{6}{36}=\frac{1}{6}$

따라서 X는 이항분포 $B\left(36, \frac{1}{6}\right)$을 따른다.

(1) $E(X)=36\times\dfrac{1}{6}=6$

$V(X)=36\times\dfrac{1}{6}\times\dfrac{5}{6}=5$

(2) $V(X)=E(X^2)-\{E(X)\}^2$이므로

$E(X^2)=6^2+5=41$

답 (1) $E(X)=6$, $V(X)=5$ (2) 41

5-2

동전 3개를 동시에 던질 때, 앞면이 2개가 나올 확률은

$_3C_2\left(\dfrac{1}{2}\right)^2\left(\dfrac{1}{2}\right)^1=\dfrac{3}{8}$

X는 이항분포 $B\left(40,\dfrac{3}{8}\right)$을 따르므로

$E(X)=40\times\dfrac{3}{8}=15$

$\sigma(X)=\sqrt{40\times\dfrac{3}{8}\times\dfrac{5}{8}}=\sqrt{\dfrac{75}{8}}=\dfrac{5\sqrt{6}}{4}$

답 $E(X)=15$, $\sigma(X)=\dfrac{5\sqrt{6}}{4}$

대표 06

(1) $P(X=0)=_{10}C_0\,p^0q^{10}$, $P(X=1)=_{10}C_1\,p^1q^9$이므로 조건에서

$_{10}C_0\,p^0q^{10}=\dfrac{1}{5}\times{}_{10}C_1\,p^1q^9$, $q^{10}=2pq^9$, $q=2p$

$q=1-p$이므로 $1-p=2p$, $p=\dfrac{1}{3}$

따라서 X가 이항분포 $B\left(10,\dfrac{1}{3}\right)$을 따르므로

$E(X)=10\times\dfrac{1}{3}=\dfrac{10}{3}$

(2) $E(2X-1)=7$에서 $2E(X)-1=7$

$E(X)=4$이므로 $np=4$ ⋯ ㉠

$V(2X-1)=12$에서 $4V(X)=12$

$V(X)=3$이므로 $npq=3$ ⋯ ㉡

㉠, ㉡에서

$q=\dfrac{3}{4}$, $p=1-q=\dfrac{1}{4}$, $n=16$

답 (1) $\dfrac{10}{3}$ (2) $n=16$, $p=\dfrac{1}{4}$

6-1

(1) $P(X=0)=_5C_0\,p^0q^5$이므로 조건에서

$_5C_0\,p^0q^5=\dfrac{1}{32}$, $q^5=\dfrac{1}{32}$ ∴ $q=\dfrac{1}{2}$

$q=1-p$이므로 $\dfrac{1}{2}=1-p$, $p=\dfrac{1}{2}$

따라서 X가 이항분포 $B\left(5,\dfrac{1}{2}\right)$을 따르므로

$V(X)=5\times\dfrac{1}{2}\times\dfrac{1}{2}=\dfrac{5}{4}$

(2) $E(5X-3)=27$에서 $5E(X)-3=27$

$E(X)=6$이므로 $np=6$ ⋯ ㉠

$V(5X-3)=50$에서 $25V(X)=50$

$V(X)=2$이므로 $npq=2$ ⋯ ㉡

㉠, ㉡에서 $q=\dfrac{1}{3}$, $p=\dfrac{2}{3}$, $n=9$

답 (1) $\dfrac{5}{4}$ (2) $n=9$, $p=\dfrac{2}{3}$

6-2

$E(X)=\dfrac{8}{3}$이므로 $\dfrac{2}{3}n=\dfrac{8}{3}$ ∴ $n=4$

X는 이항분포 $B\left(4,\dfrac{2}{3}\right)$를 따르므로

$P\left(\dfrac{n}{4}\leq X\leq\dfrac{n}{2}\right)$

$=P(1\leq X\leq 2)$

$=_4C_1\left(\dfrac{2}{3}\right)^1\left(\dfrac{1}{3}\right)^3+_4C_2\left(\dfrac{2}{3}\right)^2\left(\dfrac{1}{3}\right)^2$

$=\dfrac{8}{81}+\dfrac{24}{81}=\dfrac{32}{81}$

답 $\dfrac{32}{81}$

연습과 실전 8 확률분포 113쪽~116쪽

01 ⑤	**02** 1500원	**03** ⑤	**04** ③
05 ②	**06** $E(Y)=\dfrac{31}{2}$, $\sigma(Y)=\dfrac{9}{2}$		**07** ④
08 $E(X)=20$, $V(X)=16$		**09** ①	**10** ③
11 3	**12** $\dfrac{7}{10}$	**13** ①	**14** $\dfrac{4}{3}$	**15** $\dfrac{1}{20}$
16 ②	**17** $\dfrac{13}{5}$	**18** $\dfrac{3}{8}$	**19** 648

01

확률의 합은 1이므로

$a+\dfrac{1}{12}+\dfrac{3}{4}=1$ ∴ $a=\dfrac{1}{6}$

$X^2=1$에서 $X=\pm1$이므로

$$P(X^2=1)=P(X=-1)+P(X=1)$$
$$=\frac{1}{6}+\frac{3}{4}=\frac{11}{12}$$

답 ⑤

02

동전을 두 번 던져 앞면이 나오는 횟수를 확률변수 X로 하는 확률분포를 표로 나타내면

X	0	1	2	합계
$P(X=x)$	$\frac{1}{4}$	$\frac{1}{2}$	$\frac{1}{4}$	1

따라서 상금의 기댓값은

$$1000\times\frac{1}{4}+1500\times\frac{1}{2}+2000\times\frac{1}{4}$$
$$=250+750+500$$
$$=1500(원)$$

답 1500원

03

$$P(0\leq X\leq 2)=P(X=0)+P(X=1)+P(X=2)$$
$$=\frac{1}{8}+\frac{3+a}{8}+\frac{1}{8}$$
$$=\frac{5+a}{8}$$

이므로 $\frac{5+a}{8}=\frac{7}{8}$ ∴ $a=2$

$$\therefore E(X)=(-1)\times\frac{1}{8}+0\times\frac{1}{8}+1\times\frac{5}{8}+2\times\frac{1}{8}$$
$$=\frac{3}{4}$$

답 ⑤

04

4로 나눈 나머지가
0인 눈은 4
1인 눈은 1, 5
2인 눈은 2, 6
3인 눈은 3
이므로 확률변수 X의 확률분포를 표로 나타내면

X	0	1	2	3	합계
$P(X=x)$	$\frac{1}{6}$	$\frac{1}{3}$	$\frac{1}{3}$	$\frac{1}{6}$	1

$$E(X)=0\times\frac{1}{6}+1\times\frac{1}{3}+2\times\frac{1}{3}+3\times\frac{1}{6}=\frac{3}{2}$$

$$V(X)=0^2\times\frac{1}{6}+1^2\times\frac{1}{3}+2^2\times\frac{1}{3}+3^2\times\frac{1}{6}-\left(\frac{3}{2}\right)^2$$
$$=\frac{11}{12}$$

$$\therefore E(X)+V(X)=\frac{3}{2}+\frac{11}{12}=\frac{29}{12}$$

답 ③

05

$$E(aX+b)=aE(X)+b=9a+b=22 \quad\cdots\ \bigcirc$$
$$V(aX+b)=a^2V(X)=2a^2=8 \quad\cdots\ \bigcirc$$
$\bigcirc$에서 $a^2=4$
a는 양수이므로 $a=2$
$\bigcirc$에서 $9\times 2+b=22$, $b=4$
$$\therefore a+b=2+4=6$$

답 ②

06

$$E(X)=1\times\frac{1}{10}+2\times\frac{3}{10}+3\times\frac{2}{5}+4\times\frac{1}{5}=\frac{27}{10}$$

$$V(X)=1^2\times\frac{1}{10}+2^2\times\frac{3}{10}+3^2\times\frac{2}{5}+4^2\times\frac{1}{5}-\left(\frac{27}{10}\right)^2$$
$$=\frac{81}{100}$$

에서 $\sigma(X)=\sqrt{\frac{81}{100}}=\frac{9}{10}$

$$\therefore E(Y)=E(5X+2)=5E(X)+2=5\times\frac{27}{10}+2$$
$$=\frac{31}{2}$$

$$\sigma(Y)=\sigma(5X+2)=5\sigma(X)=5\times\frac{9}{10}=\frac{9}{2}$$

답 $E(Y)=\frac{31}{2}$, $\sigma(Y)=\frac{9}{2}$

07

주사위를 한 번 던져 3의 배수가 나올 확률은 $\frac{1}{3}$이다.

따라서 확률변수 X는 이항분포 $B\left(36,\frac{1}{3}\right)$을 따른다.

$$P(1\leq X\leq 2)=P(X=1)+P(X=2)$$
$$={}_{36}C_1\left(\frac{1}{3}\right)^1\left(\frac{2}{3}\right)^{35}+{}_{36}C_2\left(\frac{1}{3}\right)^2\left(\frac{2}{3}\right)^{34}$$
$$=36\times\frac{2^{35}}{3^{36}}+\frac{36\times 35}{2}\times\frac{2^{34}}{3^{36}}$$

$$=\frac{2^{37}}{3^{34}}+35\times\frac{2^{35}}{3^{34}}$$

$$=\frac{2^{35}}{3^{34}}\times(4+35)$$

$$=13\times\frac{2^{35}}{3^{33}}$$

답 ④

08

확률변수 X는 이항분포 $\mathrm{B}\left(100,\ \frac{1}{5}\right)$을 따르므로

$$\mathrm{E}(X)=100\times\frac{1}{5}=20$$

$$\mathrm{V}(X)=100\times\frac{1}{5}\times\frac{4}{5}=16$$

답 $\mathrm{E}(X)=20,\ \mathrm{V}(X)=16$

09

$$\mathrm{E}(X)=n\times\frac{1}{2}=\frac{n}{2},\ \mathrm{V}(X)=n\times\frac{1}{2}\times\frac{1}{2}=\frac{n}{4}$$

$\mathrm{V}(X)=\mathrm{E}(X^2)-\{\mathrm{E}(X)\}^2$에 $\mathrm{E}(X^2)=\mathrm{V}(X)+25$
를 대입하면

$$\mathrm{V}(X)=\mathrm{V}(X)+25-\left(\frac{n}{2}\right)^2$$

$$n^2=100\qquad\therefore n=10$$

답 ①

10 전략 확률의 합이 1임을 이용하여 k의 값을 구한다.

$\mathrm{P}(X=-2)=k+\dfrac{2}{9},\ \mathrm{P}(X=-1)=k+\dfrac{1}{9},$

$\mathrm{P}(X=0)=k,\ \mathrm{P}(X=1)=k+\dfrac{1}{9},\ \mathrm{P}(X=2)=k+\dfrac{2}{9}$

이고 확률의 합은 1이므로

$$\left(k+\frac{2}{9}\right)+\left(k+\frac{1}{9}\right)+k+\left(k+\frac{1}{9}\right)+\left(k+\frac{2}{9}\right)=5k+\frac{2}{3}$$

$$5k+\frac{2}{3}=1\qquad\therefore k=\frac{1}{15}$$

$$\therefore \mathrm{P}(X<0)=\mathrm{P}(X=-2)+\mathrm{P}(X=-1)$$

$$=\left(\frac{1}{15}+\frac{2}{9}\right)+\left(\frac{1}{15}+\frac{1}{9}\right)$$

$$=\frac{7}{15}$$

답 ③

11 전략 확률변수 X로 가능한 값과 경우의 수를 구하여 확률분포를 표로 나타내어 본다.

두 수의 차가
1인 경우는 $(0,\ 1),\ (1,\ 2),\ (2,\ 3),\ (3,\ 4)$
2인 경우는 $(0,\ 2),\ (1,\ 3),\ (2,\ 4)$
3인 경우는 $(0,\ 3),\ (1,\ 4)$
4인 경우는 $(0,\ 4)$
전체 경우의 수는 $_5\mathrm{C}_2=10$이므로
확률변수 X의 확률분포를 표로 나타내면

X	1	2	3	4	합계
$\mathrm{P}(X=x)$	$\dfrac{4}{10}$	$\dfrac{3}{10}$	$\dfrac{2}{10}$	$\dfrac{1}{10}$	1

이때 $\dfrac{4}{10}+\dfrac{3}{10}+\dfrac{2}{10}=\dfrac{9}{10}$이므로 $a=3$

답 3

12 전략 확률변수 X로 가능한 값을 먼저 구한다.

시행 횟수를 확률변수 X라 하면 최소 2번부터 최대 5번
까지이므로 $X=2,\ 3,\ 4,\ 5$

$\mathrm{P}(X>3)=1-\{\mathrm{P}(X=2)+\mathrm{P}(X=3)\}$
이므로

(ⅰ) $X=2$일 때

$\bigcirc\bigcirc\Rightarrow\mathrm{P}(X=2)=\dfrac{2}{5}\times\dfrac{1}{4}=\dfrac{1}{10}$

(ⅱ) $X=3$일 때

$\bullet\bigcirc\bigcirc\Rightarrow\dfrac{3}{5}\times\dfrac{2}{4}\times\dfrac{1}{3}=\dfrac{1}{10}$

$\bigcirc\bullet\bigcirc\Rightarrow\dfrac{2}{5}\times\dfrac{3}{4}\times\dfrac{1}{3}=\dfrac{1}{10}$

이므로 $\mathrm{P}(X=3)=\dfrac{1}{10}+\dfrac{1}{10}=\dfrac{1}{5}$

(ⅰ), (ⅱ)에서 $\mathrm{P}(X>3)=1-\left(\dfrac{1}{10}+\dfrac{1}{5}\right)=\dfrac{7}{10}$

답 $\dfrac{7}{10}$

13 전략 확률의 합이 1임을 이용하여 a의 값을 먼저 구한다.

확률변수 X의 확률질량함수가

$$\mathrm{P}(X=x)=\frac{ax+2}{10}\ (x=-1,\ 0,\ 1,\ 2)$$이므로

확률분포를 표로 나타내면

X	-1	0	1	2	합계
$P(X=x)$	$\dfrac{2-a}{10}$	$\dfrac{2}{10}$	$\dfrac{2+a}{10}$	$\dfrac{2+2a}{10}$	1

확률의 합은 1이므로

$$\frac{2-a}{10}+\frac{2}{10}+\frac{2+a}{10}+\frac{2+2a}{10}=1$$

$$8+2a=10 \qquad \therefore a=1$$

$$E(X)=(-1)\times\frac{1}{10}+0\times\frac{2}{10}+1\times\frac{3}{10}+2\times\frac{4}{10}=1$$

$$V(X)=(-1)^2\times\frac{1}{10}+0^2\times\frac{2}{10}+1^2\times\frac{3}{10}+2^2\times\frac{4}{10}$$
$$\qquad -1^2$$
$$\qquad =1$$

$$\therefore V(3X+2)=9V(X)=9$$

답 ①

14 전략 확률의 합이 1이고 $E(X^2)=\dfrac{16}{3}$임을 이용하여 $a,\ b$의 값을 구하고 $V(X)=E(X^2)-\{E(X)\}^2$임을 이용한다.

확률의 합은 1이므로

$$\frac{1}{6}+a+b=1 \qquad \therefore a+b=\frac{5}{6} \qquad \cdots ㉠$$

$E(X^2)=\dfrac{16}{3}$이므로

$$E(X^2)=0^2\times\frac{1}{6}+2^2\times a+4^2\times b=4a+16b=\frac{16}{3}$$

$$\therefore a+4b=\frac{4}{3} \qquad \cdots ㉡$$

㉠, ㉡을 연립하여 풀면 $a=\dfrac{2}{3},\ b=\dfrac{1}{6}$

따라서 $E(X)=0\times\dfrac{1}{6}+2\times\dfrac{2}{3}+4\times\dfrac{1}{6}=2$이므로

$$V(X)=E(X^2)-\{E(X)\}^2=\frac{16}{3}-2^2=\frac{4}{3}$$

답 $\dfrac{4}{3}$

15 전략 확률분포를 표로 나타내고 $E(X)=\dfrac{23}{4}$임을 이용한다.

확률변수 X의 확률질량함수가

$$P(X=k)=\frac{1}{10}+(-1)^k p\ (k=1,\ 2,\ 3,\ \cdots,\ 2n)$$

이므로 확률분포를 표로 나타내면

X	1	2	3	$\cdots$	$2n$	합계
$P(X=k)$	$\dfrac{1}{10}-p$	$\dfrac{1}{10}+p$	$\dfrac{1}{10}-p$	$\cdots$	$\dfrac{1}{10}+p$	1

확률의 합은 1이므로

$$\left(\frac{1}{10}-p\right)+\left(\frac{1}{10}+p\right)+\cdots+\left(\frac{1}{10}+p\right)=1$$

$$\frac{2n}{10}=1 \qquad \therefore n=5$$

$$E(X)$$
$$=1\times\left(\frac{1}{10}-p\right)+2\times\left(\frac{1}{10}+p\right)+\cdots+10\times\left(\frac{1}{10}+p\right)$$
$$=(1+2+\cdots+10)\times\frac{1}{10}$$
$$\quad +(-p+2p-3p+\cdots-9p+10p)$$
$$=\frac{11}{2}+5p=\frac{23}{4}$$

$$5p=\frac{1}{4} \qquad \therefore p=\frac{1}{20}$$

답 $\dfrac{1}{20}$

16 전략 $E(X)=2,\ V(X)=E(X^2)-\{E(X)\}^2$임을 이용한다.

공이 모두 여섯 개이므로 확률변수 X에 대하여

$$P(X=1)=\frac{3}{6}=\frac{1}{2},\ P(X=2)=\frac{2}{6}=\frac{1}{3},$$

$$P(X=a)=\frac{1}{6}$$이다.

$E(X)=2$이므로

$$E(X)=1\times\frac{1}{2}+2\times\frac{1}{3}+a\times\frac{1}{6}=2$$

$$\frac{a}{6}=\frac{5}{6} \qquad \therefore a=5$$

$$\therefore V(X)=E(X^2)-\{E(X)\}^2$$
$$=1^2\times\frac{1}{2}+2^2\times\frac{1}{3}+5^2\times\frac{1}{6}-2^2$$
$$=2$$

답 ②

17 전략 $P(X=k)=p_k\ (k=1,\ 2,\ 3)$라 하고 $E(X)=p_1+2p_2+3p_3$임을 이용한다.

$P(X=1)=p_1,\ P(X=2)=p_2,\ P(X=3)=p_3$이라 할 때, 확률변수 Y의 확률분포를 표로 나타내면

Y	1	2	3	합계
$P(Y=k)$	$\dfrac{1}{2}p_1+\dfrac{1}{10}$	$\dfrac{1}{2}p_2+\dfrac{1}{10}$	$\dfrac{1}{2}p_3+\dfrac{1}{10}$	1

$$E(Y)=1\times\left(\frac{1}{2}p_1+\frac{1}{10}\right)+2\times\left(\frac{1}{2}p_2+\frac{1}{10}\right)$$
$$+3\times\left(\frac{1}{2}p_3+\frac{1}{10}\right)$$
$$=\frac{1}{2}(p_1+2p_2+3p_3)+\frac{3}{5}$$

$E(X)=4$에서 $p_1+2p_2+3p_3=4$이므로

$$E(Y)=\frac{1}{2}\times4+\frac{3}{5}=\frac{13}{5}$$

답 $\frac{13}{5}$

18 전략 확률변수 X가 이항분포 $B(n, p)$를 따를 때,
$E(X)=np$, $\sigma(X)=\sqrt{np(1-p)}$임을 이용한다.

동전을 한 개 던져 앞면이 나오는 확률은 $\frac{1}{2}$이므로 X는

이항분포 $B\left(4, \frac{1}{2}\right)$을 따른다.

$$E(X)=m=4\times\frac{1}{2}=2$$

$$\sigma(X)=\sqrt{4\times\frac{1}{2}\times\frac{1}{2}}=1$$

$P(|X-m|<\sigma)=P(|X-2|<1)$에서

$|X-2|<1$, $-1<X-2<1$, $1<X<3$

$$\therefore P(|X-m|<\sigma)=P(1<X<3)$$
$$=P(X=2)$$
$$={}_4C_2\left(\frac{1}{2}\right)^2\left(\frac{1}{2}\right)^2$$
$$=\frac{3}{8}$$

답 $\frac{3}{8}$

19 전략 확률변수 X가 이항분포 $B(n, p)$를 따를 때,
$E(X)=np$임을 이용한다.

1000개의 묶음 상품을 검사하는 시행은 독립시행이다.
A 제품 1개와 B 제품 2개 중 불량품이 하나도 없을 확
률은

$$\frac{80}{100}\times\frac{90}{100}\times\frac{90}{100}=\frac{81}{125}$$

이므로 확률변수 X는 이항분포 $B\left(1000, \frac{81}{125}\right)$을 따른다.

$$\therefore E(X)=1000\times\frac{81}{125}=648$$

답 648

9 정규분포

개념 Check

119쪽 ~ 120쪽

1

(1) $f(x)\ge0$이므로 $a<0$
$y=f(x)$의 그래프와 x축 및
직선 $x=-2$로 둘러싸인 부
분의 넓이가 1이므로
$$\frac{1}{2}\times2\times(-2a)=1$$
$$\therefore a=-\frac{1}{2}$$

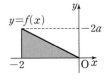

(2) $P(-1\le X\le0)$은 $y=f(x)$
의 그래프와 x축 및 직선
$x=-1$로 둘러싸인 부분의
넓이와 같으므로
$$P(-1\le X\le0)=\frac{1}{2}\times1\times\frac{1}{2}$$
$$=\frac{1}{4}$$

답 (1) $-\frac{1}{2}$　(2) $\frac{1}{4}$

2

(1) $f(x)\ge0$이므로 $a>0$
$y=f(x)$의 그래프와 x축 및 직
선 $x=1$로 둘러싸인 부분의 넓이
가 1이므로
$$\int_0^1 ax^2\,dx=\left[\frac{a}{3}x^3\right]_0^1=\frac{a}{3}=1$$
$$\therefore a=3$$

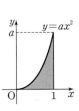

(2) $$P\left(0\le X\le\frac{1}{2}\right)=\int_0^{\frac{1}{2}}3x^2\,dx$$
$$=\left[x^3\right]_0^{\frac{1}{2}}=\frac{1}{8}$$

(3) $$E(X)=\int_0^1 xf(x)\,dx=\int_0^1 3x^3\,dx$$
$$=\left[\frac{3}{4}x^4\right]_0^1=\frac{3}{4}$$

답 (1) 3　(2) $\frac{1}{8}$　(3) $\frac{3}{4}$

대표 01

(1) $y=f(x)$의 그래프는 그림과
같고, 색칠한 부분의 넓이가
1이므로

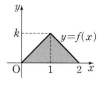

$$\frac{1}{2}\times 2\times k=1 \qquad \therefore k=1$$

(2) $P\left(0\leq X\leq\frac{1}{2}\right)$은 그림에서
색칠한 부분의 넓이와 같으므
로

$$P\left(0\leq X\leq\frac{1}{2}\right)=\frac{1}{2}\times\frac{1}{2}\times\frac{1}{2}$$
$$=\frac{1}{8}$$

🔑 (1) 1 (2) $\frac{1}{8}$

1-1

그림에서 색칠한 부분의 넓이가
1이므로

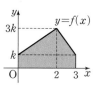

$$3\times k+\frac{1}{2}\times 3\times 2k=1$$

$$6k=1 \qquad \therefore k=\frac{1}{6}$$

🔑 $\frac{1}{6}$

1-2

$y=f(x)$의 그래프는 그림과 같
고, 함수 $f(x)=kx$의 그래프와
x축 및 직선 $x=4$로 둘러싸인
부분의 넓이가 1이므로

$$\frac{1}{2}\times 4\times 4k=1$$

$$\therefore k=\frac{1}{8}$$

$P(2\leq X\leq 4)$는 그림에서 색칠한 부분의 넓이와 같으므로

$$P(2\leq X\leq 4)=\frac{1}{2}\times 4\times 4k-\frac{1}{2}\times 2\times 2k$$

$$=6k=\frac{3}{4}$$

🔑 $\frac{3}{4}$

3

(1) $P(-1.23\leq Z\leq 1.23)$
$=P(-1.23\leq Z\leq 0)+P(0\leq Z\leq 1.23)$
$=2P(0\leq Z\leq 1.23)$
$=2\times 0.3907=0.7814$

(2) $P(Z\geq 1.23)$
$=P(Z\geq 0)-P(0\leq Z\leq 1.23)$
$=0.5-0.3907=0.1093$

(3) $P(Z\leq 1.23)$
$=P(Z\leq 0)+P(0\leq Z\leq 1.23)$
$=0.5+0.3907=0.8907$

🔑 (1) 0.7814 (2) 0.1093 (3) 0.8907

4

$Z=\dfrac{X-m}{\sigma}=\dfrac{X-5}{1}$로 표준화하면 확률변수 Z는 표
준정규분포 $N(0, 1)$을 따른다.

(1) $X=4$일 때 $Z=-1$, $X=6$일 때 $Z=1$이므로
$P(4\leq X\leq 6)=P(-1\leq Z\leq 1)$
$=2P(0\leq Z\leq 1)$
$=2\times 0.3413=0.6826$

(2) $X=6$일 때 $Z=1$이므로
$P(X\geq 6)=P(Z\geq 1)$
$=P(Z\geq 0)-P(0\leq Z\leq 1)$
$=0.5-0.3413=0.1587$

🔑 (1) 0.6826 (2) 0.1587

대표 02

$Z=\dfrac{X-m}{\sigma}=\dfrac{X-70}{5}$으로 표준화하면 확률변수 X는
표준정규분포 $N(0, 1)$을 따른다.

(1) $X=65$일 때 $Z=-1$, $X=80$일 때 $Z=2$이므로
$P(65\leq X\leq 80)=P(-1\leq Z\leq 2)$
$=P(-1\leq Z\leq 0)+P(0\leq Z\leq 2)$
$=P(0\leq Z\leq 1)+P(0\leq Z\leq 2)$
$=0.3413+0.4772=0.8185$

(2) $X=75$일 때 $Z=1$이므로
$$P(X\leq75)=P(Z\leq1)$$
$$=0.5+P(0\leq Z\leq1)$$
$$=0.5+0.3413=0.8413$$

(3) $P(X\geq a)=P\left(Z\geq\dfrac{a-70}{5}\right)$
이므로 초록색 부분의 넓이
가 0.3085이다.

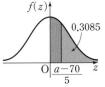

$$P\left(0\leq Z\leq\dfrac{a-70}{5}\right)$$
$$=0.5-0.3085=0.1915$$
표준정규분포표에서
$$\dfrac{a-70}{5}=0.5 \qquad \therefore a=72.5$$

答 (1) 0.8185 (2) 0.8413 (3) 72.5

2-1

$Z=\dfrac{X-m}{\sigma}=\dfrac{X-40}{6}$으로 표준화하면 확률변수 Z는

표준정규분포 N(0, 1)을 따른다.

(1) $X=31$일 때 $Z=-1.5$, $X=46$일 때 $Z=1$이므로
$$P(31\leq X\leq46)$$
$$=P(-1.5\leq Z\leq1)$$
$$=P(-1.5\leq Z\leq0)+P(0\leq Z\leq1)$$
$$=P(0\leq Z\leq1.5)+P(0\leq Z\leq1)$$
$$=0.4332+0.3413=0.7745$$

(2) $X=37$일 때 $Z=-0.5$이므로
$$P(X\leq37)=P(Z\leq-0.5)$$
$$=0.5-P(-0.5\leq Z\leq0)$$
$$=0.5-P(0\leq Z\leq0.5)$$
$$=0.5-0.1915=0.3085$$

(3) $X=52$일 때 $Z=2$이므로
$$P(X\leq52)=P(Z\leq2)$$
$$=0.5+P(0\leq Z\leq2)$$
$$=0.5+0.4772=0.9772$$

答 (1) 0.7745 (2) 0.3085 (3) 0.9772

2-2

$Z=\dfrac{X-m}{\sigma}=\dfrac{X-20}{4}$으로 표준화하면 확률변수 Z는

표준정규분포 N(0, 1)을 따른다.

$X=12$일 때 $Z=-2$이므로

$$P(12\leq X\leq a)$$
$$=P\left(-2\leq Z\leq\dfrac{a-20}{4}\right)$$
이때 초록색 부분의 넓이가
0.9104이다.

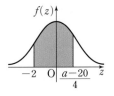

$$P\left(0\leq Z\leq\dfrac{a-20}{4}\right)=0.9104-P(-2\leq Z\leq0)$$
$$=0.9104-P(0\leq Z\leq2)$$
$$=0.9104-0.4772=0.4332$$
표준정규분포표에서
$$\dfrac{a-20}{4}=1.5 \qquad \therefore a=26$$

答 26

대표 03

과자 무게를 확률변수 X라 하면 X는 정규분포
$N(18, 0.2^2)$을 따르므로

$Z=\dfrac{X-18}{0.2}$로 표준화하면 확률변수 Z는 표준정규분

포 N(0, 1)을 따른다.

(1) $X=17.8$일 때 $Z=-1$, $X=18.4$일 때 $Z=2$이므로
$$P(17.8\leq X\leq18.4)$$
$$=P(-1\leq Z\leq2)$$
$$=P(-1\leq Z\leq0)+P(0\leq Z\leq2)$$
$$=0.3413+0.4772=0.8185$$

(2) $X=17.5$일 때 $Z=-2.5$이므로
$$P(X\leq17.5)=P(Z\leq-2.5)$$
$$=0.5-P(-2.5\leq Z\leq0)$$
$$=0.5-0.4938=0.0062$$
따라서 불량품으로 예상되는 과자의 개수는
$$10000\times0.0062=62$$

答 (1) 0.8185 (2) 62

3-1

이 도시 성인의 몸무게를 확률변수 X라 하면 X는 정규

분포 $N(61, 12^2)$을 따르므로

$Z=\dfrac{X-61}{12}$로 표준화하면 확률변수 Z는 표준정규분포

N(0, 1)을 따른다.

(1) $X=55$일 때 $Z=-0.5$이므로
$$P(X\leq55)=P(Z\leq-0.5)$$
$$=0.5-P(-0.5\leq Z\leq0)$$
$$=0.5-0.1915=0.3085$$

(2) $X=49$일 때 $Z=-1$, $X=79$일 때 $Z=1.5$이므로
$$P(49 \leq X \leq 79)$$
$$=P(-1 \leq Z \leq 1.5)$$
$$=P(-1 \leq Z \leq 0)+P(0 \leq Z \leq 1.5)$$
$$=0.3413+0.4332=0.7745$$
따라서 몸무게가 $49\,kg$ 이상 $79\,kg$ 이하인 성인의 수는
$$2000 \times 0.7745=1549$$

답 (1) 0.3085 (2) 1549

3-2

누리가 등교하는 데 걸리는 시간을 확률변수 X라 하면 X는 정규분포 $N(30, 5^2)$을 따르므로
$Z=\dfrac{X-30}{5}$으로 표준화하면 확률변수 Z는 표준정규분포 $N(0, 1)$을 따른다.
누리가 지각하지 않을 확률은 $P(X \leq 20)$이고 $X=20$일 때 $Z=-2$이므로
$$P(X \leq 20)=P(Z \leq -2)$$
$$=0.5-P(-2 \leq Z \leq 0)$$
$$=0.5-0.4772$$
$$=0.0228$$

답 0.0228

대표 Q4

응시생의 점수를 확률변수 X라 하면 X는 정규분포 $N(156, 20^2)$을 따르므로
$Z=\dfrac{X-156}{20}$으로 표준화하면 확률변수 Z는 표준정규분포 $N(0, 1)$을 따른다.
(1) $X=180$일 때 $Z=1.2$이므로
$$P(X \geq 180)=P(Z \geq 1.2)$$
$$=0.5-P(0 \leq Z \leq 1.2)$$
$$=0.5-0.38=0.12$$
따라서 180점 이상인 학생 수는
$$1000 \times 0.12=120$$
이므로 180점을 받은 학생은 120등이라 할 수 있다.
(2) 합격률이 $\dfrac{200}{1000}=0.2$이므로 합격 최저 점수를 a라 하면
$$P(X \geq a)=0.2$$

곧, $P\left(Z \geq \dfrac{a-156}{20}\right)=0.2$이므로
$$P\left(0 \leq Z \leq \dfrac{a-156}{20}\right)=0.3$$
주어진 표준정규분포표에서 $\dfrac{a-156}{20}=0.84$
$$\therefore a=172.8(점)$$

답 (1) 120등 (2) 172.8점

4-1

응시생의 수학 영역 점수를 확률변수 X라 하면 X는 정규분포 $N(65, 10^2)$을 따르므로
$Z=\dfrac{X-65}{10}$로 표준화하면 확률변수 Z는 표준정규분포 $N(0, 1)$을 따른다.
(1) $X=80$일 때 $Z=1.5$이므로
$$P(X \geq 80)=P(Z \geq 1.5)$$
$$=0.5-P(0 \leq Z \leq 1.5)$$
$$=0.5-0.43=0.07$$
따라서 점수가 80점 이상인 학생 수는
$$500 \times 0.07=35$$
(2) $\dfrac{85}{500}=0.17$이므로 85등인 학생의 점수를 a라 하면
$$P(X \geq a)=0.17$$
곧, $P\left(Z \geq \dfrac{a-65}{10}\right)=0.17$이므로
$$P\left(0 \leq Z \leq \dfrac{a-65}{10}\right)=0.33$$
주어진 표준정규분포표에서 $\dfrac{a-65}{10}=0.96$
$$\therefore a=74.6(점)$$

답 (1) 35 (2) 74.6점

낱선 05

ㄱ. X, Y를 각각 표준화하면
$$P(X \geq 2m)=P\left(Z \geq \dfrac{m}{\sigma_1}\right)$$
$$P(Y \geq 3m)=P\left(Z \geq \dfrac{2m}{\sigma_2}\right)$$
이므로 조건에서 $\dfrac{m}{\sigma_1}=\dfrac{2m}{\sigma_2}$
$m \neq 0$이므로 $\sigma_2=2\sigma_1$ (참)

ㄴ. 평균이 m이므로 두 곡선 $f(x)$, $g(x)$는 그림과 같이 직선 $x=m$에 대칭이다.

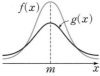

ㄱ에서 $\sigma_1 < \sigma_2$이므로 곡선 $g(x)$는 $f(x)$보다 높이는 낮아지고 옆으로 퍼진 모양이다.

따라서 그림에서 $f(m) > g(m)$ (참)

ㄷ. X, Y를 각각 표준화하면

$$P(X \le 0) = P\left(Z \le -\frac{m}{\sigma_1}\right)$$

$$P(Y \ge 0) = P\left(Z \ge -\frac{m}{\sigma_2}\right)$$

$\sigma_1 < \sigma_2$에서 $-\dfrac{m}{\sigma_1} < -\dfrac{m}{\sigma_2}$

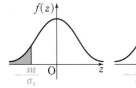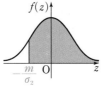

그림에서 색칠한 두 부분의 넓이의 합은 1보다 작다. (거짓)

따라서 옳은 것은 ㄱ, ㄴ이다.

답 ③

5-1

(1) X, Y를 각각 표준화하면

$$P(|X| \le a) = P\left(|Z| \le \frac{a}{\sigma}\right)$$

$$P(|Y| \le b) = P\left(|Z| \le \frac{2b}{\sigma}\right)$$

이므로 조건에서 $a = 2b$

(2) $a = 2b$이므로

$$P\left(Y \le \frac{a}{2}\right) = P(Y \le b)$$
$$= P\left(Z \le \frac{b-0}{\frac{\sigma}{2}}\right)$$
$$= P\left(Z \le \frac{2b}{\sigma}\right)$$
$$= 1 - P\left(Z \ge \frac{2b}{\sigma}\right)$$
$$= 1 - 0.3 = 0.7$$

답 (1) $a = 2b$ (2) 0.7

5

(1) X가 이항분포 $B\left(100, \dfrac{1}{2}\right)$을 따르므로

$$E(X) = np = 100 \times \frac{1}{2} = 50$$

$$V(X) = npq = 100 \times \frac{1}{2} \times \frac{1}{2} = 25$$

따라서 $n = 100$은 충분히 크므로 X는 근사적으로 정규분포 $N(50, 5^2)$을 따른다.

(2) X가 이항분포 $B\left(7200, \dfrac{1}{3}\right)$을 따르므로

$$E(X) = np = 7200 \times \frac{1}{3} = 2400$$

$$V(X) = npq = 7200 \times \frac{1}{3} \times \frac{2}{3} = 1600$$

따라서 $n = 7200$은 충분히 크므로 X는 근사적으로 정규분포 $N(2400, 40^2)$을 따른다.

답 (1) $N(50, 5^2)$ (2) $N(2400, 40^2)$

대표 06

(1) 예약한 고객이 승선할 확률은 $\dfrac{8}{10} = \dfrac{4}{5}$이므로 예약한 고객 중 승선하는 사람 수를 확률변수 X라 하면 X는 이항분포 $B\left(400, \dfrac{4}{5}\right)$를 따른다.

$$E(X) = 400 \times \frac{4}{5} = 320$$

$$V(X) = 400 \times \frac{4}{5} \times \frac{1}{5} = 64$$

따라서 $n = 400$은 충분히 크므로 X는 근사적으로 정규분포 $N(320, 8^2)$을 따른다.

$Z = \dfrac{X-320}{8}$으로 표준화하면 확률변수 Z는 표준정규분포 $N(0, 1)$을 따르므로

$$P(X \le 312) = P\left(Z \le \frac{312-320}{8}\right)$$
$$= P(Z \le -1)$$
$$= 0.5 - P(-1 \le Z \le 0)$$
$$= 0.5 - 0.34 = 0.16$$

(2) 정원이 340명이므로 정원을 초과하지 않을 확률은

$$P(X \leq 340) = P\left(Z \leq \frac{340-320}{8}\right)$$
$$= P(Z \leq 2.5)$$
$$= 0.5 + P(0 \leq Z \leq 2.5)$$
$$= 0.5 + 0.49 = 0.99$$

📋 (1) 0.16 (2) 0.99

6-1

테니스 선수가 서브에 성공할 확률이 $\frac{80}{100} = \frac{4}{5}$이므로

테니스 선수가 서브에 성공하는 횟수를 확률변수 X라

하면 X는 이항분포 $B\left(100, \frac{4}{5}\right)$를 따른다.

$$E(X) = 100 \times \frac{4}{5} = 80$$

$$V(X) = 100 \times \frac{4}{5} \times \frac{1}{5} = 16$$

따라서 $n = 100$은 충분히 크므로 X는 근사적으로 정규

분포 $N(80, 4^2)$을 따른다.

$Z = \frac{X-80}{4}$으로 표준화하면 확률변수 Z는 표준정규분

포 $N(0, 1)$을 따르므로

$$P(X \geq 90) = P\left(Z \geq \frac{90-80}{4}\right)$$
$$= P(Z \geq 2.5)$$
$$= 0.5 - P(0 \leq Z \leq 2.5)$$
$$= 0.5 - 0.49 = 0.01$$

📋 0.01

6-2

X는 이항분포 $B\left(400, \frac{1}{2}\right)$을 따르므로

$$E(X) = 400 \times \frac{1}{2} = 200$$

$$V(X) = 400 \times \frac{1}{2} \times \frac{1}{2} = 100$$

따라서 $n = 400$은 충분히 크므로 X는 근사적으로 정규

분포 $N(200, 10^2)$을 따른다.

$Z = \frac{X-200}{10}$으로 표준화하면 확률변수 Z는 표준정규

분포 $N(0, 1)$을 따르므로

$P(X \leq k) = 0.98$에서

$$P\left(Z \leq \frac{k-200}{10}\right) = 0.98$$

$$P\left(0 \leq Z \leq \frac{k-200}{10}\right) = 0.48$$

주어진 표준정규분포표에서

$$\frac{k-200}{10} = 2 \qquad \therefore k = 220$$

📋 220

대표 07

(i) 사과가 '특대' 등급일 확률

사과의 무게를 확률변수 X라 하면 X는 정규분포

$N(400, 50^2)$을 따른다.

$Z = \frac{X-400}{50}$으로 표준화하면 확률변수 Z는 표준정

규분포 $N(0, 1)$을 따르므로

$$P(X \geq 442) = P\left(Z \geq \frac{442-400}{50}\right)$$
$$= P(Z \geq 0.84)$$
$$= 0.5 - P(0 \leq Z \leq 0.84)$$
$$= 0.5 - 0.3 = 0.2$$

(ii) 100개 중 '특대' 등급 상품이 24개 이상일 확률

100개 중 '특대' 등급 상품의 개수를 확률변수 Y라 하

면 Y는 이항분포 $B(100, 0.2)$를 따르므로

$$E(Y) = 100 \times 0.2 = 20$$

$$V(Y) = 100 \times 0.2 \times 0.8 = 16$$

따라서 $n = 100$은 충분히 크므로 Y는 근사적으로 정

규분포 $N(20, 4^2)$을 따른다.

$Z = \frac{Y-20}{4}$으로 표준화하면 확률변수 Z는 표준정

규분포 $N(0, 1)$을 따르므로

$$P(Y \geq 24) = P\left(Z \geq \frac{24-20}{4}\right)$$
$$= P(Z \geq 1)$$
$$= 0.5 - P(0 \leq Z \leq 1)$$
$$= 0.5 - 0.34 = 0.16$$

📋 0.16

7-1

(i) 제품이 불량품일 확률

제품의 무게를 확률변수 X라 하면 X는 정규분포

$N(180, 8^2)$을 따른다.

$Z=\dfrac{X-180}{8}$ 으로 표준화하면 확률변수 Z는 표준정

규분포 $N(0, 1)$을 따르므로

$$P(X\le164)=P\Big(Z\le\dfrac{164-180}{8}\Big)$$
$$=P(Z\le-2)$$
$$=0.5-P(-2\le Z\le0)$$
$$=0.5-0.48=0.02=\dfrac{1}{50}$$

(ii) 2500개 중 불량품이 64개 이하일 확률

제품 중 불량품의 개수를 확률변수 Y라 하면 Y는 이

항분포 $B\Big(2500, \dfrac{1}{50}\Big)$을 따르므로

$$E(Y)=2500\times\dfrac{1}{50}=50$$

$$V(Y)=2500\times\dfrac{1}{50}\times\dfrac{49}{50}=49$$

따라서 $n=2500$은 충분히 크므로 Y는 근사적으로

정규분포 $N(50, 7^2)$을 따른다.

$Z=\dfrac{Y-50}{7}$ 으로 표준화하면 확률변수 Z는 표준정

규분포 $N(0, 1)$을 따르므로

$$P(Y\le64)=P\Big(Z\le\dfrac{64-50}{7}\Big)$$
$$=P(Z\le2)$$
$$=0.5+P(0\le Z\le2)$$
$$=0.5+0.48=0.98$$

답 0.98

01

(1) 확률밀도함수의 정의에 따라 $f(x)\ge0$
$y=f(x)$의 그래프는 그림과 같고 색칠한 부분의 넓이가 1이므로

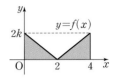

$$2\Big(\dfrac{1}{2}\times2\times2k\Big)=1$$

$$4k=1 \qquad \therefore k=\dfrac{1}{4}$$

(2) $P(X\le3)$은 그림에서 색칠한 부분의 넓이이므로

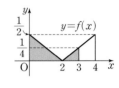

$$\dfrac{1}{2}\times2\times\dfrac{1}{2}+\dfrac{1}{2}\times1\times\dfrac{1}{4}$$
$$=\dfrac{5}{8}$$

답 (1) $\dfrac{1}{4}$ (2) $\dfrac{5}{8}$

02

$Z=\dfrac{X-8}{2}$ 로 표준화하면 확률변수 Z는 표준정규분포

$N(0, 1)$을 따르므로

$$P(7\le X\le10)=P\Big(\dfrac{7-8}{2}\le Z\le\dfrac{10-8}{2}\Big)$$
$$=P(-0.5\le Z\le1)$$
$$=P(-0.5\le Z\le0)+P(0\le Z\le1)$$
$$=0.1915+0.3413$$
$$=0.5328$$

답 ①

03

정규분포곡선은 그림과 같이 직선 $x=m$에 대칭이므로

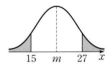

$P(X\le15)=P(X\ge27)$에서

$$m=\dfrac{15+27}{2}=21$$

$Z=\dfrac{X-21}{2}$ 로 표준화하면 확률변수 Z는 표준정규분포

$N(0, 1)$을 따르므로

$$P(X\ge24)=P\Big(Z\ge\dfrac{24-21}{2}\Big)$$

$$=P(Z \geq 1.5)$$
$$=0.5-P(0 \leq Z \leq 1.5)$$
$$=0.5-0.4332$$
$$=0.0668$$

답 0.0668

04

농장에서 판매하는 파프리카 한 상자의 무게를 확률변수 X라 하면 X는 정규분포 $N(1.5, 0.2^2)$을 따른다.

$Z=\dfrac{X-1.5}{0.2}$로 표준화하면 확률변수 Z는 표준정규분포 $N(0, 1)$을 따르므로

$$P(1.3 \leq X \leq 1.8)$$
$$=P\left(\dfrac{1.3-1.5}{0.2} \leq Z \leq \dfrac{1.8-1.5}{0.2}\right)$$
$$=P(-1 \leq Z \leq 1.5)$$
$$=P(-1 \leq Z \leq 0)+P(0 \leq Z \leq 1.5)$$
$$=0.3413+0.4332$$
$$=0.7745$$

답 ③

05

씨앗 1200개를 뿌렸을 때, 발아한 씨앗의 개수를 확률변수 X라 하면 X는 이항분포 $B\left(1200, \dfrac{3}{4}\right)$을 따르므로

$$E(X)=1200 \times \dfrac{3}{4}=900$$
$$V(X)=1200 \times \dfrac{3}{4} \times \dfrac{1}{4}=225$$

따라서 $n=1200$은 충분히 크므로 X는 근사적으로 정규분포 $N(900, 15^2)$을 따른다.

$Z=\dfrac{X-900}{15}$으로 표준화하면 확률변수 Z는 표준정규분포 $N(0, 1)$을 따르므로

$$P(X \geq 945)=P\left(Z \geq \dfrac{945-900}{15}\right)$$
$$=P(Z \geq 3)$$
$$=0.5-P(0 \leq Z \leq 3)$$
$$=0.5-0.4987$$
$$=0.0013$$

답 0.0013

06

자극에 대한 반응 시간을 확률변수 X라 하면 X는 정규분포 $N(m, 1^2)$을 따른다.

$Z=\dfrac{X-m}{1}$으로 표준화하면 확률변수 Z는 표준정규분포 $N(0, 1)$을 따르므로

$$P(X<2.93)$$
$$=P\left(Z<\dfrac{2.93-m}{1}\right)$$
$$=P(Z>m-2.93)$$
$$=0.5-P(0 \leq Z \leq m-2.93)$$
$$=0.1003$$

$$\therefore P(0 \leq Z \leq m-2.93)=0.3997$$

표준정규분포표에서

$$m-2.93=1.28 \qquad \therefore m=4.21$$

답 4.21

07

ㄱ. 정규분포곡선에서 대칭축의 위치가 오른쪽에 있을수록 평균이 더 크므로 성적이 우수한 학생들이 A 학교보다 C 학교에 많이 있다. (참)

ㄴ. A, B 학교는 평균이 같으므로 어느 학교가 더 우수하다고 말할 수 없다. (거짓)

ㄷ. 표준편차가 작을수록 정규분포곡선의 높이는 높아지고 옆으로 더 좁게 있다.
  B 학교의 표준편차가 더 작으므로 B 학교 학생들의 성적이 C 학교 학생들의 성적보다 더 고른 편이다. (참)

따라서 옳은 것은 ㄱ, ㄷ이다.

답 ③

08 전략 $0 \leq X \leq 2$에서 확률밀도함수의 그래프와 x축으로 둘러싸인 부분의 넓이는 1이다.

$0 \leq X \leq 2$에서 확률밀도함수의 그래프와 x축으로 둘러싸인 부분의 넓이가 1이므로

$$\dfrac{1}{2} \times \dfrac{1}{3} \times \dfrac{3}{4}+\left(a-\dfrac{1}{3}\right) \times \dfrac{3}{4}+\dfrac{1}{2} \times (2-a) \times \dfrac{3}{4}=1$$
$$\dfrac{1}{8}+\dfrac{3}{4}a-\dfrac{1}{4}+\dfrac{3}{4}-\dfrac{3}{8}a=1$$
$$\dfrac{3}{8}a=\dfrac{3}{8} \qquad \therefore a=1$$

67

$\therefore P\left(\dfrac{1}{3}\leq X\leq a\right)$

$=P\left(\dfrac{1}{3}\leq X\leq 1\right)$

$=\left(1-\dfrac{1}{3}\right)\times\dfrac{3}{4}$

$=\dfrac{1}{2}$

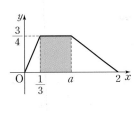

답 ④

09 전략 $P(X\geq a)=0.0228$에서

$P(m\leq X\leq a)=0.5-0.0228$임을 이용한다.

$P(X\geq a)=0.0228$에서

$P(X\geq a)=P(X\geq m)-P(m\leq X\leq a)$

이므로

$0.5-P(m\leq X\leq a)=0.0228$

$\therefore P(m\leq X\leq a)=0.4772$

주어진 표에서

$a=m+2\sigma=50+2\times 3=56$

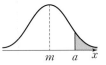

답 56

10 전략 X를 표준화한 후 $P\left(\dfrac{3-m}{\sigma}\leq Z\leq\dfrac{80-m}{\sigma}\right)=0.3$

이 되는 Z의 범위를 구한다.

확률변수 X가 정규분포 $N(m,\sigma^2)$을 따르므로

$Z=\dfrac{X-m}{\sigma}$으로 표준화하면 확률변수 Z는 표준정규분

포 $N(0,1)$을 따른다.

$\therefore P\left(Z\leq\dfrac{3-m}{\sigma}\right)=P\left(\dfrac{3-m}{\sigma}\leq Z\leq\dfrac{80-m}{\sigma}\right)=0.3$

$P(0\leq Z\leq 0.52)=0.2$에서

$P(-0.52\leq Z\leq 0)=0.2$

이므로

$P(Z\leq -0.52)=0.3$

$P(-0.52\leq Z\leq 0.25)=0.3$

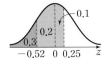

$\dfrac{3-m}{\sigma}=-0.52$이므로

$3-m=-0.52\sigma$ $\cdots$ ㉠

$\dfrac{80-m}{\sigma}=0.25$이므로

$80-m=0.25\sigma$ $\cdots$ ㉡

㉠, ㉡을 연립하여 풀면 $m=55$, $\sigma=100$

$\therefore m+\sigma=155$

답 155

11 전략 입사 시험 점수를 확률변수 X, 합격하기 위한 최저

점수를 a라 하면 지원자가 합격할 확률은

$P(X\geq a)=\dfrac{134}{2000}$이다.

입사 시험 점수를 확률변수 X라 하면 X는 정규분포

$N(640,80^2)$을 따르므로

$Z=\dfrac{X-640}{80}$으로 표준화하면 확률변수 Z는 표준정규

분포 $N(0,1)$을 따른다.

합격하기 위한 최저 점수를 a점이라 하면

$P(X\geq a)=\dfrac{134}{2000}=0.067$이므로

$P(X\geq a)=P\left(Z\geq\dfrac{a-640}{80}\right)$

$=0.067$

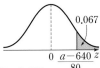

$P\left(0\leq Z\leq\dfrac{a-640}{80}\right)=0.5-0.067=0.433$

표준정규분포표에서

$\dfrac{a-640}{80}=1.5$ $\therefore a=760$

답 760점

12 전략 X,Y를 각각 표준화한 후

$P\left(Z\geq\dfrac{k-50}{\sigma}\right)=P\left(Z\leq\dfrac{k-65}{2\sigma}\right)$임을 이용한다.

X,Y를 각각 표준화하면

$P(X\geq k)=P\left(Z\geq\dfrac{k-50}{\sigma}\right)$

$P(Y\leq k)=P\left(Z\leq\dfrac{k-65}{2\sigma}\right)$

이므로

$P\left(Z\geq\dfrac{k-50}{\sigma}\right)=P\left(Z\leq\dfrac{k-65}{2\sigma}\right)$

$\dfrac{k-50}{\sigma}=-\dfrac{k-65}{2\sigma}$, $2k-100=-k+65$

$3k=165$ $\therefore k=55$

또 $P\left(Z\geq\dfrac{55-50}{\sigma}\right)=0.1056$이므로

$P\left(0\leq Z\leq\dfrac{5}{\sigma}\right)=0.5-0.1056=0.3944$

표준정규분포표에서

$\dfrac{5}{\sigma}=1.25$ $\therefore \sigma=4$

답 $k=55$, $\sigma=4$

13 (전략) 네 과목의 성적을 표준화한 후 성적을 비교한다.

물리, 화학, 생명과학, 지구과학 점수에서 미나의 점수의 상대적인 위치는

$$(물리)=\frac{65-60}{3}=\frac{5}{3}, \quad (화학)=\frac{75-65}{4}=\frac{5}{2}$$

$$(생명과학)=\frac{73-70}{2}=\frac{3}{2}, \quad (지구과학)=\frac{65-55}{5}=2$$

따라서 상대적으로 성적이 높은 두 과목은 화학, 지구과학이다.

(답) 화학, 지구과학

14 (전략) 주어진 식은 이항분포 $B\left(400, \frac{9}{10}\right)$를 따르는 확률변수 X에서 $P(351 \le X \le 369)$이다.

주어진 식의 값은 확률변수 X가 이항분포 $B\left(400, \frac{9}{10}\right)$를 따를 때, $P(351 \le X \le 369)$와 같다.

$$E(X)=400 \times \frac{9}{10}=360$$

$$V(X)=400 \times \frac{9}{10} \times \frac{1}{10}=36$$

따라서 $n=400$은 충분히 크므로 X는 근사적으로 정규분포 $N(360, 6^2)$을 따른다.

$Z=\dfrac{X-360}{6}$으로 표준화하면 확률변수 Z는 표준정규분포 $N(0, 1)$을 따르므로

$$P(351 \le X \le 369)$$
$$=P\left(\frac{351-360}{6} \le Z \le \frac{369-360}{6}\right)$$
$$=P(-1.5 \le Z \le 1.5)$$
$$=2P(0 \le Z \le 1.5)$$
$$=2 \times 0.4332$$
$$=0.8664$$

(답) 0.8664

15 (전략) C 회사의 제품을 선택한 고객 수를 확률변수 X라 하면 X는 이항분포 $B\left(192, \frac{1}{4}\right)$을 따른다.

192명의 고객 중 C 회사의 제품을 선택할 고객 수를 확률변수 X라 하면 C 회사의 선호도가 $\frac{25}{100}=\frac{1}{4}$이므로 X는 이항분포 $B\left(192, \frac{1}{4}\right)$을 따른다.

$$E(X)=192 \times \frac{1}{4}=48$$

$$V(X)=192 \times \frac{1}{4} \times \frac{3}{4}=36$$

따라서 $n=192$는 충분히 크므로 X는 근사적으로 정규분포 $N(48, 6^2)$을 따른다.

$Z=\dfrac{X-48}{6}$로 표준화하면 확률변수 Z는 표준정규분포 $N(0, 1)$을 따르므로

$$P(X \ge 42)=P\left(Z \ge \frac{42-48}{6}\right)$$
$$=P(Z \ge -1)$$
$$=P(-1 \le Z \le 0)+0.5$$
$$=0.3413+0.5$$
$$=0.8413$$

(답) 0.8413

16 (전략) 출근 시간을 확률변수 X라 할 때, $P(X<73)=1-P(X \ge 73)$임을 이용한다.

직원들의 이 날 출근 시간을 확률변수 X라 하면 X는 정규분포 $N(66.4, 15^2)$을 따른다.

$Z=\dfrac{X-66.4}{15}$로 표준화하면 확률변수 Z는 표준정규분포 $N(0, 1)$을 따르므로

$$P(X \ge 73)=P\left(Z \ge \frac{73-66.4}{15}\right)$$
$$=P(Z \ge 0.44)$$
$$=0.5-P(0 \le Z \le 0.44)$$
$$=0.5-0.17=0.33$$

또 이 날 출근한 직원들 중 임의로 선택한 1명의 출근 시간이 73분 미만일 확률은

$$P(X<73)=1-P(X \ge 73)$$
$$=1-0.33=0.67$$

따라서 이 날 출근한 직원들 중 임의로 선택한 1명이 지하철을 이용하였을 확률은 출근 시간이 73분 이상인 직원들 중 40 %, 73분 미만인 직원들 중 20 %이므로

$$0.33 \times 0.4+0.67 \times 0.2=0.132+0.134$$
$$=0.266$$

(답) ①

10 통계적 추정

138쪽 ~ 140쪽

 개념 Check

1

우리나라 총 인구 조사와 병역 의무자의 징병 검사는 전수조사이다.

답 ①, ③, ⑤

2

$$\overline{X}=\frac{1}{3}(3+3+7)=\frac{13}{3}$$

$$S^2=\frac{1}{3-1}\left\{\left(3-\frac{13}{3}\right)^2+\left(3-\frac{13}{3}\right)^2+\left(7-\frac{13}{3}\right)^2\right\}$$

$$=\frac{16}{3}$$

답 표본평균 : $\dfrac{13}{3}$, 표본분산 : $\dfrac{16}{3}$

3

모평균이 100, 모표준편차가 3, 표본의 크기가 36이므로

$$\mathrm{E}(\overline{X})=100, \ \sigma(\overline{X})=\frac{3}{\sqrt{36}}=\frac{1}{2}$$

답 $\mathrm{E}(\overline{X})=100$, $\sigma(\overline{X})=\dfrac{1}{2}$

대표Q

141쪽 ~ 143쪽

대표 01

주머니에서 공을 한 개 꺼낼 때, 공에 적힌 수를 확률변수 X라 하면

X	1	3	5	7	합계
$\mathrm{P}(X=x)$	$\frac{1}{4}$	$\frac{1}{4}$	$\frac{1}{4}$	$\frac{1}{4}$	1

모평균을 m, 모분산을 σ^2이라 하면

$$m=\mathrm{E}(X)=1\times\frac{1}{4}+3\times\frac{1}{4}+5\times\frac{1}{4}+7\times\frac{1}{4}=4$$

$$\sigma^2=\mathrm{V}(X)=1^2\times\frac{1}{4}+3^2\times\frac{1}{4}+5^2\times\frac{1}{4}+7^2\times\frac{1}{4}-4^2=5$$

$\overline{X}$는 크기가 2인 표본의 표본평균이므로

$$\mathrm{E}(\overline{X})=m=4, \ \mathrm{V}(\overline{X})=\frac{\sigma^2}{n}=\frac{5}{2}$$

답 $\mathrm{E}(\overline{X})=4$, $\mathrm{V}(\overline{X})=\dfrac{5}{2}$

1-1

주머니에서 공을 한 개 꺼낼 때, 공에 적힌 수를 확률변수 X라 하면

X	1	2	3	4	5	합계
$\mathrm{P}(X=x)$	$\frac{1}{5}$	$\frac{1}{5}$	$\frac{1}{5}$	$\frac{1}{5}$	$\frac{1}{5}$	1

모평균을 m, 모표준편차를 σ라 하면

$$m=\mathrm{E}(X)=1\times\frac{1}{5}+2\times\frac{1}{5}+3\times\frac{1}{5}+4\times\frac{1}{5}+5\times\frac{1}{5}$$

$$=3$$

$$\sigma^2=\mathrm{V}(X)=1^2\times\frac{1}{5}+2^2\times\frac{1}{5}+3^2\times\frac{1}{5}+4^2\times\frac{1}{5}$$

$$+5^2\times\frac{1}{5}-3^2$$

$$=2$$

$\overline{X}$는 크기가 3인 표본의 표본평균이므로

$$\mathrm{E}(\overline{X})=m=3, \ \sigma(\overline{X})=\frac{\sigma}{\sqrt{n}}=\frac{\sqrt{2}}{\sqrt{3}}=\frac{\sqrt{6}}{3}$$

답 $\mathrm{E}(\overline{X})=3$, $\sigma(\overline{X})=\dfrac{\sqrt{6}}{3}$

대표 02

(1) 모집단은 정규분포 $\mathrm{N}(500, 10^2)$을 따르고 표본의 크기 $n=16$이므로 표본평균 $\overline{X}$는 정규분포

$\mathrm{N}\left(500, \dfrac{10^2}{16}\right)$, 곧 $\mathrm{N}(500, 2.5^2)$을 따른다.

$Z=\dfrac{\overline{X}-500}{2.5}$으로 표준화하면 확률변수 Z는 표준정규분포 $\mathrm{N}(0, 1)$을 따르므로

$$\mathrm{P}(497.5\leq\overline{X}\leq505)$$

$$=\mathrm{P}\left(\frac{497.5-500}{2.5}\leq Z\leq\frac{505-500}{2.5}\right)$$

$$=\mathrm{P}(-1\leq Z\leq2)$$

$$=\mathrm{P}(0\leq Z\leq1)+\mathrm{P}(0\leq Z\leq2)$$

$$=0.3413+0.4772=0.8185$$

(2) 생수 4병이 한 세트이므로 크기가 4인 표본이라 생각하면 무게가 2030 g인 세트는 평균이 $\dfrac{2030}{4}=507.5\,(\mathrm{g})$인 표본이라 생각할 수 있다.

한 세트 무게의 평균을 $\overline{Y}$라 하면 표본평균 $\overline{Y}$는 정규분포 $\mathrm{N}\left(500, \dfrac{10^2}{4}\right)$, 곧 $\mathrm{N}(500, 5^2)$을 따른다.

$Z=\dfrac{\overline{Y}-500}{5}$으로 표준화하면 확률변수 Z는 표준정

규분포 $N(0, 1)$을 따르므로

$$P(\overline{Y}\geq 507.5)=P\left(Z\geq \dfrac{507.5-500}{5}\right)$$
$$=P(Z\geq 1.5)$$
$$=0.5-P(0\leq Z\leq 1.5)$$
$$=0.5-0.4332$$
$$=0.0668$$

답 (1) 0.8185 (2) 0.0668

2-1

(1) 모집단은 정규분포 $N(300, 40^2)$을 따르고 표본의 크 기 $n=25$이므로 표본평균 $\overline{X}$는 정규분포

$N\left(300, \dfrac{40^2}{25}\right)$, 곧 $N(300, 8^2)$을 따른다.

$Z=\dfrac{\overline{X}-300}{8}$으로 표준화하면 확률변수 Z는 표준정

규분포 $N(0, 1)$을 따르므로

$$P(284\leq \overline{X}\leq 316)$$
$$=P\left(\dfrac{284-300}{8}\leq Z\leq \dfrac{316-300}{8}\right)$$
$$=P(-2\leq Z\leq 2)$$
$$=2P(0\leq Z\leq 2)$$
$$=2\times 0.4772=0.9544$$

(2) 당근 16개가 한 상자이므로 크기가 16인 표본이라 생각 하면 무게가 4880 g인 상자는 평균이

$\dfrac{4880}{16}=305$ (g)인 표본이라 생각할 수 있다.

한 상자 무게의 평균을 $\overline{Y}$라 하면 표본평균 $\overline{Y}$는 정규

분포 $N\left(300, \dfrac{40^2}{16}\right)$, 곧 $N(300, 10^2)$을 따른다.

$Z=\dfrac{\overline{Y}-300}{10}$으로 표준화하면 확률변수 Z는 표준정

규분포 $N(0, 1)$을 따르므로

$$P(\overline{Y}\geq 305)=P\left(Z\geq \dfrac{305-300}{10}\right)$$
$$=P(Z\geq 0.5)$$
$$=0.5-P(0\leq Z\leq 0.5)$$
$$=0.5-0.1915$$
$$=0.3085$$

답 (1) 0.9544 (2) 0.3085

대표 03

모집단은 정규분포 $N(m, 3^2)$을 따르고 표본의 크기가

n이므로 표본평균 $\overline{X}$는 정규분포 $N\left(m, \dfrac{3^2}{n}\right)$을 따른다.

$Z=\dfrac{\overline{X}-m}{\dfrac{3}{\sqrt{n}}}$으로 표준화하면 확률변수 Z는 표준정규분포

$N(0, 1)$을 따르므로

$$P(m-0.5\leq \overline{X}\leq m+0.5)$$
$$=P\left(\dfrac{m-0.5-m}{\dfrac{3}{\sqrt{n}}}\leq Z\leq \dfrac{m+0.5-m}{\dfrac{3}{\sqrt{n}}}\right)$$
$$=P\left(-\dfrac{0.5}{\dfrac{3}{\sqrt{n}}}\leq Z\leq \dfrac{0.5}{\dfrac{3}{\sqrt{n}}}\right)$$
$$=2P\left(0\leq Z\leq \dfrac{0.5}{\dfrac{3}{\sqrt{n}}}\right)=0.8664$$

$$\therefore P\left(0\leq Z\leq \dfrac{0.5}{\dfrac{3}{\sqrt{n}}}\right)=0.4332$$

표준정규분포표에서

$\dfrac{0.5}{\dfrac{3}{\sqrt{n}}}=1.5$, $\dfrac{\sqrt{n}}{6}=1.5$ $\therefore n=81$

답 81

3-1

모집단은 정규분포 $N(m, 4^2)$을 따르고 표본의 크기가

n이므로 표본평균 $\overline{X}$는 정규분포 $N\left(m, \dfrac{4^2}{n}\right)$을 따른다.

$Z=\dfrac{\overline{X}-m}{\dfrac{4}{\sqrt{n}}}$으로 표준화하면 확률변수 Z는 표준정규분포

$N(0, 1)$을 따르므로

$$P(m-2.0\leq \overline{X}\leq m+2.0)$$
$$=P\left(\dfrac{m-2.0-m}{\dfrac{4}{\sqrt{n}}}\leq Z\leq \dfrac{m+2.0-m}{\dfrac{4}{\sqrt{n}}}\right)$$
$$=P\left(-\dfrac{2.0}{\dfrac{4}{\sqrt{n}}}\leq Z\leq \dfrac{2.0}{\dfrac{4}{\sqrt{n}}}\right)$$
$$=2P\left(0\leq Z\leq \dfrac{2.0}{\dfrac{4}{\sqrt{n}}}\right)=0.9544$$

$\therefore P\left(0\leq Z\leq\dfrac{2.0}{\dfrac{4}{\sqrt{n}}}\right)=0.4772$

표준정규분포표에서

$\dfrac{2.0}{\dfrac{4}{\sqrt{n}}}=2.0,\ \sqrt{n}=4\qquad\therefore n=16$

🔴 16

 개념 Check   145쪽

4

표본의 크기 $n=100$, 표본평균 $\overline{x}=50$, 모표준편차 $\sigma=5$이므로

(1) $50-1.96\times\dfrac{5}{\sqrt{100}}\leq m\leq50+1.96\times\dfrac{5}{\sqrt{100}}$

$\therefore 49.02\leq m\leq50.98$

(2) $50-2.58\times\dfrac{5}{\sqrt{100}}\leq m\leq50+2.58\times\dfrac{5}{\sqrt{100}}$

$\therefore 48.71\leq m\leq51.29$

🔴 (1) $49.02\leq m\leq50.98$ (2) $48.71\leq m\leq51.29$

대표Q   146쪽~148쪽

대표 04

표본의 크기 $n=1600$, 표본평균 $\overline{x}=62$, n이 충분히 크므로 모표준편차 σ 대신 표본표준편차 $S=16$을 이용하면

(1) 모평균 m의 신뢰도 95 %의 신뢰구간은

$62-1.96\times\dfrac{16}{\sqrt{1600}}\leq m\leq62+1.96\times\dfrac{16}{\sqrt{1600}}$

$\therefore 61.216\leq m\leq62.784$

(2) 모평균 m의 신뢰도 99 %의 신뢰구간은

$62-2.58\times\dfrac{16}{\sqrt{1600}}\leq m\leq62+2.58\times\dfrac{16}{\sqrt{1600}}$

$\therefore 60.968\leq m\leq63.032$

🔴 (1) $61.216\leq m\leq62.784$

(2) $60.968\leq m\leq63.032$

4-1

표본의 크기 $n=100$, 표본평균 $\overline{x}=2000$, 표본표준편차 $S=40$을 이용하면

(1) 모평균 m의 신뢰도 95 %의 신뢰구간은

$2000-1.96\times\dfrac{40}{\sqrt{100}}\leq m\leq2000+1.96\times\dfrac{40}{\sqrt{100}}$

$\therefore 1992.16\leq m\leq2007.84$

(2) 모평균 m의 신뢰도 99 %의 신뢰구간은

$2000-2.58\times\dfrac{40}{\sqrt{100}}\leq m\leq2000+2.58\times\dfrac{40}{\sqrt{100}}$

$\therefore 1989.68\leq m\leq2010.32$

🔴 (1) $1992.16\leq m\leq2007.84$

(2) $1989.68\leq m\leq2010.32$

4-2

표본평균 $\overline{x}=168.5$, 모표준편차 $\sigma=11$이므로 모평균 m의 신뢰도 99 %의 신뢰구간은

$168.5-2.58\times\dfrac{11}{\sqrt{n}}\leq m\leq168.5+2.58\times\dfrac{11}{\sqrt{n}}$이고

$165.92\leq m\leq171.08$에서

$168.5-2.58\times\dfrac{11}{\sqrt{n}}=165.92$

$168.5+2.58\times\dfrac{11}{\sqrt{n}}=171.08$이므로

$2.58\times\dfrac{11}{\sqrt{n}}=2.58,\ \sqrt{n}=11\qquad\therefore n=121$

🔴 121

대표 05

(1) 표본평균을 $\overline{x}$라 하면 신뢰도 95 %의 신뢰구간은

$\overline{x}-1.96\times\dfrac{\sigma}{\sqrt{n}}\leq m\leq\overline{x}+1.96\times\dfrac{\sigma}{\sqrt{n}}$이고

$100.4\leq m\leq139.6$에서

$\overline{x}-1.96\times\dfrac{\sigma}{\sqrt{n}}=100.4\qquad\cdots\ \bigcirc$

$\overline{x}+1.96\times\dfrac{\sigma}{\sqrt{n}}=139.6\qquad\cdots\ \bigcirc$

$\bigcirc-\bigcirc$을 하면

$2\times1.96\times\dfrac{\sigma}{\sqrt{n}}=39.2\qquad\therefore\dfrac{\sigma}{\sqrt{n}}=10$

$\bigcirc$에 대입하면 $\overline{x}=120$

따라서 신뢰도 99 %의 신뢰구간은

$120-2.58\times10\leq m\leq120+2.58\times10$

$\therefore 94.2\leq m\leq145.8$

(2) $\sigma=50$이므로 신뢰도 99 %의 신뢰구간은

$$\overline{x}-2.58\times\frac{50}{\sqrt{n}}\le m\le\overline{x}+2.58\times\frac{50}{\sqrt{n}}$$이고

신뢰구간의 길이가 10.32 이하가 되려면

$$2\times2.58\times\frac{50}{\sqrt{n}}\le10.32$$

$$\frac{258}{\sqrt{n}}\le10.32,\ \sqrt{n}\ge25\qquad\therefore\ n\ge625$$

따라서 n의 최솟값은 625이다.

답 (1) $94.2\le m\le145.8$ (2) 625

5-1

표본평균을 $\overline{x}$라 하면 신뢰도 95 %의 신뢰구간은

$$\overline{x}-1.96\times\frac{\sigma}{\sqrt{n}}\le m\le\overline{x}+1.96\times\frac{\sigma}{\sqrt{n}}$$이고

$69.02\le m\le70.98$에서

$$\overline{x}-1.96\times\frac{\sigma}{\sqrt{n}}=69.02\qquad\cdots\ \text{㉠}$$

$$\overline{x}+1.96\times\frac{\sigma}{\sqrt{n}}=70.98\qquad\cdots\ \text{㉡}$$

㉡$-$㉠을 하면

$$2\times1.96\times\frac{\sigma}{\sqrt{n}}=1.96\qquad\therefore\ \frac{\sigma}{\sqrt{n}}=0.5$$

㉠에 대입하면 $\overline{x}=70$

따라서 신뢰도 99 %의 신뢰구간은

$$70-2.58\times0.5\le m\le70+2.58\times0.5$$

$$\therefore\ 68.71\le m\le71.29$$

답 $68.71\le m\le71.29$

5-2

모표준편차 $\sigma=4$이고 표본평균을 $\overline{x}$, 표본의 크기를 n이라 하면 신뢰도 95 %의 신뢰구간은

$$\overline{x}-1.96\times\frac{4}{\sqrt{n}}\le m\le\overline{x}+1.96\times\frac{4}{\sqrt{n}}$$

신뢰구간의 길이가 4 이하가 되려면

$$2\times1.96\times\frac{4}{\sqrt{n}}\le4$$

$$\frac{15.68}{\sqrt{n}}\le4,\ \sqrt{n}\ge3.92\qquad\therefore\ n\ge15.3664$$

따라서 n은 자연수이므로 구하는 최솟값은 16이다.

답 16

대표 06

모평균을 m, 모표준편차를 σ, 표본의 크기를 n이라 하면

ㄱ. 표본평균 $\overline{X}$의 분산은 $\dfrac{\sigma^2}{n}$이므로 표본의 크기 n에 반비례한다. (참)

ㄴ. 신뢰도 95 %의 신뢰구간의 길이는

$2\times1.96\dfrac{\sigma}{\sqrt{n}}$이므로 모평균과 무관하다. (거짓)

ㄷ. 신뢰도 95 %의 신뢰구간의 길이는

$2\times1.96\dfrac{\sigma}{\sqrt{n}}$이므로 표본의 크기 n이 작아지면 신뢰구간의 길이는 길어진다. (거짓)

따라서 옳은 것은 ㄱ이다.

답 ①

6-1

ㄱ. 분포가 더 고르다는 의미는 표준편차가 더 작다는 것이다. 표본 A의 표준편차가 표본 B의 표준편차보다 크므로 표본 A보다 표본 B의 분포가 더 고르다. (참)

ㄴ. 모집단의 표준편차를 σ, 표본의 크기를 n이라 하면 신뢰도가 같을 때, 신뢰구간의 길이는 $\dfrac{\sigma}{\sqrt{n}}$에 정비례한다.

표본 A의 신뢰구간의 길이는 $243-237=6$

표본 B의 신뢰구간의 길이는 $232-228=4$

$\dfrac{12}{\sqrt{n_1}}:\dfrac{10}{\sqrt{n_2}}=3:2$이므로 $\sqrt{n_1}:\sqrt{n_2}=4:5$

따라서 표본 A의 크기는 표본 B의 크기보다 작다. (참)

ㄷ. 다른 조건이 같을 때, 신뢰도가 클수록 신뢰구간의 길이는 길어진다. (참)

따라서 옳은 것은 ㄱ, ㄴ, ㄷ이다.

답 ⑤

 **10 통계적 추정** 149쪽 ~ 151쪽

01 $E(\overline{X})=56$, $V(\overline{X})=\dfrac{1}{4}$		**02** ⑤	
03 0.0228	**04** 0.9938		**05** ④
06 ⑤	**07** $\dfrac{1}{20}$	**08** 0.0228	**09** 25
10 ②	**11** 36명	**12** 12	**13** ③

01

$$E(\overline{X}) = m = 56, \quad V(\overline{X}) = \frac{\sigma^2}{n} = \frac{3^2}{36} = \frac{1}{4}$$

답 $E(\overline{X}) = 56, \ V(\overline{X}) = \frac{1}{4}$

02

모표준편차 $\sigma = 14$이므로

$$\sigma(\overline{X}) = \frac{\sigma}{\sqrt{n}} = \frac{14}{\sqrt{n}}$$

$\frac{14}{\sqrt{n}} = 2$이므로 $\sqrt{n} = 7$ $\therefore n = 49$

답 ⑤

03

모집단은 정규분포 $N(50, 6^2)$을 따르고 표본의 크기 $n = 16$이므로 표본평균 $\overline{X}$는 정규분포 $N\left(50, \frac{6^2}{16}\right)$, 곧 $N\left(50, \left(\frac{3}{2}\right)^2\right)$을 따른다.

$Z = \dfrac{\overline{X} - 50}{\frac{3}{2}}$으로 표준화하면 확률변수 Z는 표준정규분포 $N(0, 1)$을 따르므로

$$
\begin{aligned}
P(\overline{X} \leq 47) &= P\left(Z \leq \frac{47 - 50}{\frac{3}{2}}\right) \\
&= P(Z \leq -2) \\
&= 0.5 - P(0 \leq Z \leq 2) \\
&= 0.5 - 0.4772 \\
&= 0.0228
\end{aligned}
$$

답 0.0228

04

모집단은 정규분포 $N(201.5, 1.8^2)$을 따르고 표본의 크기 $n = 9$이므로 표본평균 $\overline{X}$는 정규분포 $N\left(201.5, \frac{1.8^2}{9}\right)$, 곧 $N(201.5, 0.6^2)$을 따른다.

$Z = \dfrac{\overline{X} - 201.5}{0.6}$로 표준화하면 확률변수 Z는 표준정규분포 $N(0, 1)$을 따르므로

$$
\begin{aligned}
P(\overline{X} \geq 200) &= P\left(Z \geq \frac{200 - 201.5}{0.6}\right) \\
&= P(Z \geq -2.5)
\end{aligned}
$$

$$
\begin{aligned}
&= 0.5 + P(0 \leq Z \leq 2.5) \\
&= 0.5 + 0.4938 \\
&= 0.9938
\end{aligned}
$$

답 0.9938

05

표본의 크기 $n = 64$, 모표준편차 $\sigma = 40$이고 표본평균이 $\overline{x}$이므로 신뢰도 99 %의 신뢰구간은

$$\overline{x} - 2.58 \times \frac{40}{\sqrt{64}} \leq m \leq \overline{x} + 2.58 \times \frac{40}{\sqrt{64}}$$

$$\therefore c = 2.58 \times \frac{40}{\sqrt{64}} = 12.9$$

답 ④

06 **전략** 두 번의 시행에서 표본평균 $\overline{X} = 2$이면 두 수의 합은 4임을 이용한다.

한 번의 시행에서 공에 적혀 있는 수를 확률변수 X라 하고, X의 확률분포를 표로 나타내면 다음과 같다.

X	1	2	3	합계
$P(X=x)$	$\frac{1}{8}$	$\frac{2}{8} = \frac{1}{4}$	$\frac{5}{8}$	1

표본의 크기가 2이고 표본평균 $\overline{X} = 2$인 경우는 $(1, 3), (2, 2), (3, 1)$

$$
\begin{aligned}
\therefore P(\overline{X} = 2) &= \frac{1}{8} \times \frac{5}{8} + \frac{1}{4} \times \frac{1}{4} + \frac{5}{8} \times \frac{1}{8} \\
&= \frac{5}{64} + \frac{1}{16} + \frac{5}{64} = \frac{7}{32}
\end{aligned}
$$

답 ⑤

07 **전략** $V(\overline{X}) = \dfrac{\sigma^2}{n}$을 이용한다.

모집단의 평균과 분산을 구하면

$$E(X) = 1 \times \frac{2}{5} + 2 \times \frac{3}{10} + 3 \times \frac{1}{5} + 4 \times \frac{1}{10} = 2$$

$$
\begin{aligned}
V(X) &= E(X^2) - \{E(X)\}^2 \\
&= 1^2 \times \frac{2}{5} + 2^2 \times \frac{3}{10} + 3^2 \times \frac{1}{5} + 4^2 \times \frac{1}{10} - 2^2 = 1
\end{aligned}
$$

$\overline{X}$는 크기가 20인 표본의 평균이므로

$$V(\overline{X}) = \frac{\sigma^2}{n} = \frac{1}{20}$$

답 $\dfrac{1}{20}$

08 **전략** 확률변수 X는 정규분포 $N(m, 4^2)$을 따르므로 $P(m \le X \le a)$부터 구한다.

제품의 길이 X는 정규분포 $N(m, 4^2)$을 따르므로 $Z = \dfrac{X-m}{4}$으로 표준화하면 확률변수 Z는 표준정규분포 $N(0, 1)$을 따른다.

$$\therefore P(m \le X \le a) = P\left(\frac{m-m}{4} \le Z \le \frac{a-m}{4}\right)$$
$$= P\left(0 \le Z \le \frac{a-m}{4}\right)$$
$$= 0.3413$$

표준정규분포표에서

$$\frac{a-m}{4} = 1 \qquad \therefore a - m = 4$$

표본의 크기 $n=16$이므로 표본평균 $\overline{X}$는 정규분포 $N\left(m, \dfrac{4^2}{16}\right)$, 곧 $N(m, 1)$을 따른다.

$Z = \dfrac{\overline{X}-m}{1}$으로 놓으면 확률변수 Z는 표준정규분포 $N(0, 1)$을 따르므로

$$P(\overline{X} \ge a-2) = P\left(Z \ge \frac{(a-2)-m}{1}\right)$$
$$= P(Z \ge a-m-2)$$
$$= P(Z \ge 4-2) = P(Z \ge 2)$$
$$= 0.5 - P(0 \le Z \le 2)$$
$$= 0.5 - 0.4772$$
$$= 0.0228$$

답 0.0228

09 **전략** 확률 $P(7.76 \le \overline{X} \le 8.24) = 0.6826$이 되는 n의 값을 구한다.

모집단은 정규분포 $N(8, 1.2^2)$을 따르고 표본의 크기가 n이므로 표본평균 $\overline{X}$는 정규분포 $N\left(8, \dfrac{1.2^2}{n}\right)$을 따른다.

$Z = \dfrac{\overline{X}-8}{\dfrac{1.2}{\sqrt{n}}}$로 표준화하면 확률변수 Z는 표준정규분포 $N(0, 1)$을 따르므로

$$P(7.76 \le \overline{X} \le 8.24) = P\left(\frac{7.76-8}{\frac{1.2}{\sqrt{n}}} \le Z \le \frac{8.24-8}{\frac{1.2}{\sqrt{n}}}\right)$$
$$= P\left(-\frac{\sqrt{n}}{5} \le Z \le \frac{\sqrt{n}}{5}\right)$$
$$= 2P\left(0 \le Z \le \frac{\sqrt{n}}{5}\right) \ge 0.6826$$

$$\therefore P\left(0 \le Z \le \frac{\sqrt{n}}{5}\right) \ge 0.3413$$

표준정규분포표에서

$$\frac{\sqrt{n}}{5} \ge 1, \ \sqrt{n} \ge 5 \qquad \therefore n \ge 25$$

따라서 n의 최솟값은 25이다.

답 25

10 **전략** 모평균 m의 신뢰도 95 %의 신뢰구간은
$$\overline{x} - 1.96\frac{\sigma}{\sqrt{n}} \le m \le \overline{x} + 1.96\frac{\sigma}{\sqrt{n}}$$

모표준편차 $\sigma = 1.4$, 표본의 크기 $n=49$이므로 표본평균을 $\overline{x}$라 하면 신뢰도 95 %의 신뢰구간은

$$\overline{x} - 1.96 \times \frac{1.4}{\sqrt{49}} \le m \le \overline{x} + 1.96 \times \frac{1.4}{\sqrt{49}}$$

$$\therefore \overline{x} - 0.392 \le m \le \overline{x} + 0.392$$

$a \le m \le 7.992$에서

$$\overline{x} + 0.392 = 7.992 \qquad \therefore \overline{x} = 7.6$$
$$\therefore a = \overline{x} - 0.392 = 7.6 - 0.392 = 7.208$$

답 ②

11 **전략** 신뢰도 99 %의 신뢰구간의 길이는
$$2 \times 2.58\frac{\sigma}{\sqrt{n}}$$

표본의 크기를 n이라 하면 $\sigma=2$이므로 신뢰도 99 %의 신뢰구간은

$$\overline{x} - 2.58 \times \frac{2}{\sqrt{n}} \le m \le \overline{x} + 2.58 \times \frac{2}{\sqrt{n}}$$

신뢰구간의 길이가 1.72 이하가 되려면

$$2 \times 2.58 \times \frac{2}{\sqrt{n}} \le 1.72$$

$$\frac{10.32}{\sqrt{n}} \le 1.72, \ \sqrt{n} \ge 6 \qquad \therefore n \ge 36$$

따라서 적어도 36명의 선수를 조사해야 한다.

답 36명

12 **전략** 신뢰도 95 %의 신뢰구간은
$$\overline{x} - 1.96\frac{\sigma}{\sqrt{n}} \le m \le \overline{x} + 1.96\frac{\sigma}{\sqrt{n}}$$

신뢰도 99 %의 신뢰구간은
$$\overline{x} - 2.58\frac{\sigma}{\sqrt{n}} \le m \le \overline{x} + 2.58\frac{\sigma}{\sqrt{n}}$$

표본의 크기 $n=16$, 모표준편차는 σ이므로

$\overline{x}=75$일 때, 신뢰도 95 %의 신뢰구간은

$$75-1.96\times\frac{\sigma}{\sqrt{16}}\leq m\leq 75+1.96\times\frac{\sigma}{\sqrt{16}}$$

$$\therefore b=75+1.96\times\frac{\sigma}{\sqrt{16}}$$

$\overline{x}=77$일 때, 신뢰도 99 %의 신뢰구간은

$$77-2.58\times\frac{\sigma}{\sqrt{16}}\leq m\leq 77+2.58\times\frac{\sigma}{\sqrt{16}}$$

$$\therefore d=77+2.58\times\frac{\sigma}{\sqrt{16}}$$

$d-b=3.86$이므로

$$\left(77+2.58\times\frac{\sigma}{\sqrt{16}}\right)-\left(75+1.96\times\frac{\sigma}{\sqrt{16}}\right)=3.86$$

$$0.62\times\frac{\sigma}{\sqrt{16}}=1.86,\ \frac{\sigma}{4}=3 \qquad \therefore \sigma=12$$

답 12

13 **전략** $\mathrm{P}(|Z|\leq k)=\dfrac{a}{100}$일 때, 신뢰도 a %의 신뢰구간의 길이를 $2k\dfrac{\sigma}{\sqrt{n}}$로 놓고 k, n의 변화에 따른 신뢰구간의 길이를 생각한다.

$\mathrm{P}(|Z|\leq k)=\dfrac{a}{100}$일 때, 신뢰도 a %의 신뢰구간의 길이는 $2k\dfrac{\sigma}{\sqrt{n}}$

①, ② 신뢰도를 낮추면 신뢰구간의 길이는 짧아지고, 표본의 크기를 작게 하면 신뢰구간의 길이는 길어지므로 알 수 없다.

③ 신뢰도 a %를 낮추면 k의 값이 작아지므로 신뢰구간의 길이는 짧아지고, 표본의 크기 n을 크게 하면 $2k\dfrac{\sigma}{\sqrt{n}}$의 분모가 커지므로 신뢰구간의 길이는 짧아진다.

④, ⑤ 신뢰도를 높이면 신뢰구간의 길이는 길어지고, 표본의 크기를 크게 하면 신뢰구간의 길이는 짧아지므로 알 수 없다.

따라서 옳은 것은 ③이다.

답 ③

참고 신뢰도, 표본의 크기, 신뢰구간의 길이 사이의 관계

(1) 표본의 크기가 일정할 때
신뢰도를 높이면 신뢰구간의 길이는 길어지고,
신뢰도를 낮추면 신뢰구간의 길이는 짧아진다.

(2) 신뢰도가 일정할 때
표본의 크기를 크게 하면 신뢰구간의 길이는 짧아지고,
표본의 크기를 작게 하면 신뢰구간의 길이는 길어진다.